HET MILJOENENDILEMMA

Judy Baer

Het miljoenendilemma

redrose roman

Voor mijn moeder en ter nagedachtenis aan mijn vader,
die me beiden voortdurend voorlazen toen ik nog klein was.
Ik heb de verrassing en de vreugde van boeken
al jong leren kennen.
Dank jullie wel. Ik houd van jullie.

Een arbeider slaapt goed,
of hij nu veel of weinig te verteren heeft,
maar wie zwelgt in rijkdom,
kan de slaap niet vatten.
Prediker 5:11

© Uitgeverij Zomer en Keuning – Kampen 2008
Postbus 5018, 8260 GA Kampen
www.kok.nl

Oorspronkelijk verschenen onder de titel *Million Dollar Dilemma*
bij Steeple Hill Books, 233 Broadway, New York.
© 2005 Judy Duenow

Vertaling: Dominique Schoenmaker
Omslagontwerp: Julie Bergen
Omslagillustratie: Getty Imgaes
Grafische verzorging: Rem Polanski

ISBN 978 90 5977 309 7
NUR 302

Hoofdstuk

1

Cassia, ik ben weer aan het collecteren. Heb je ook vijf dollar? Zo ja, stop ze maar in de envelop in mijn bureau. Goed weekend. Tot maan-dag.
Stella

Wie krijgt er *nu* weer een baby?

Soms vraag ik me af waarom ik werk. Om mezelf te onder-houden of om de kantoorkas te spekken, iedere keer wanneer er iemand van de klantenservice of een andere afdeling een kind krijgt ... trouwt ... een begrafenis heeft ... promotie krijgt ... of een puist?

Wij zijn de productiefste, meest meelevende, meest bevorde-renswaardige en grootmoedigste afdeling van het bedrijf Parker Bennett en kopen meer cadeautjes en bloemen dan alle andere af-delingen – distributie, personeelszaken en administratie – samen.

Het helpt ook wel een beetje dat Stella Olson aan online win-kelen als kantoortaak de voorkeur geeft boven haar eigenlijke werk als receptioniste en secretaresse. Ik geniet er natuurlijk van dat ik deel uitmaak van zo'n genereuze en meelevende groep. Ik houd van dingen weggeven. Spreuken 11:24 en zo: *Wie vrijgevig is, wordt almaar rijker; wie gierig is, wordt arm.*

Mijn zondagsschoollerares – toevallig ook mijn moeder – vond dat erg belangrijk. Ze zei vaak dat vrijwillig weggeven tot goede dingen kon leiden, en dat gierig zijn en oppotten niet zo goed zijn als je zou verwachten. Misschien probeerde ze mijn zus en mij gewoon samen te laten doen met ons speelgoed, maar de les heeft zich veel dieper in me vastgezet.

Eerst gooide ik al mijn spaargeld in de collecteschaal om te voorkomen dat er iets vreselijks met me zou gebeuren. Maar toen ik ouder werd, besefte ik dat ik helemaal geen hemelse gezondheidspolis gekocht had.

Ik ben een *dodo*, een domineesdochter, of – als ik met dure woorden wil smijten – een TN, een theologennazaat. Geld was nooit een punt voor ons. We hadden altijd brood op de plank, een leuke pastorie om in te wonen en al het andere wat we zoal nodig zouden kunnen hebben. Nu is pappa dolgelukkig met zijn aanstelling in dienst van een drievoudige gemeente in Wyoming, eet hij soms drie warme maaltijden per dag en negeert hij mijn moeders preken over de gevaren van hoge bloeddruk. Het is bekend dat hij soms zeven keer achter elkaar koffie met een koekje krijgt wanneer hij zijn gemeenteleden bezoekt, en omdat hij er zo schattig uitziet met die extra kinnen, blijven ze hem bijvoeren. Hij heeft alleen maar aandacht voor zijn kudde en zijn geloof, en het is vaak moeilijk met hem over iets anders te praten dan doop, kerkenraad, zielenheil of zondagsschoolcommissie. Mam vindt het gelukkig heerlijk hoofd van de zondagsschool te zijn, bijbelstudies te geven en het kerstspel te leiden. Ze zijn soms een beetje zweverig, maar dat is waarschijnlijk niet zo vreemd. Ze hebben lange tijd in de zending doorgebracht toen ik nog klein was, en wanneer zij weg waren, woonden mijn zus en ik bij onze grootouders.

Ik heb van mijn opa, Benjamin Carr, mijn neiging geld te geven aan ieder goed doel dat langskomt. Ik zie hem nog steeds voor me – zijn perfect gekamde witte haar, keurig geknipte snor en indringende grijze ogen die recht in mijn ziel keken. Ik hoor ook nog steeds zijn zware, sonore stem Lucas 6:38 citeren: *Geef, dan zal je gegeven worden; een goede, stevig aangedrukte, goed geschudde en overvolle maat zal je worden toebedeeld.* Hij gaf het goede voorbeeld – tot ongenoegen van mijn oma wanneer ze geld nodig had voor de boodschappen en ontdekte dat haar koektrommeltje weer eens leeg was. Maar, zei ze keer op keer tegen ons, God voorziet in alles.

Ik mis mijn opa nog dagelijks sinds hij tien weken geleden overleden is. Oma verzekert me dat verdriet langzaamzaan slijt. Daar wacht ik nog steeds op.

Opa was allereerst een enorme liefhebber van de Bijbel, en in de tweede plaats een fan van Winston Churchill. Religieus, briljant en met een grote interesse voor de geschiedenis van Groot-Brittannië heeft opa de laatste vijftig jaar van zijn leven doorgebracht in Simms, South Dakota, een gat dat nauwelijks veranderd is sinds de dag dat zijn negentienjarige bruid en hij daar aankwamen om daar met frisse moed een nieuwe gemeente te stichten.

Opa geloofde dat christenen gevers zijn: van tijd, gaven, medeleven en geld. Wanneer iemand een opmerking maakte over zijn neiging zo weinig voor zichzelf te houden dat hij nauwelijks rond kon komen, antwoordde hij met een citaat van Winston Churchill: *We komen rond van wat we krijgen, maar leven van wat we geven.* Zelfs de ongelovige Tomassen die zo hun vragen hadden bij de Bijbel, hadden meestal wel eerbied voor de oude Winston.

Ik zuchtte, draaide me om en keek naar Stella's bureau.

Ik ben nieuw in dit kantoor en in Minneapolis, Minnesota. Ik heb alle vrienden nodig die ik krijgen kan. Trouwens, ik vier net zo graag iets als iedereen. Ik houd wel van een feestje.

Ik diepte vijf biljetten van een dollar op uit mijn versleten nepleren portemonnee en deed de bureaula open. Ik heb een nieuwe portemonnee nodig, maar op het moment heb ik niets om erin te stoppen – of om hem mee te betalen. Bovendien prees opa Ben vrijgevigheid zozeer dat ik er eigenlijk meer van geniet *geen* geld uit te geven. Maf, ik weet het – een achtentwintigjarige vrouw die niet van winkelen houdt.

Ik keek in de bureaula. Ze is ontzettend ordelijk, die Stella. Dat moet ik haar nageven. Alle potjes nagellak staan op volgorde, in een rij van donkerbruin naar lichtroze. Haar pennen, één van iedere kleur behalve zwart, een kleur die ze deprimerend vindt, liggen ook keurig naast elkaar. Ze heeft lippenstift, mondspray, mascara, rouge en foundation staan waar anderen hun memo-briefjes en paperclips bewaren.

Ik denk dat dat heel gewoon is als je een prachtige Scandinavische bent, met haar in de kleur van citroensap, een gave porseleinen huid en violetblauwe ogen die in een nanoseconde kunnen veranderen van de kleur van een vredige zee in het woeste paars van een lelijke blauwe plek. Stella wil model of actrice worden, maar totdat ze doorbreekt, wil ze ook rondkomen – vandaar haar baantje als receptioniste bij het bedrijf Parker Bennett. Ze is bijna één meter tachtig en heeft een uitstraling die de meeste mannen de stuipen op het lijf jaagt. Ze zegt dat dit prima werkt – alleen de meest onverschrokken mannen durven haar aan te spreken.

Stella heeft ook een vriend die privédetective is en haar altijd advies geeft, of haar nog wantrouwiger maakt, afhankelijk van hoe je het bekijkt. Een vrouw als Stella, die iedere man kan krijgen die ze wil, heeft een zekere bescherming nodig, denk ik. Ze is niet paranoïde, zoals een andere collega van ons, maar haar filosofie is dat alle mannen schuldig zijn totdat hun onschuld bewezen is.

Daar, helemaal vooraan, door niemand over het hoofd te zien, lag haar inzamelingsenvelop met het woord 'attentie' erop. Het is vast plezieriger een attentie te ontvangen, vermoed ik. Ik keek in mijn nu lege portemonnee.

'Sorry, Winslow, je zult nog een week op je pedicure moeten wachten.' Ik wierp een blik op de ingelijste foto op mijn bureau van een enorme toffeekleurige golden retriever/Oudengelse herdershond terwijl ik het geld doneerde dat ik bewaard had voor zijn bezoek aan de trimsalon. Ik heb hem naar Winslow Homer genoemd, de schilder die als eerste waterverf gebruikte om echte kunst te schilderen. Hoewel Homer vooral de zee schilderde, doet één doek, *The Rustics,* me altijd denken aan Simms, de plaats die ik nog steeds thuis noem. Ondanks zijn lange roze tong en geduldige, vriendelijke uiterlijk zal Winslow niet blij zijn dat hij nog even moet wachten. Hij is bijna net zo ijdel als Stella en vindt het heerlijk naar hondenparfum te ruiken en een nieuwe doek om zijn dikke nek te krijgen. Mijn proeftijd van negentig dagen kan me niet snel genoeg voorbij zijn. Dan krijg ik opslag, waardoor ik niet meer op de armoedegrens hoef te leven.

Vanaf het moment dat ik naar de tweelingsteden Minneapolis en Saint-Paul verhuisd ben, duizelt het me. In Simms kon ik een leuk huisje met een tuin en een dubbele garage kopen voor een derde van wat ik hier betaal voor een piepklein en overvol appartement op de tweede verdieping van een zestig jaar oud gebouw met net zoveel gepiep en geknars als de gepensioneerde boeren die op zaterdagochtend Fannie's Coffee Shop bevolken.

Terwijl ik mijn vijf dollar in de envelop stopte en de la sloot, ging de telefoon. Voor mij, oneindig nieuwsgierig, behoort laten rinkelen nooit tot de mogelijkheden.

'Parker Bennett. Met Cassia. Waarmee kan ik u van dienst zijn?'

'Kun je praten?' De stem aan de andere kant van de lijn was vol, hees en zwaar, net als sterke koffie met een flinke dot slagroom.

'Het is vrijdagmiddag, vijf uur, Jane. Je hoeft niet te fluisteren. Ze zijn hier al vanaf drie uur vertrokken.'

Ik stelde me mijn altijd vriendelijke, één meter vijfenvijftig lange zus voor terwijl ze zich samenzweerderig naar de telefoon boog, met kort haar dat over haar ronde wangen valt en stralende bruine ogen. Ik ben het roodharige stiefkind van de familie. Iedereen heeft steil haar met een prachtige traditionele bruine kleur en bijpassende ogen. Maar ik zie eruit alsof ik verwekt ben door Henry VIII van Engeland, en gebaard door Pippi Langkous, met mijn bos rode krullen en ogen die, volgens mijn vader, de kleur van warme karamel hebben.

Jane is jaloers op mijn porseleinen huid en ovale gezicht. Ik denk dat de vervloekte oranje sproeten op de brug van mijn neus het evenwicht op het punt van de huid wel herstelt. Maar we hebben allebei een stralende glimlach en een rij witte tanden, die zo recht en gelijk zijn als de kilometers lange hekken op de prairie van South Dakota.

'Ik zou niet graag willen dat je baas zou denken dat je privé-gesprekken voert onder werktijd. Spreuken 15:3, snap je?' *De ogen van de* HEER *zijn overal, zowel de goeden als de kwaden houdt hij in het oog.*

Jane en ik hebben zo vaak naar de preken en bondige spreuken van opa geluisterd dat we als kind al onze eigen belevenissen aanduidden met bijbelboek, hoofdstuk en vers. Het noemen van Spreuken 12:24 is al voldoende om ervoor te zorgen dat ik mijn koffiepauze inkort en weer aan het werk ga. *Een vlijtig mens verwerft gezag, luiheid leidt tot slavernij.*

'Ga je met oma dit weekend naar huis in Simms, Cassia? Ik ben daar de laatste keer een trui vergeten. Zou je die willen meebrengen als je gaat?'

Geen sprake van. Ik was net uit Simms ontsnapt en ik had er niet bepaald behoefte aan terug te gaan. 'Er is daar niets te doen afgezien van de kelder op muizen controleren en tegen het meubilair schoppen. Oma Mattie wil niet zo'n lange reis maken, en de buren houden de boel wel in de gaten. Ik denk dat we maar moeten wachten tot mam en pap op bezoek komen.'

Hun vakantie duurt nog maanden.

'Hoe zit het met Ken? Wil je *hem* niet zien?'

Een gesprek met mijn zus aan de telefoon is erg frustrerend. Ik voer dat liever persoonlijk, zodat ze me dreigend naar haar kan zien kijken. Jane is een bemoeial, niet meer en niet minder. 'Ik heb je al honderd keer gezegd: ik ga niet meer met Ken om.'

'Weet *hij* dat ook?'

'Ik heb het hem vaak genoeg gezegd. Maar ik heb het jou ook al ontelbare keren verteld, en jij blijft het onderwerp ook ter sprake brengen.'

'Niet zo aangebrand. Heb ik een open zenuw geraakt?'

'Je weet heel goed dat dat van Ken en mij ... gewoon goed uitkwam. Twee alleenstaande mensen in een klein stadje. We werden zo vaak op dezelfde feestjes uitgenodigd dat iemand op een keer besloot dat we een stel waren. Meer niet.' Helaas geloofde niemand in Simms dat we alleen maar vrienden waren, zelfs Ken niet.

'Misschien vind jij dat, maar ik denk dat Ken de zaken lichtelijk anders ziet.'

'Dat doet er niet toe. Het is verleden tijd.'

'Ik wilde het alleen maar even controleren', zei Jane tot mijn grote razernij. 'Ik ben blij te horen dat je voet bij stuk houdt, wat hem betreft. Hij zou al met je getrouwd geweest zijn als hij zijn zin gekregen had.'

'Ik weet het. Zo gaat dat bij mij nou altijd. Ik vind nooit prins op het witte paard, maar er staat een legertje een beetje verkeerde mannen aan de deur te kloppen. Ken wacht gewoon totdat ik eenzaam word in de grote stad, tot de ontdekking kom wat hij voor me betekent en naar Simms terug kom rennen om met hem te trouwen.'

'Als Pasen en Pinksteren op één dag vallen!' Jane weet heel goed hoe ik over het onderwerp denk, maar heeft het gevoel dat ze als zus de taak heeft af en toe mijn emotionele temperatuur op te nemen. Ze heeft niet in de gaten hoe vaak zij er de oorzaak van is dat die in de gevarenzone terechtkomt.

'Ik denk dat het zo slecht nu ook weer niet ...'

'Ha! Houd me niet voor de gek, Cassia. Je ging alleen maar naar Simms omdat opa een tijdelijke secretaresse nodig had voor de kerk. Hooguit drie maanden, zei hij tegen je. Als je had geweten dat je je doctoraal moest uitstellen en je baan op de peuterspeelzaal moest opgeven om oma achttien maanden lang te helpen voor hem te zorgen, was je misschien wat minder bereid geweest te helpen.'

'Niemand wist hoe ziek hij was, Jane, en opa zelf al helemaal niet. Niemand van ons verwachtte dat oma Mattie en ik voor hem zouden moeten zorgen tot zijn dood.'

'Natuurlijk niet, maar ik wed dat je, als Ken je een miljoen dollar bood, een landhuis met uitzicht op James River en een heel legertje personeel, nog steeds niet zou teruggaan.'

Dat heeft hij me inderdaad aangeboden. Dat heb ik alleen nooit tegen Jane gezegd, omdat ik niet op zijn aanbod ben ingegaan.

'Ben en Mattie hadden me nodig. Dat is het enige wat telt. Ik ben trouwens niet geïnteresseerd in geld. Dat weet je. Winslow en ik hebben genoeg aan eten en een dak boven ons hoofd.' Ik wierp een blik op Stella's bureau. *En genoeg geld om cadeaus voor mijn collega's te kunnen kopen.*

'O, Cassia. Jij zou al tevreden zijn in een boomhut, als je het idee had dat dat Gods wil was. Jij bent wel de minst materialistische mens op aarde.'

Ik klemde de telefoon onder mijn kin en haalde de speld uit mijn haar. Ik voelde het haar langs mijn rug omlaag glijden als opgesloten kinderen die in de pauze naar buiten mogen, en haalde mijn vingers opgelucht door mijn krullen.

'Niemand bij opa in huis durfde hebzuchtig te zijn, Jane. Jij en ik waren de enige twee kinderen op school die bang waren voor ons eigen zakgeld.'

'Houd mij erbuiten. Ik kon mijn schuldgevoel tenminste de kop indrukken en het mijne uitgeven, hoe schuldig ik me er ook over voelde. Jij deed dat van jou op zondagochtend in de collecteschaal. Ik vond je gestoord.'

'Psalm 37:16.' *Beter het weinige dat een rechtvaardige heeft dan de rijkdom van talloze zondaars.*

'Geld maakt je niet slecht, rare.'

'Opa heeft ons vaak genoeg gewaarschuwd voor de gevaren van het verzamelen van schatten op aarde, toch?'

'Ik geloof niet dat hij daarmee zijn schriele kleindochters met geschaafde knieën bedoelde.'

'Ik weet alleen dat ik niet te veel geld wil. Het brengt meer verantwoordelijkheid met zich mee dan ik aankan. Ik heb trouwens niet veel nodig.'

Ik wierp een blik op mijn horloge. 'Luister, ik moet ervandoor. Winslow staat waarschijnlijk al met samengeknepen poten bij de voordeur te dansen. Kletsen we later verder?'

Stomme vraag. Jane is net zo praatgraag als ik gereserveerd kan zijn. Het is een wonder dat ik nog steeds oren heb; je zou denken dat ze die er intussen wel afgepraat zou hebben.

'Oké. Geef oma Mattie een knuffel van me wanneer je haar ziet. O, heb je je buren trouwens al ontmoet?'

'Houd je in. Luister, ik moet weg. Doei.'

Het gesprek met Jane beëindigen gaf me zowel een schuldgevoel als een gevoel van opluchting. Ik geef niet graag toe dat ik nog geen enkele bewoner ontmoet heb uit het gebouw waarvan zij me verzekerde dat het vast vol zat met heel aardige mensen van mijn eigen leeftijd. Volgens Jane zou het leven in een appartement een goudmijn aan kansen betekenen voor mijn sociale leven. Vast wel, maar de laatste keer dat zij in een appartement gewoond heeft, was toen ze nog studeerde.

Voor zover ik van mijn huisbaas begrepen heb, zijn de meeste bewoners bejaard, of ze werken 's nachts. Het appartement onder het mijne, dat bewoond zou moeten worden door iemand van jonger dan zestig, zit altijd potdicht.

Het mechanische gezoem van de kiestoon bromde in mijn oor.

Sociaal leven. Wat een geweldig idee. Ik moet meteen op pad om dat te krijgen. Op dit punt, moet ik toegeven, zou ieder oud leven al goed zijn; ze moeten allemaal wel opwindender zijn dan het mijne.

Hoofdstuk
2

Supermarkten zijn vreemde dingen, een soort Disneyland voor hongerigen en versvoerbehoeftigen. In Simms is een appel, een banaan of een sinaasappel al exotisch, maar hier ...

Ik voelde dat ik mijn zelfbeheersing verloor op de versafdeling en kreeg mezelf pas weer onder controle toen de zuivelafdeling voor me opdoemde. Zelfs daar voelde ik een tinteling vanwege de ruime keuze – melk voor mensen met koemelkallergie ... straks komt er nog melk voor mensen die nergens tegen kunnen.

'Bent u veganist?', vroeg de kassier, met een blik op mijn kiwi's, Aziatische peren, jicama, grapefruits, tangelo's, mango's, bananen, broodvruchten en granaatappels.

'Nee, ik kom uit Zweden. Mensen verwarren ons altijd met de Noren.'

Jane zegt dat ik een vreemd gevoel voor humor heb. Misschien heeft ze wel gelijk.

Ik ben ook gek op bloemen, maar toen een van de bladeren van het gemengde boeket dat ik gekocht had, aan mijn neus kriebelde, merkte ik dat er een afschuwelijke anjer verstopt zat in de prachtige bos tulpen, margrieten en een vreemde exotische bloem die ik niet kon laten staan.

Ik houd niet van anjers. Ze doen me denken aan de restanten

van rouwboeketten die mijn zuinige opa me altijd liet herschikken voor de zondagochtenddienst. Hoe kunstig ik het ook deed en hoeveel grafkransen ik ook plunderde, iedereen in de gemeente wist precies waar ze vandaan kwamen.

Toen ik mijn appartement aan Nicollet Avenue naderde, zag ik dat er zich een menigte op de stoep voor de voordeur van het gebouw verzameld had om te kijken naar een lange, donkerharige man die koffers en kratten naar binnen droeg. Een aantal omstanders stond rondom een koffer en keek er met angst en beven naar. Of ze hadden problemen met hun spijsvertering.

Nieuwsgierig versnelde ik mijn pas, en ik zei tegen mezelf dat ik die bloemen in het water moest zetten en dat ik Winslow moest uitlaten voordat hij een ongelukje zou krijgen op het versleten, lelijke, bruine tapijt in de hal dat eigenlijk al tientallen jaren geleden vernietigd had moeten worden.

'Pardon, mag ik er even langs ... Pardon, alstublieft ... Ik woon hier. Zou u zo vriendelijk willen zijn ...' Ik wurmde me tussen de menigte toeschouwers door, me verontschuldigend voor het gezwaai met mijn boeket en obsceen zware tas met fruit. Ik had de deur bijna bereikt toen een gegrom me kippenvel bezorgde.

Het geluid kwam uit het krat en bleef als een rookkringel rondhangen tussen de mensen. Iedereen deed tegelijkertijd een stap achteruit, alsof de duivel in het krat op het punt stond te ontsnappen. Het was het lage, grommende geluid als van een wild, woest en gevaarlijk beest. En te ongetemd om uit een krat te komen dat *mijn* appartement binnengebracht werd. Ik heb me altijd afgevraagd wat iemands bloed in zijn aderen kan laten stollen. Nou, dat geluid liet mijn hart echt een slag overslaan.

In plaats van toe te geven aan mijn neiging weg te rennen drong ik nog meer naar voren, mijn moederlijke instincten volgend. 'Alstublieft, ik moet erlangs.' Winslow, mijn schatje, zat in dat gebouw.

Zo dapper als alleen een roodharige kan zijn, liep ik naar het midden van de kring van mensen en kwam oog in oog te staan met de donkerharige man, die een versleten leren jack droeg, een perfect gestreken spijkerbroek en een suède shirt dat er zo zacht en bleek uitzag als verse boter. Als een lekgestoken ballon verflauwde mijn woedeaanval, en mijn knieën begonnen te knikken. Van Atilla de Hun naar een kleimannetje, zomaar ineens.

'O, hallo', zei ik schaapachtig. Al mijn rationele gedachten waren weg. De man was Indiana Jones in levenden lijve. Jonger natuurlijk en zonder dat schattige sneetje in zijn kin, maar wel het type avonturier met een doodswens. En hij had wel een litteken over zijn linkerwenkbrauw dat op zijn eigen manier hypnotiserend was.

Hij keek op alsof er een mug op zijn wang was geland, en ik was bang dat hij me weg zou slaan. Maar in plaats daarvan klemde hij zijn kaken met stoppels op elkaar en kneep hij zijn ogen taxerend samen.

Terwijl hij me van top tot teen opnam, voelde ik me vanbinnen smelten. Dit moest wel de knapste – en meest intimiderende – man zijn die ik ooit gezien had. Het waren de ogen, dacht ik. Donker en gloeiend, vol verdriet en indringend tegelijkertijd, keken ze heel even recht in de mijne, voordat hij zich bukte om het grote, grijze reiskrat met luchtgaatjes op te pakken.

Toen klonk door de spleten een bloedstollende, onaardse kreet, die hetzelfde effect op me had aluminiumfolie kauwen met gevulde kiezen.

'Wat is dat?', vroeg ik, terwijl het krat beefde en trilde. Het was alsof er een uitbarsting aan zat te komen.

'Dat is mijn kat.'

Een gestoorde duivel uit het diepst van de aarde, bedoel je.

'Sorry, maar hij wil graag naar huis. Als je me ...' – een grommende kreet en een bruinzwarte poot die tegen een luchtgat aan sloeg, onderbrak hem – '... erlangs wilt laten ...' Er schoot een speelmuis uit een van de grotere gaten in het krat en zonder erover na te denken wat ik deed, pakte ik hem op.

Dit is zijn huis? Dat ... ding ... woont hier echt? Ik liet mijn schouders ontsteld hangen.

Op dat moment begon Winslow vrolijk te blaffen. Ik zag de bovenkant van zijn ronde kop voor het raam van mijn appartement. Vriendelijk, goedgemanierd, liefdevol en gemakkelijk geïntimideerd had Winslow nog nooit een kat ontmoet die hij niet mocht. Ik had een voorgevoel dat dat nog wel eens dramatisch kon gaan veranderen.

'O, ratten', mompelde ik, maar veranderde snel van gedachten. Er zouden in geen velden of wegen ratten te bekennen zijn als dit ... ding ... op jacht ging.

Ik heb nooit geweten welke muzikale betovering of spreuk er de oorzaak van is geweest dat zowel ratten als kinderen de Rattenvanger van Hamelen in het gedicht van Robert Browning naar hun ondergang zijn gevolgd, maar wat die rattenvanger had, deze man had er nog veel meer van. Voordat ik weer op de denkstand kon overschakelen, volgden mijn voeten hem het gebouw in, naar de deur van zijn appartement. En ik had nog steeds zijn speelmuis vast.

Hij merkte me niet eens op. Het reiskrat schommelde en zwaaide vervaarlijk doordat de bewoner ervan van de ene naar de andere kant rende, ontevreden jankend en de toch al zichtbare irritatie van zijn eigenaar vergrotend.

Als betoverd stapte ik het appartement binnen, niet in staat aan iets anders te denken dan aan wat er in dat krat zat. Ik ging uit van een catastrofe – de geuren, de geluiden, de klauwen, het gevaar, de onvermijdelijke confrontatie en het bloed, waarvan het meeste, besefte ik al snel, van Winslow zou zijn. Hij zou het geen minuut volhouden in een confrontatie met de kwaadaardige Tasmaanse duivel in dat krat.

Het was mijn bedoeling geweest het appartement weer uit te sluipen nadat ik de muis op de eerste de beste tafel neergelegd had, maar ik werd geboeid door de ruimte om me heen, die – letterlijk – boekdelen sprak over haar eigenaar. Boeken lagen overal als behang tot aan het plafond opgestapeld. In de hoeken lagen stapels gebonden boeken als de toren van Pisa. Het leesvoer was eclectisch – geschiedenis, autobiografieën, natuur en studieboeken zo te zien.

Maar de boeken vormden slechts de achtergrond voor de rest van het decor in de kamer. Ingelijste foto's, kleur en zwartwit, lagen in stapels tegen de poten van het meubilair, en de vloer lag bezaaid met tijdschriften, als tapijtmonsters. Er lag een stoflaag op de armleuningen van zijn roodleren bank, en een aangevreten hamburger met patat op zijn salontafel wekte de indruk dat hij uit het appartement gevlucht was alsof het in brand had gestaan.

Het was allemaal erg exotisch voor mij, na de afgelopen achttien maanden in Simms doorgebracht te hebben, waar niemand meer dan een uur kan verdwijnen zonder gemist te worden, niemand privézaken heeft, en alles bij de koffie bespreekbaar is. Deze man was natuurlijk heel anders dan de mannen aan wie ik gewend geraakt was in Simms. Het meest mysterieuze aan de meesten van hen was wanneer ze het laatst schone sokken aangetrokken hadden en hun tanden hadden geflost.

'Je woont al een tijd in dit gebouw, hè?'

Hij draaide zich met een ruk om, een frons op zijn gezicht. 'Wa...' Hij had niet eens gemerkt dat ik hem naar zijn appartement gevolgd was.

'Welkom thuis', liet ik me ontvallen, en in een poging mijn gezicht te redden duwde ik de bos bloemen die ik bij me had, in zijn gezicht. De tulpen, margrieten, narcissen, rozen, de irritante anjer en de volmaakt misplaatste paradijsvogelbloem barstten uit het groene bloemistenpapier in zijn armen.

'Ze waren zo mooi dat ik er van ieder een paar gekocht heb. Waar ik vandaan kom, kun je geen bloemen op de markt kopen. Alleen heel af en toe is er een aubergine verkrijgbaar ...'

Houd je mond, Cassia.

'Dan kun je de bloemen beter houden.' Zachtjes duwde hij tegen mijn uitgestoken hand, terwijl zijn frons veranderde in iets milders – een grijns, misschien. Niet echt een verbetering, maar niets kon zijn knappe uiterlijk verhullen.

'Ik heb geen vaas om ze in te zetten. Ze zien er niet mooi uit in een mayonaisepot. Ik heb er niet bij stilgestaan.' Ik duwde het boeket weer zijn kant op. Als er iemand kan volhouden, ben ik het wel. Als ik mezelf eenmaal in de problemen breng, houd ik pas op wanneer ik de totale schaamte bereikt heb.

Hij wist duidelijk niet wat hij met mijn gebaar aan moest. Ten slotte streek hij met zijn vingers door zijn donkere haar en keek hij me aandachtig aan, alsof hij me voor het eerst zag.

Toen hij me recht in de ogen keek, kreeg ik weer knikkende knieën, en ik vroeg me af of ik zou vallen. Misschien trok het fruit me omlaag. Ik deed mijn hand open en de zak viel op de grond. De kooibewoner slaakte een luide kreet, maar de knappe mysterieuze man gaf geen krimp.

Zijn verwarrende ogen hadden de kleur van espresso, en de blik die hij me gunde, maakte me net zo onrustig als wanneer hij pure cafeïne in mijn aderen gepompt had. Maar als het zijn bedoeling was geweest me weg te jagen, zou hij nog raar opkijken. Ik had me te belachelijk gedragen om weg te gaan zonder een poging te doen om mijn gezicht te redden. Bovendien had ik voor hetere vuren gestaan. Iedereen die maanden heeft besteed aan het bezoeken van gemeenteleden die geen kerk meer van binnen gezien hebben sinds Nixons aantreden als president, zou het begrijpen. Als mijn buurman me probeerde te intimideren, moest hij toch echt beter zijn best doen.

'Geen probleem.' Ik keek om me heen en probeerde iets vriendelijks te bedenken om te zeggen voordat ik op mijn eigen voorwaarden de aftocht zou blazen. De muren van boeken en het leren meubilair waren mannelijk en uitnodigend. Ernest Hemmingway zou zich hier meteen thuis gevoeld hebben.

'Het is hier erg knus. Veel gezelliger dan bij mij. Ook veel groter. Ik heb je nog niet eerder gezien. Je zult wel veel reizen.'

Mijn mond liep over. *Jakobus 1:26, Cassia, Jakobus 1:26. Wie meent dat hij God dient terwijl hij zijn tong niet kan beteugelen, zit op een dwaalspoor, en heel zijn godsdienst is vergeefse moeite.*

'Laten we zeggen dat ik genoeg airmiles gespaard heb om gratis op vakantie te kunnen totdat ik honderdvijf ben.' Hij leek zich te vermaken. 'Als je me nu wilt verontschuldigen. Het is tijd om Pepto uit zijn kooi te laten, en het is misschien niet zo'n goed idee dat hij vreemden ziet totdat hij weer aan het appartement gewend is.'

'Pepto?'

Hij glimlachte warempel. 'Genoemd naar de Pepto-Bismolzaak waarin ik hem heb gevonden. Hij was de koning van de on-gewenste zwerfkatten, hij vocht, versierde de vrouwtjes en leefde van voedsel uit de vuilnisbakken naast mijn slaapkamerraam. Ik heb hem meegenomen en gevoerd om hem stil te krijgen, zodat ik een keer fatsoenlijk kon doorslapen 's nachts. En op een of andere manier heeft hij me geadopteerd.'

Ik had een *Aah…*-moment. 'Wat lief!'

Hij keek me aan alsof ik net zo gek was als Pepto. 'Juist. Lief. Een echte Lion King. Ik ga hem er nu uit halen, dus je kunt misschien maar beter achter wat meubilair gaan staan. Of, veiliger nog, de voordeur achter je dichtdoen.'

Eerst dacht ik dat hij een grapje maakte – over het gevaar in ieder geval. Ik wist dat hij het bloedserieus meende wat betreft die deur. Maar voordat ik de ingang van het appartement kon bereiken, trok hij de pin uit het reiskrat, en werd Pepto vrijgelaten.

Er klonk een kreet die gesmolten lava had kunnen bevriezen, en een bruinzwarte mengeling van vacht, tanden en klauwen stormde het krat uit en schampte langs enkele meubels en twee muren. Toen een staande lamp met veel kabaal omviel, jankte de kat alsof zijn ingewanden eruit gehaald werden en kroop ver weg onder de bank.

Ik liet me instinctief als een baksteen op de grond vallen, bedekte mijn hoofd met mijn armen en krulde op in foetushouding om mezelf tegen het wilde dier te beschermen. Toen ik naar adem hapte, staarde Pepto's eigenaar me geschrokken aan. Hij was zo rustig en nonchalant, alsof hij dagelijks riskeerde dat zijn ogen uitgekrabd werden.

'Is alles goed met je?'

'Dat zal ik je laten weten zodra mijn benen niet meer trillen.' Ik voelde mijn knie knikken, de knie waarmee ik tegen de grond gevallen was. 'Maar ik zou graag even willen zitten, meneer …'

'Adam. Adam Cavanaugh. Ga alsjeblieft zitten.' Hij wees naar een antieke stoel die er ook wel een beetje als een kat uitzag, met dierachtige kaken die in de armleuningen gekerfd waren en poten met klauwen als stoelpoten. Hij was bekleed met iets wat er onheilspellend als een vacht uitzag.

Maar bedelaars mogen niet kieskeurig zijn, en ik begon me een beetje misselijk te voelen. Als dat ding Winslow zelfs maar zou *zien* ... Ik keek naar de onderkant van de bank, half verwachtend er een bal vacht met klauwen onderuit te zien komen sprinten, en liet me er toen op zakken. Stof drong mijn neusgaten binnen. Hoe lang waren die twee wel niet weggeweest?

'Sorry, ik heb mezelf niet voorgesteld.' Ik wees met mijn vinger naar het plafond boven ons.

Er flikkerde iets hartverwarmends in zijn ogen. 'Dat vermoedde ik al.' Het was stil in de kamer, afgezien van de likkende geluiden van Pepto, die zichzelf onder de bank zat te wassen.

Zijn zwijgzaamheid maakte de flapuit in me los, en plotseling wilde ik niets liever dan de stilte doorbreken die hij zo fijn leek te vinden.

'Ik ben Cassia Carr. De meeste mensen kennen de naam Cassia niet. Mijn moeder heeft me verteld dat het opa's idee was.'

Nou, dat was diepzinnig.

Hij was in ieder geval beleefd genoeg om op mijn gebabbel te reageren. 'Een interessante naam.'

'Cassia' betekent 'kruidige kaneel'. Ik denk dat mijn rode haar hem geïnspireerd heeft. Ik zou mezelf eigenlijk gelukkig moeten prijzen. Ik scheen verbazingwekkend hard te kunnen huilen voor zo'n kleintje, en mijn opa stelde eerst voor me Calliope te noemen. Dat betekent 'prachtige stem'.'

Er verscheen opnieuw een eigenzinnig glimlachje om zijn lippen, en ik ratelde verder, mezelf nog meer voor schut zettend. 'Omdat opa predikant was op het platteland, denk ik dat ik geluk heb gehad dat ik niet als Arabelle geëindigd ben.'

Hij keek me vragend aan, alsof dat ding op zijn bank was begonnen te praten en hij geen idee had hoe hij het uit moest zetten. Ik ook niet. We hadden in ieder geval iets met elkaar gemeen.

'Arabelle?' Verward liet hij zich in de versleten oorfauteuil tegenover me zakken. Hij was absoluut het mooiste exemplaar van de soort man dat ik ooit aanschouwd had. Hij straalde gemak, woeste elegantie en eenvoud uit. Een no-nonsense-man die er stralend uitzag, een man uit duizenden.

Ik heb die uitdrukking nooit echt mooi gevonden. Een biljet van duizend dollar ziet er lelijk uit. En er is niets lelijks aan deze vent.

Hij keek me indringend aan, en ik kreeg het onverklaarbare gevoel dat ik de belangrijkste persoon op aarde voor hem was, dat hij alles wilde, nee, verlangde te horen wat ik dacht.

'Arabelle. Oproepen tot het gebed', ging ik verder. 'Dat deed mijn grootvader veel – mensen oproepen tot bidden dus. Mijn zus en ik woonden bij hem en mijn oma wanneer mijn ouders in andere landen waren als zendelingen.'

'En je zus heet ...?'

'Jane.'

Tot mijn verbazing barstte hij in lachen uit. 'Je opa had niet veel fantasie toen zij geboren werd, denk ik.'

'Blijkbaar niet.' Het schaamrood stond me op de kaken. 'Ik weet niet wat me bezielt', verontschuldigde ik me. 'Ik heb niet de gewoonte mensen te volgen om te zien wat er in hun bagage zit.' Ik wierp een blik op het krat. 'Toen ik dat zag en de geluiden hoorde die eruit kwamen, dacht ik als eerste aan Winslow, mijn hond. Hij is groot, maar goedaardig, bijna als een knuffelbeer. Behalve natuurlijk zijn eetlust. Hij vindt niets leuker dan eten. En mij, natuurlijk. En ...' – onwillekeurig ging mijn blik naar de onderkant van de leren bank – '... katten.'

Adam trok ongelovig een wenkbrauw op.

'Denk je dat dat een probleem wordt?'

'Winslow', echode hij, alsof hij niet op deze stroom informatie voorbereid was.

'Hij is vernoemd naar Winslow Homer, de schilder, maar ik heb overwogen hem Mozart te noemen', brabbelde ik verder. 'Als puppy hield hij van Mozarts pianoconcert nummer 20 in d-mineur. Zolang ik dat speelde, was hij stil. Het is zelfs zo – ik geef het niet graag toe, omdat mijn zus toch al denkt dat ik niet spoor, wat mijn hond betreft – dat ik cd's met klassieke muziek voor hem aanzet wanneer ik aan het werk ben. Meestal Mozart ...' Mijn stem stierf weg. 'Ik weet niet veel van muziek, maar ik weet wel dat mijn hond er gek op is.'

Hoofdstuk

3

'Of gewoon geflipt', mompelde Adam terwijl zijn nieuwe buurvrouw al pratend naar zijn voordeur liep.

Hij draaide zich om en deed de keukenkast open om te kijken
wat Pepto en hij vanavond zouden eten. Er stonden twee blikjes
sardines, een blik tomatensoep en wat gemengd fruit dat hij gekocht had met het waanidee dat hij er misschien ooit iets van zou
maken. Er lag waarschijnlijk nog wat van dat bevroren eiermeng-
sel met bacon in de vriezer, als hij genoeg energie had om ernaar
op zoek te gaan. Maar achter in de kast, verstopt achter een dubbele stapel goedkope servetten, stond het beste van alles: een blik
met het kattenvoer waarmee hij Pepto gevoerd had toen hij hem
net gevonden had. De grote ronde kat die zich nu tegen Adams
benen vlijde, had er toen als een uitgehongerde rat uitgezien, met
een doffe vacht en een enorme arrogantie.

'Nou, jongen, we krijgen vanavond goed te eten. En slijm niet
zo, schurftige voddenbaal.'

Adam grijnsde even terwijl hij het blik openmaakte. Pepto had
zijn nieuwe buurvrouw echt de stuipen op het lijf gejaagd. Misschien leken Pepto en hij wel meer op elkaar dan hij beseft had –
ze waren allebei goed in het intimideren en wegjagen van vrouwen.

Hij had haar karamelkleurige ogen in zijn rug voelen prikken toen ze hem het gebouw in volgde. Haar blik had bijna gaten gebrand in de leren jas, die zinderende hitte, ijzige sneeuw, hagelschoten, korte messen met scherpe lemmeten en zelfs een keer een brandijzer overleefd had. Ze was zeker een vrouw die indruk op een vent kon maken, als hij dat liet gebeuren. Maar Adam was niet in de stemming om zelfs maar aan vrouwen te denken, laat staan zich er met een in te laten.

Hij was bekaf, had honger en voelde zich vies. Hij had drie vluchten, vier maaltijden en twee nachtrusten gemist op weg naar huis. Hij wilde even niets te maken hebben met een psychotische kat of een vrouw met grote ogen en een bos rood haar die blijkbaar het appartement boven hem gehuurd had terwijl hij weg was. Zijn zenuwen waren als open wonden, rauw, blootgelegd en zeer gevoelig. Hij was mentaal, fysiek en emotioneel uitgeput, en op dit moment was hij net zo min blij met het beest aan zijn voeten als met de bruinogige vrouwelijke verschijning die boven hem woonde. Hij wilde alleen maar een bed om in neer te vallen. Maar in plaats van aan dat verlangen toe te geven deed hij de gordijnen en ramen open om licht en frisse lucht in het stoffige duister binnen te laten.

Hij rolde met zijn schouders om de spieren in zijn nek te ontspannen, maar ze waren zo stijf en hard dat hij de beweging tot in zijn kuiten voelde. Boksbal voor de reisindustrie zijn was niet voor mietjes. Eindeloze uren in het vliegtuig, nog meer op de grond op vliegvelden zonder airconditioning, uitdroging en nepvoedsel dat hermetisch afgesloten kon worden en voor exorbitante prijzen op karretjes verkocht werd, hadden hun tol geëist. En Pepto, die het naar zijn zin gehad had bij zijn oppassers, Adams neef Chase Andrews en zijn vrouw Whitney, was woest geworden toen hij terug in zijn krat moest, en had Adam flink gekrabd aan een hand.

En de nieuwe cheerleader van de buurt had hem bloemen gegeven. Hij had haar maar niet verteld dat het er, als hij iedere keer wanneer hij even terugkwam in zijn appartement, bloemen zou krijgen, uit zou gaan zien als een boekettenkerkhof. Hij bekeek de vreemde combinatie van bloemen, vooral margrieten, met één anjer en één paradijsvogelbloem ertussen. Het was vreemd, maar hij vond het wel wat.

Hij draaide zich om en zag haar tot zijn verbazing nog steeds in zijn deuropening staan. Adam zag haar bezorgde gezicht terwijl ze als een berouwvol kind handenwringend in de deuropening stond. Niet echt een kind, eigenlijk. Het zeegroene gehaakte topje dat ze droeg, viel soepel langs haar rondingen, en het lichaam in de onberispelijk witte broek had lange benen en zag er fit uit. Het enige sieraad dat ze droeg, was een gouden ketting met een eenvoudig kruis eraan. Ze droeg geen ringen om haar vingers, maar ze droeg een smalle gouden teenring aan haar tweede teen, die verleidelijk uit haar sandaal stak.

'Als je me wilt verontschuldigen ...'

Ze wilde hem toch wel verontschuldigen? Het beangstigde Adam een beetje dat ze eruitzag alsof ze hier haar intrek kwam nemen. Ze keek naar zijn versleten leren koffer vol oude stickers, bagagelabels en douanestempels, bijeengehouden door een stevige leren riem, en vergeleek die met de ongerepte leren tas voor zijn laptop.

'Ik weet niet wat je doet voor de kost,' mompelde ze, 'maar het moet wel erg interessant zijn.'

'Let maar niet op dat kogelgat. Een ongelukje. Er is niemand gewond geraakt.'

'Hmm.' Ze bukte zich en haalde een vinger langs een schroeiplek op de hoek van de koffer.

Het was een aandenken aan een verhitte discussie rondom een kampvuur, waarbij een van zijn metgezellen geprobeerd had zowel hem als zijn koffer in het vuur te gooien. In gedachten zwoer Adam opnieuw een andere baan te zoeken. Deze was gewoon te zwaar voor hem.

Hoewel hij in de verleiding kwam tegen Cassia te zeggen dat ze zich met haar eigen zaken moest bemoeien en terug moest gaan naar haar appartement, besefte hij dat ze geen gewone nieuwsgierigheid of bemoeizucht uitstraalde. Ze leek oprecht belangstellend. Hij kon haar moeilijk kwalijk nemen dat ze vragen stelde, aangezien hij voor zijn werk niet anders deed. Haar gezicht was heel oprecht, en er was geen valsheid te bespeuren, een eigenschap die zo zeldzaam was dat hij die nauwelijks herkende. Haar eenzaamheid en verlegenheid waren duidelijk. Adam was trots op zijn vermogen mensen en hun emoties te lezen. Het was verontrustend te beseffen dat het hem, in het geval van deze vrouw, echt iets uitmaakte wat ze vond.

Hij was niet erg gevoelig. Liever gezegd: dat was hij nooit geweest ... tot voor kort. Maar ondanks het medeleven dat hij voor Cassia voelde, was hij opgelucht toen ze uiteindelijk gedag zei en de deur sloot.

Man, man, wat had hij een zin in een douche en een goede nachtrust.

Het kleine skelet bewoog alsof het nog leefde. Dat kon natuurlijk niet. Er was niets over van het kind, behalve een huid zo dun als vloeipapier over een uitgemergeld lichaam. De schedel was te groot voor het lichaam, en de oogleden, als stukjes was, sloten niet helemaal, waardoor gleufjes wit, omhuld door wimpers te zien waren.

Verdoofd en dronken van verdriet pakte Adam de schop op en begon weer een graf te graven. Hij hallucineerde vast van de hitte en de inspanning. De grond was zo hard en droog als kalk, helemaal kaalgegraasd door vee in dit onbeduidende land, waardoor het onbeschermd was en werd blootgesteld aan de elementen.

Hij kon niet erg diep komen. Hij nam zijn gerande canvas hoed af en veegde met de rug van zijn hand het zweet uit zijn ogen. Hij proefde het zout op zijn lippen en voelde hoe de zinderende hitte hem omklemde. Zijn waterfles lag nog in zijn tent, en zijn tong werd dik en begon te barsten. Hij moest dit snel doen en dan teruggaan om niet uit te drogen. Er waren in dit gebied ook niet veel stenen van het juiste formaat. Niet genoeg om een graf te bedekken. Hij had ze allemaal al voor andere gebruikt. Misschien waren er niet genoeg stenen, en was er niet genoeg modder in Burundi om alle lijken te bedekken. Er heerste sinds het einde van de burgeroorlog een fragiele vrede in het Afrikaanse Grote Merengebied, maar de honger was net zo efficiënt in het nemen van levens als de burgeroorlog geweest was. Helaas werden baby's en kinderen de eerste slachtoffers.

Hij deed wat hij kon en maakte een ondiep gat in de aarde voordat hij zich omdraaide om het kleine lijkje op te pakken dat hij was komen begraven. Hij wiegde het tere lichaampje even in zijn armen. Het was alsof hij een stapeltje potloden vasthield – kleine stokjes van armen en benen, slap en bijna gewichtloos.

Adam hoorde zichzelf schreeuwen toen het tere hoopje in zijn armen bewoog. Ogen, groot en zo donker als zwarte gaten in een ver universum, gingen open en keken hem aan.

'Je bent dood. Dood', riep Adam. Maar de baby was niet dood, nog niet helemaal. De ogen staarden hem beschuldigend aan, alsof hij verantwoordelijk was voor dit lijden.

Hij kon er in ieder geval zelf voor zorgen dat hij ontwaakte uit deze dromen, dacht Adam, en hij haalde diep adem. Hij bevond zich op het randje van hyperventilatie, rilde en was van top tot teen nat van het zweet, dat glinsterde in het zachte, donkere haar op zijn borst. Hij klemde zijn kaken op elkaar en dwong zichzelf te ontspannen. Zijn pyjamabroek hing laag op zijn heupen en hij voelde een straaltje zweet langs zijn rug lopen en het elastiek om zijn middel doordrenken. Toen hij bij de gootsteen in de keuken glazen ijswater naar binnen goot, begon hij te rillen. Als hij niet beter had geweten, zou hij gezworen hebben dat hij de rillingen, spierpijn en uitputting van malaria had. Hij zou de dromen die hem kwelden, iedere dag willen ruilen voor malaria. Ineens leek slapen hem niet zo'n goed idee meer.

Hij wankelde naar de douche en struikelde over Pepto, die in de gang voor de slaapkamerdeur was gaan liggen. De kat die, omdat hij als kitten ooit mishandeld was, volledig uit zijn dak kon gaan bij iets wat ook maar enigszins op een menselijke aanval leek, gaf geen krimp. Zelfs Pepto, het meest zelfzuchtige wezen dat ooit geboren is, voelde wel aan dat Adam aan het einde van zijn Latijn was.

Toen Adam onder de douche stond, blij met de scherpe prik-

kels van het water op zijn lichaam, vroeg hij zich opnieuw af wanneer ... nee, of de dromen ooit zouden stoppen.

Hoofdstuk
4

De kiwi is een grapje van God.

Ik pelde nog zo'n harig geval, sneed het heldergroene vrucht-
vlees met de kring van zwarte zaadjes doormidden en voegde het
aan mijn fruitsalade toe, een mengsel van kwark, pulp van zwarte
dadelpruimen en honing. Het recept klinkt nogal angstaanjagend,
maar soms is het goed riskant te leven.

Koken helpt me de eenzaamheid te verzachten die ik voel.

Ik ben vanmorgen naar de kerk geweest en kwam met tegenzin terug in mijn lege appartement. Ik ben aan het 'reli-shoppen'
en maak daarbij steeds wijdere concentrische cirkels rondom mijn
appartement. Ik heb de heilige Geest gebeden me een duidelijke
opgestoken duim te laten zien wanneer ik de juiste kerk gevonden heb.

De telefoon ging. Ik keek naar het nummer om zeker te weten
dat het niet weer Ken was. Soms voel ik er gewoon niets voor dat
hij van mij houdt.

'Hoi, oma?' Ik nam de telefoon mee naar de huiskamer en
plofte neer op de bank die ik van Jane geleend had. 'Wat is er aan
de hand?'

'Ik bel juist om dat aan jou te vragen, schat.' Oma Mattie klonk stevig en opgewekt. Alleen al bij het horen van haar stem glimlachte ik onwillekeurig.

'Ik ben gisteren naar de markt geweest.'

'Zozo, en?'

Ik denk dat ze terecht ongerust is. Ik ga me een beetje te buiten aan boodschappen en speciaalzaken. Voor mij smaakt helaas alles – van ingeblikte ratelslang tot sushi – als kip.

'Zwarte dadelpruimen, chocoladepuddingfruit? Hoe kon ik dat laten staan?'

'Dat had alleen een heilige gekund, daar ben ik van overtuigd', zei oma rustig. 'Ik heb gehoord dat supermarkten en wasserettes geweldige plaatsen zijn om mannen te ontmoeten – zo schoon en gezond. En mannen die 's avonds boodschappen en de was doen, zijn duidelijk geen bartypen ...'

Beelden van mannen die zich te diep schamen om hun vuile ondergoed bij daglicht te laten zien, drongen mijn gedachten binnen. Bah. 'Oma, hebt u Jane nog gesproken?'

'Je zus denkt dat je eenzaam bent.'

'Mijn zus denkt zoveel. Dat betekent nog niet dat het allemaal waar is. Ze steekt haar neus in zaken die haar niet aangaan.'

'Dat heeft ze altijd al gedaan', stemde oma Mattie vrolijk in. '*Ben* je eenzaam?'

Het heeft bij Mattie geen zin om de zaak heen te draaien. 'Een beetje. Mijn collega's zijn fantastisch, maar ze wonen allemaal in de stad, en niet bij mij in de buurt. Mijn appartementencomplex is rustiger dan ik verwacht had. Ik heb tot vandaag zelfs geen van mijn geweldige buren ontmoet ... en nu ben ik erin geslaagd mezelf nog volkomen voor schut te zetten ook.'

'O?' Mattie spreekt boekdelen met een eenvoudig 'O?'

'Ik had niet verwacht dat de stad op Simms zou lijken, waar ik een verkeerd nummer kan draaien en een halfuur kan kletsen met wie er ook opneemt, maar ik had ook niet door hoezeer ik mijn vrienden miste, totdat ik vandaag achter een man aan zijn appartement binnenliep.'

Er was een lange, veelzeggende stilte aan de andere kant van de lijn. 'Wil je me daar meer over vertellen?'

'Er is niet veel te vertellen, echt, maar hij heeft een afgrijselijke kat ...' Ik deelde haar mijn lange, zielige verhaal mee. Tot mijn verbazing veranderde ze, in plaats van me te vragen wanneer ik mijn verstand verloren had, van onderwerp.

'Vind je je werk leuk?'

'Het gaat goed. Ik leer iedere dag iets nieuws.'

'Binnenkort vind je iets op jouw vakgebied. Je hebt je pedagogiekdiploma niet voor niets gehaald.'

'Ik moet mijn doctoraal nog halen en misschien zelfs promoveren in de kinderpsychologie, oma. Op dit moment ben ik een niet-plaatsbare hoogopgeleide.'

'Je bent van school gegaan om je opa en mij te helpen, en je hebt nooit geklaagd over dat offer. Het vijfde gebod en zo.' *Eer uw vader en uw moeder.*

Ook oma was gewend bijbels steno te spreken.

Ik herinnerde me de dag waarop mijn opa zijn eerste hartaanval kreeg. Dat moment veranderde mijn leven. Ik had zeker geweten dat ik Mattie er niet alleen voor kon laten staan, en toen ik eenmaal besefte dat opa Ben stukje bij beetje verdween, iedere dag weer een stukje, werd me volkomen duidelijk dat mijn plaats bij mijn grootouders was. Ik zou maar berouw hebben gehad als ik van mening was geweest dat mijn eigen leven 'te belangrijk' was om tijd voor hen vrij te maken en als ik die bijzondere weken met mijn opa voor zijn dood had moeten missen.

'Ben en u zijn op veel manieren een vader en een moeder voor me geweest. Jullie waren er voor ons wanneer onze ouders weg waren en streden altijd met ons in de loopgraven.'

'Ik heb jullie tweeën nooit opgevoed om te vechten, schat. Hoewel er natuurlijk wel wat schermutselingen waren.'

Ik kromp in elkaar en hoopte dat ze het niet zou hebben over die keer dat Jane en ik zo vastbesloten waren met dezelfde pop te willen spelen dat we die in tweeën hebben getrokken. Of aan dat vervelende incident met de schaar toen we kappertje speelden. Hoewel dat uiteindelijk positief heeft uitgepakt. Jane heeft nog steeds kort haar.

Ik hoorde geklop en een stem op de achtergrond bij Mattie. Toen zei ze: 'Kan ik je later terugbellen, schat? Ik heb bezoek.'

'Doe dat gerust, oma. Bel me maar wanneer u het niet zo druk hebt.'

Want ik zal het zeker niet druk hebben.

Het zou andersom moeten zijn. Ik zou mijn oma moeten vertellen hoe ze zich moet aanpassen, niet vice versa. Ze voelt zich in de stad als een vis in het water. Mattie slaat uitnodigingen van Jane en mij af omdat haar sociale leven in het verzorgingstehuis zo drukbezet is. Terwijl Mattie van al die drukte geniet, heb ik al mijn foto's al ingeplakt en al mijn recepten netjes in een doos gestopt. Hierna ga ik de kruiden en schoonmaakmiddelen op alfabetische volgorde zetten en daarna de handdoeken opnieuw opvouwen zoals ik in *Good Housekeeping* gezien heb. Ik ben zelfs gaan strijken.

De telefoon ging weer. Twee keer op een dag. Een nieuw record. Ik pakte hem op zonder het nummer te controleren en hoorde meteen: 'Ben je er al aan toe naar huis te komen?'

Bij het horen van de bekende, bezitterige stem klemde ik mijn kaken opeen. 'Hoi, Ken. Hoe gaat het met je?'

'Speel geen spelletjes met me, Cassia. Ik mis je, en ik weet dat jij mij ook mist. Je kunt hier zijn voordat we spaghetti gaan eten voordat de basketbalwedstrijd morgen begint, als je je spullen vanavond nog inpakt. Wat zeg je ervan?'

'Het gaat prima, dank je. Wat aardig dat je belt. Maar als je me nu wilt verontschuldigen ...'

'Goed, goed. Het spijt me dat ik zo overhaast deed, maar je maakt me gek, lieverd. Je hoort niet in Minneapolis thuis. Je hoort hier in Simms, bij mij.'

Ik kon hem helemaal voor me zien, met zijn haar dat de kleur van rijpe tarwe heeft, die opzettelijke stoppelbaard die veel mannen tegenwoordig hebben en een brandschoon wit T-shirt met strakke mouwen over zijn zorgvuldig gekweekte biceps. Ik stelde me zijn witte tanden voor met een stukje kauwgom tussen zijn achterste kiezen en zijn geoefende grijns, een gezicht waarvan hij hoopte dat hij daarmee op Elvis leek. Hij is een mooi exemplaar van de soort man – al zegt Ken het zelf.

'Je hebt mij niet nodig in Simms. De wedstrijd gaat ook wel door zonder mij.'

'De stad redt het ook wel zonder jou.'

'Hier hebben we het al zo vaak over gehad ...'

'En je snapt het nog steeds niet. Ik houd van je, Cassia. Ik wil je hier bij me.'

'Maar ik houd niet van jou. Niet op die manier ...'

'Vroeg of laat zul je beseffen dat liefde niet gaat om vlinders in je buik. Liefde draait om de tijd die je in een relatie steekt, de geschiedenis die je deelt.'

Maar ik *wil* vlinders. Ik *wil* hopeloos verliefd zijn. Bovendien, deze romantische redenering komt van een man die wild, kabeljauw en zuurkool als delicatessen beschouwt.

'Dan moet je wel heel veel van je bestelauto en van je hond Boosters houden. Ik weet hoeveel tijd je daarin geïnvesteerd hebt.'

'Ik denk dat dit niet het juiste tijdstip was om te bellen.'

Eindelijk begint het een klein beetje te dagen bij hem. Ik heb hem bijna om zijn oren geslagen met het feit dat ik niet van plan was verliefd op hem te worden, maar Ken nam met 'nee' geen genoegen. Zijn volharding heeft hem onwaarschijnlijk veel succes gebracht in de bouw, en het bedrijf dat hij in Simms opgericht heeft, is inmiddels ook buiten de staat bekend. Ken dacht zeker dat iets wat eenmaal gewerkt heeft, dat wel opnieuw zou doen.

'Als het niet kapot is, repareer het dan niet', zegt hij, niet beseffend dat er nooit iets tussen ons geweest is om te repareren. We waren samen uit geweest – althans we waren twintig minuten na elkaar op dezelfde plaatsen opgedoken. In Simms betekende dat iets. 'Vroeg of laat zul je wel gaan beseffen dat ik niet naar Simms terugkom om je vrouw te worden. Ik kan niet veel duidelijker zijn.'

'Natuurlijk, dat denk je nu, maar je draait wel bij.' Ik hoorde hem luidruchtig kauwen in mijn oor. 'Hé, de jongens zijn er. Ik moet ervandoor. We gaan vanavond skeetschieten op de schietvereniging. Houd je taai, schat. Ik houd van je. Doei.' En er werd opgehangen.

Mijn linkerslaap bonkte en mijn hoofd begon te bonzen. Dat gesprek was alleen maar tijdverspilling geweest. Ken geloofde – of hoorde – geen woord van wat ik zei. Hij is er zo van overtuigd dat de stad een immorele en ongastvrije plaats is om te wonen – en dat Simms zo veel op de hof van Eden lijkt als op aarde maar mogelijk is – dat hij echt denkt dat ik vroeg of laat tot bezinning kom en me terugspoed naar het paradijs. En hij wacht op me met een 'zei ik het niet'-grijns op zijn gezicht en zijn nieuwste opzichtige huis, klaar om me over de drempel te dragen.

'Ik zal alles voor je bouwen wat je maar wilt, Cassia', had hij tegen me gezegd. 'Zeg het maar – een ranch, een huis met verdiepingen, koloniaal of modern. Zoveel slaapkamers als je maar wilt en zelfs een badkamer bij iedere kamer. Ik zal ook een open haard in iedere kamer laten zetten. Wil je een zwembad? Prima. Een bowlingbaan? Ik zal zien wat ik doen kan. Ik zal zelfs een huis voor je oma bouwen, zodat ze ook terug kan komen naar Simms om dicht bij jou te zijn. Zou ze dat niet geweldig vinden?'

Als geld of prestige ook maar iets voor me betekend had, zou het misschien verleidelijk geweest zijn. Maar grootse vertoningen van rijkdom maakten me doodziek. Als Ken had aangeboden een deel van dat geld weg te geven om anderen te helpen, zou ik misschien ...

Maar dat had hij niet gedaan. Het is een goede man, maar het is waarschijnlijk niet eens in hem opgekomen. Hij ziet de wereld in termen van dollars per vierkante meter, blokken beton per fundering en de afstand tussen twee dakspanten. Vooral daardoor was ik ervan overtuigd dat ik nooit verliefd op hem zou kunnen worden. En nu voelde ik me leger en geïsoleerder dan ooit. Mattie had het druk, Ken was traag van begrip en Jane was ook vast wel ergens mee bezig. En ik was helemaal alleen.

Ik begon medelijden te krijgen met mezelf en plande het precieze moment waarop ik het Chunky Monkey-ijs uit mijn vriezer open zou trekken – kon ik dat beter voor of na de Oreo's en de fruitsalade doen? Toen werd er een koude, natte neus tegen mijn handpalm geduwd. Zwarte kraaloogjes staarden me aan door plukken karamelkleurig haar en een ruwe tong gleed over mijn hand.

Ik knielde en nam de enorme donzige kop van mijn hond in mijn handen. 'Jij bent mijn beste vriend, hè, jochie? Ik heb niemand anders nodig als ik jou heb. Wil je geborsteld worden?'

Helaas vulde een avond hond borstelen en het eten van twee porties fruitsalade met zwarte dadelpruimen mijn sociale agenda niet echt.

'De stad is niet zo anders dan Simms, Winslow. Ik doe gewoon hetzelfde als ik in Simms altijd deed wanneer ik me verveelde. Weet je nog dat we een schaal met Matties koekjes naar de buren brachten en daar op bezoek gingen?' Maar ik had geen zelfgebakken koekjes. Ik zou het moeten doen met wat ik bij de hand had.

Ik vroeg me af wat Adam Cavanaugh zou vinden van tangelo's en dadelpruimen.

Ik verloor bijna de moed toen ik zag dat de deur van zijn appartement openstond. Ik rook gebakken bacon en hoorde de koffiepot pruttelen. Mijn opgewekte idee even langs te wippen verdween als sneeuw voor de zon. Nadat ik besloten had dat Cavanaugh waarschijnlijk de laatste was die me wilde zien, besloot ik mijn fruitsalade in plaats daarvan aan de mensen op mijn verdieping aan te bieden. Helaas was er niemand thuis. Adams appartement was het enige in het gebouw dat enig teken van leven vertoonde.

Pepto lag in de deuropening als een paleiswacht die klaarstond om iedereen aan te vallen die het op de koning gemunt had. Ik bekeek hem van een afstandje, twijfelend over mijn veiligheid. Er hing een snijtand over zijn onderlip en zijn verminkte, hangende oor verschafte hem de aanblik van de katachtige vorm van een plunderende piraat.

Maar de deur stond wijd open en ik zag Adam bij het fornuis staan in een wijde grijze joggingbroek en een al even slobberige rode trui. Zijn donkere haar was vochtig, hij was blootsvoets, en zo te horen aan de geluiden van pannen en deksels die tegen elkaar kletterden doordat hij ermee smeet, had hij een slecht humeur.

Toen ik hier kwam wonen, had de huisbaas me verzekerd dat de bewoner van dit appartement een 'aardige jongen' was, die 'voor een krant werkte' of zoiets. Ik had waarschijnlijk beter moeten opletten. Dat is nauwelijks een goede omschrijving van iemands echte karakter, maar de huisbaas zei ook tegen me dat ik, als ik ooit in de problemen zat, met een gerust hart bij deze jongen kon aan kloppen om hulp te vragen. Aangezien ik niet van plan was iets te doen wat ik niet zelf aankon, had ik niet doorgevraagd. Nu zou ik willen dat ik mijn nieuwsgierigheid de vrije loop gelaten had.

Misschien moest ik mijn salade maar mee naar huis nemen en gewoon zelf opeten.

Helaas koos de kat net dat moment om te janken als een dier in doodsangst. Ik keek omlaag om te zien of ik op zijn staart getrapt had, en toen ik weer opkeek, stond Adam me bij de deur aan te staren met die verontrustende ogen van hem. Op de voorkant van zijn sweater stonden de woorden 'Laat me met rust'.

Ik wenste wanhopig dat ik dat advies veel eerder gezien had en deed het enige wat ik kon bedenken. Ik duwde de kom in zijn handen en flapte eruit: 'Salade. Ik heb te veel gemaakt. Omdat jij net thuisgekomen bent, dacht ik dat je misschien niets in je koelkast had.'

'Maar je hebt me al bloemen gegeven. Je bent te gul.' Hij lachte naar me, en dus lachte ik ook maar.

'Het spijt me dat ik zo'n boerentrien ben, maar zo doen we het in Simms. Ik ga nu terug naar huis en zal proberen iets beschaafder te worden. Ik kom over een jaar of twintig wel terug.'

Er verscheen een vreemde uitdrukking in zijn aantrekkelijke ogen. 'Niet beschaafd worden. Ik vind het vreselijk als dat gebeurt. Het verpest aardige mensen.' Hij deed een stap naar achteren en gebaarde met zijn hand dat ik mocht binnenkomen. 'Wil je wat eieren met bacon?', bood hij aan. 'Ik heb geen brood, en dus heb ik er een paar pannenkoeken bij gemaakt.'

'O, dat kan ik niet aannemen.'

'Geen probleem. Kom binnen. Opzij, Pepto.' De kat sloop weg en keek met een blik vol ongenoegen naar me om.

Adam deed de deur wijd open en liet me binnen. Hij deed geen poging om de deur achter me dicht te doen. Soms sta ik verbaasd van mezelf, maar ik ben diep vanbinnen nog steeds een ouderwets meisje en ik waardeerde zijn attentheid.

Hij liep naar de kast, haalde er twee aardewerken borden uit en gaf die aan mij. 'Je zult de post opzij moeten schuiven voordat we kunnen eten.'

De tafel lag vol belangrijk uitziende brieven en een torenhoge stapel kranten met enkele tijdschriften ertussen.

Hij haalde de folie van de kom af en keek er nieuwsgierig in.

'Fruitsalade', zei ik ter verduidelijking.

'Zo heb ik die nog niet eerder gezien.' Hij staarde een minuut lang naar het vreemd gekleurde spul en haalde er toen een stukje sterfruit uit. Hij stopte het in zijn mond en deed zijn ogen halfdicht. 'Dit doet me denken aan een krab met zachte schaal.'

'Ik ben een beetje uit mijn dak gegaan op de groente- en fruitafdeling en heb van alles wat meegenomen.'

'Ik dacht dat je op die manier bloemen kocht.' Hij zette de kom neer en pakte toen de koekenpan en een stapeltje pannenkoeken. Hij zette de hete pan op een stapeltje kranten, zijn versie van een onderzetter.

'Het loopt wat uit de hand. Mijn nieuwste hobby is alle exotische dingen in de supermarkt proberen – en vergeleken met Simms is het allemaal exotisch. Je kunt niet kieskeurig zijn als je winkelt in een supermarkt annex postkantoor, cafetaria, ijzerwarenzaak, schoonheidssalon en bank van lening, weet je.'

'Geen wonder dat je je vermaakt.' Adam liet roerei en drie plakjes bacon op mijn bord glijden en toen op dat van hemzelf. Hij rolde een onbesmeerde pannenkoek op tot iets dat eruitzag als een taco, legde dat naast zijn bord neer en pakte mijn salade. Terwijl hij opschepte, kromp ik ineen. De dressing van dadelpruimen had geen appetijtelijke kleur.

'Dat smaakt niet slecht', zei hij ten slotte. 'Wil je ook wat?'

'Aangezien jij niet naar je keel gegrepen hebt en niet van je stoel gevallen bent, denk ik dat ik het wel kan proberen. Eerlijk gezegd was ik er niet helemaal zeker van of ik dapper genoeg was om eerst zelf te proeven.' In feite was het gebed dat ik in mijn hoofd uitsprak meer een smeekbede om bescherming – tegen mijn eigen culinaire vaardigheden.

'Ik heb de laatste tijd vreemdere dingen gegeten', zei hij raadselachtig. Hij pulkte aan zijn geschilferde bord. 'Ik heb niet veel servies. Ik gebruik meestal wegwerpborden.'

'Deze zijn prima. Ik at thuis vroeger nooit van wegwerpborden. Mijn opa hield niet van verspilling.'

'Serieus?'

'Hij hield er ook niet van iets weg te gooien wat hij nog steeds als 'goed' beschouwde. Als we iets kregen, gebruikten we dat totdat het stuk was. Daarna repareerden we het en gebruikten we het opnieuw.'

'Waarom niet gewoon iets nieuws kopen?'

'Psalm 41:2.'

Hij staarde me nietszeggend aan, totdat me te binnen schoot dat alleen een bijbelvers geven buiten mijn familie een zeldzaamheid was.

'*Gelukkig wie zorgt voor de armen; in kwade dagen zal de Heer hem uitkomst geven.* Mijn opa gaf geen extra cent voor zichzelf uit als hij dacht dat hij het ook kon weggeven. Mijn oma zegt nog wel eens grappend dat de weduwen en wezen het beter hadden dan wij, omdat opa guller was tegenover hen dan tegenover ons.'

'Was dat een probleem?'

'Nee. Het was niet zo dat we tegen onze wil arm waren. Armoede was een keuze voor ons, een uitdaging. Hoeveel konden we opgeven om anderen meer te geven? Geloof het of niet, maar opa maakte er een sport van. Ik leerde al op jonge leeftijd hoe weinig we in feite nodig hebben.'

'Interessant.' Hij keek me aan met die chocoladekleurige ogen, en opnieuw begonnen mijn knieën een klein beetje te knikken. 'Tegenwoordig wordt het waarschijnlijk als krankzinnig beschouwd, maar het is zeker interessant.'

Terwijl ik mijn stoel bij de tafel vandaan duwde en gedag begon te zeggen, landde er een behaarde kanonskogel in mijn schoot die begon te knorren.

'Pepto?' Adam keek naar de kat die zojuist in mijn armen gesprongen was. Ik was al net zo geschrokken, maar Pepto begon nog harder te spinnen, draaide zich tweemaal om op mijn schoot en ging toen zitten. 'Wat doe je nou, rare kat?'

'Het geeft niet. Ik houd van dieren.'

'Nee, dit heeft hij nog nooit eerder gedaan. Zelfs niet bij mij.'

'Dieren en kleine kinderen blijken me graag te mogen', zei ik tegen hem terwijl ik Pepto's vacht streelde. Hij voelde veel zachter dan hij eruitzag. 'Oma zegt dat het een teken van mijn 'zuivere natuur' is. Mijn zus Jane zegt dat het komt doordat ik een parfum draag dat een combinatie is van kattenkruid en suikerspin. Hoe dan ook, ik vind het niet erg.'

Terwijl Pepto zijn kop ophief alsof hij me aankeek, streelde ik over het zachte plekje onder zijn kin, en zijn gespin veranderde in een vrolijk gegrom. Toen ik opkeek, staarde Adam me ongelovig aan, alsof ik rozen had gekweekt in een vieze asbak. Ik grinnikte inwendig. Het is makkelijk een kat te lokken. Ik ben alleen maar blij dat ik niet van plan ben het hart van zijn baasje te winnen.

Hoofdstuk
5

Dieren en kleine kinderen, hè?

Adam dacht erover na terwijl hij zijn koekenpan schoon schrobde. Hij had absoluut nooit verwacht dat Pepto een totale draai zou maken en iemand echt *aardig* zou vinden. Hij pakte een schuursponsje en boende over een restant ei dat koppig aan de pan bleef plakken. Natuurlijk vond Adam, hoewel hij het niet graag toegaf, zijn nieuwe buurvrouw ook aardig. Zelfs zonder de bloemen, dadelpruimen en het onwaarschijnlijk rode haar was ze nog steeds charmant en grappig. Ze was een frisse wind in zijn overwerkte leven, en haar komst vanavond was een moment van bevrijding geweest van de druk die zich in hem aan het opbouwen was.

Hij was de laatste tijd het menselijke equivalent van een hogedrukpan geworden, en Cassia Carr was een onverwachte uitlaatklep. Hij had erover gedacht haar de les te lezen over het feit dat ze zo open en onbevangen was als ze in haar kleine stadje geweest was, maar had besloten haar in plaats daarvan gewoon in de gaten te houden. De bewoners van dit gebouw waren allemaal goede mensen – velen woonden er al twintig jaar of langer. Cassia was duidelijk een vlotte leerling en zou de kennis van de gevaren van de stad vast snel genoeg opdoen zonder zijn advies.

De telefoon ging precies op het moment dat Adam de koekenpan in het afdruiprek zette. Hij keek naar het nummer. Het was zijn literair agent en beste vriend Terrance Becker.

'Adam, ouwe jongen, je bent terug. Luister, vriend, is alles goed met je? Ik heb gehoord dat je het daar niet makkelijk gehad hebt.'

'Niet zwaarder dan wie ook maar. Ik ben in ieder geval niet van de honger omgekomen.' Afgrijselijke beelden speelden door zijn hoofd als hittegolven in de woestijn. Adam had tot voor kort niet geweten hoe pijnlijk dood door ondervoeding kon zijn.

'Je hebt je broekriem toch even flink moeten aanhalen', zei Terrance. 'Ik heb Frankie gesproken.'

Frankie Wachter was de fotograaf die met Adam meereisde. Hij hoopte maar dat Frankie geen al te grote mond had gehad. Terrance hoefde niet ieder ranzig detail van hun reis naar Burundi te weten. Er waren dingen die Adam liefst voor zich hield. De kwellende emoties die zowel Frankie als hij ervaren had, waren privé. Zijn onderzoek en artikelen zouden voor zichzelf spreken. Meer hoefde er niet gezegd te worden.

'Het tijdschrift vond je materiaal geweldig, trouwens. Je hebt hun zo veel gestuurd dat ze er een serie van maken. Frankie heeft ook geweldige foto's gemaakt. Als je wilt stoppen met freelance werk en voor een bedrijf wilt gaan werken, laat het me dan weten, oké? Ik heb verscheidene aanbiedingen voor je.'

Adam gromde en onthield zich van commentaar. Hij had zich nooit willen binden. Als journalist wiens carrière zich voornamelijk op mensenrechten concentreerde, wilde Adam vrij zijn om daarheen te gaan waar de omstandigheden en zijn instinct hem heen leidden. Het was ironisch dat het hem recentelijk naar een van de armste gebieden geleid had waar hij ooit geweest was – Burundi, een niet aan zee grenzend land met ongeveer de omvang van Maryland, en een bevolking met een levensverwachting van minder dan zevenenveertig jaar, waarvan twaalf procent met AIDS besmet was. De spanningen tussen de Tutsi's en de Hutu's kenmerkten het leven van de bevolking. Het was een zwaar leven, vooral voor de jongste, meest hulpeloze leden van de maatschappij, de kinderen. Toen Adam erheen gegaan was om een verhaal te schrijven over de kleine hulporganisatie die probeerde in de eerste levensbehoeften van de bevolking te voorzien, had hij er geen idee van gehad dat wat hij zou zien en ervaren, hem zo volkomen zou veranderen.

Hij had geweten dat de statistieken niets voorstelden in vergelijking met het zien van de realiteit. Als zeventig procent van alle ondervoede mensen ter wereld kinderen zijn, en er veertigduizend per dag van de honger omkomen, waar waren dan de mensen die hen konden helpen? De kinderen waren kwetsbaar, hulpeloos en weerloos. Voeding was voor hen belangrijker dan voor de volwassenen, en ze waren absoluut niet in staat voor zichzelf te zorgen. 's Nachts, wanneer het stil was in het kamp, had Adam op zijn bed gelegen en in het duister gestaard, zich afvragend wat hij doen kon om een vinger in een dijk van deze omvang te steken. Het leven sijpelde uit deze kinderen weg, en hij was niet in staat dat te voorkomen.

'Wat staat er nu op je programma?'

Adam voelde zich ineenkrimpen. Hij was in gedachten mijlen ver weg van Terrance en het gesprek over zijn carrière geweest. 'Helemaal niets.'

'Een beetje rust en ontspanning? Goed idee. Een paar daagjes vrij en je voelt je weer een nieuw mens.' Terrance klonk bezorgd. 'Dat bedoelde je toch?'

'Niet echt. Ik ben helemaal opgebrand. Werken is nu wel het laatste waar ik zin in heb.'

'Je hoeft niet van iedere tragedie in de wereld verslag te doen', zei Terrance tegen hem. 'Niet alles wat je doet, hoeft voor een Pulitzerprize genomineerd te worden. Kom op. Doe voor de verandering eens iets minder zwaars, iets luchtigs. Wat dacht je van een artikel over honkbal? Of muziek – iets als 'Adam Cavanaugh over bejaarde rockers – seks, drugs en rock-'n-roll'. Boomers vindt het vast geweldig.'

'Leuk geprobeerd, maar nee, bedankt. Ik ben vermoeider dan ik ooit eerder geweest ben.' Hoe goed hij ook met woorden kon goochelen, deze keer kon Adam het zelfs niet eens omschrijven.

'Het zit deze keer in mijn botten. Toekijken hoe kinderen sterven en er helemaal niets aan kunnen doen verandert een mens.'

'Maar zoals je in je artikel al zei, die kinderen konden al niet meer gered worden voordat je hen bereikte.'

'Dat maakt het niet minder moeilijk. Of leuker. Sorry, Terrance. Deze schrijver neemt vrij – een flinke poos. Ik heb het even niet meer.'

'Gewoon een tijdje ...'

'Misschien wel voorgoed.'

Hij hoorde Terrance naar adem snakken en wist wat er nu ging komen.

'Beloof me één ding, Adam. Denk er nog een tijdje over na voordat je de handdoek in de ring gooit. Zoek een verhaal om te schrijven dat je niet opvreet, en kijk hoe dat voelt voordat je overhaaste beslissingen neemt.

'Dat zal niets uitmaken.' Er was iets gebroken in hem, en dat moest genezen – zijn hart. Hij kon geen verhaal bedenken dat hem genoeg zou afleiden om dat te laten gebeuren.

'Beloof het me gewoon.'

'Alleen als er een verhaal voor het oprapen ligt. Ik ga niet op zoek naar zomaar een leuk verhaaltje om te bewijzen dat ik de waarheid spreek.'

'Denk erover na, Adam ...'

'Ik moet ervandoor. Ik bel je wel als zich een verhaal aandient.'

Nadat hij had opgehangen, staarde Adam nog lang naar de telefoon. Hij kon niet geloven dat hij zojuist de draad had doorgesneden die hem de afgelopen vijftien jaar met het leven verbonden had en hem een Pulitzer en talloze andere journalistieke prijzen opgeleverd had. Maar het belang en de betekenis die hij altijd aan het leven had toegekend, het idee van God, vrede en menselijkheid op aarde, waren allemaal in rook opgegaan in zijn tijd in Burundi. Er was iets volkomen mis met de wereld als daarin een kind geboren kon worden, kon leven en sterven, en niet meer indruk achterliet dan een regendruppel in de zee.

Hoofdstuk
6

Ik snap niet waarom mensen denken dat het leven in de grote stad zo geweldig is.

Iedereen zegt dat alles zo makkelijk is hier. Misschien, maar ik vind het een beetje vreemd dat ik, als ik tegelijkertijd een pizza, een taxi en een ambulance bestel, ervan op aankan dat de pizza als eerste komt. Natuurlijk, in Simms bereikt het gerucht dat je ziek bent je soms sneller dan de ziekte zelf. Dus misschien is het wel, zoals opa altijd zei, 'lood om oud ijzer'.

Ik trapte op de rem toen ik de rechterrijbaan van de Interstate 494 op reed en voorsorteerde om de afrit te nemen die leidde naar de 'kortere weg' die ik naar mijn werk had uitgestippeld. Afsnijden ... ha! Dat bestaat niet. Hier niet, in ieder geval.

In Simms praten we in kilometers. Als iets op honderd kilometer afstand ligt, is het waarschijnlijk ongeveer een uur rijden, afhankelijk van de druk van mijn voet op het gaspedaal. Hier hebben kilometers geen betekenis, voor zover ik weet. Ik ben vijfendertig minuten kwijt om op mijn werk te komen, als ik het goed plan, en driemaal zo lang in het spitsuur. Ik weet niet of ik vijf of vijftig kilometer afgelegd heb. Ik weet alleen dat het er wel honderd lijken.

Ik heb het nog niet helemaal door, maar ik begin het te leren. Ik ben al een week niet meer te laat op mijn werk gekomen en ik heb afgeleerd iedere keer een kreet te slaken wanneer ik gas geef en vanaf een oprit de rijbaan op draai. Laat ik het zo zeggen: ik ben meer dan eens dankbaar dat het goed zit tussen God en mij wanneer ik de snelweg op rijd.

Mijn auto was een afdankertje van mijn vader, die hem als afdankertje van een gemeentelid gekregen had. Waarschijnlijk is hij daarvoor van nog een paar andere mensen geweest trouwens. In termen van raszuivere auto's is de mijne een oud beestje, meer dan vierentachtig jaar in hondenjaren.

Terwijl ik de parkeergarage van Parker Bennet in reed, hoorde ik een kreet achter me. 'Hé, mevrouw, uw knaldemper is er net vanaf gevallen!'

Ik remde en keek in mijn achteruitkijkspiegel. Ik ging ervan uit dat het een grapje was, maar met mijn auto is alles mogelijk. Toen zag ik wie er midden op de parkeerplaats stond, grijnzend met die tandeloze grijns van hem. Ik heb Randy Mills voor het eerst op het werk ontmoet, maar ik kwam hem ook tegen in de kerk waar ik een paar zondagen geleden was. Dat is toch geweldig? God heeft me meteen al een christelijke vriend gegeven. Het is een magere vent die wel iets van een vogelverschrikker weg heeft, met zandkleurig haar en zandkleurige sproeten. Ik stak mijn arm uit het raampje en zwaaide voordat ik een parkeerplaats in draaide. Tegen de tijd dat ik mijn tas en mijn lunch gepakt had, stond Randy met zijn handen in zijn zij theatraal mijn banden te bestuderen.

'Sorry, ik vergiste me. Het was helemaal je knalpot niet. Het was je hele versnellingsbak, die je verloor. Heb je plakband en kauwgom in je gereedschapskist, of wil je dat ik hem voor je repareer? Ik heb een rol touw in mijn kofferbak.'

'Heel grappig, Randy. Ik lach ook niet om *jouw* auto.' Ik doe mijn best om er verontwaardigd uit te zien.

'Je hoeft hem niet op slot te doen, Cassia', adviseerde Randy. 'Als je geluk hebt komt iemand hem stelen.'

'Dat hoop ik te voorkomen. Ik zet hem iedere avond in de garage.'

'Serieus?' Randy klonk en keek verbaasd. 'Bescherm je dat ding echt?'

'Ik ben in ieder geval niet zoals sommige van mijn buren, die hun dure auto's 's nachts buiten laten staan omdat er te veel waardeloze rommel in hun garage staat.'

'Juist', zei Randy met een grijns. 'Jij *rijdt* in je waardeloze rommel.'

We liepen naast elkaar naar de voordeur van het hoofdkantoor van Parker Bennett. Ik moest af en toe een stapje meer doen om de lange accountant te kunnen bijhouden.

'Het is een goede auto', zei ik ter verdediging. 'Ik heb er nooit problemen mee en laat hem regelmatig een beurt geven.'

'Dat geloof ik graag. Maar je moet hem niet wassen. Hij wordt alleen nog maar samengehouden door de roest.'

'Je bent gewoon jaloers omdat jouw auto nog geen drie klokjes rond gelopen heeft.'

'Serieus? Driehonderdduizend?' Randy floot. 'Ik wist niet dat ze zo lang meegingen.' Toen versomberde zijn sympathieke gezicht. 'Echt, Cassia, het wordt tijd om een nieuwere aan te schaffen. Dat hoeft niet duur te zijn. Je zou niet in dat ding door de stad moeten rijden. Je komt nog eens ergens met pech te staan.' Hij bekeek me van top tot teen. 'Een lam tussen de wolven.'

'Ik kan een band verwisselen, het oliepeil controleren, de bandenspanning meten en er zelfs voor zorgen dat de v-snaar aangespannen is.'

'Misschien wel, maar het herbouwen van het gehele chassis gaat waarschijnlijk boven je krachten, en dat zul je binnenkort moeten doen.'

Ik rende opnieuw een paar passen om Randy te kunnen bijhouden. 'Misschien troost het je dat mijn zus het met je eens is. Ze heeft voorgesteld dat ik deze winter haar auto neem, en dan koopt zij een nieuwe.'

'Waarom koop *jij* geen nieuwe?' Randy hield de deur voor me open.

'Dat heb ik niet nodig.'

'Soms draait het leven om meer dan wat je nodig hebt. Wat nu als je er eentje *wilt*?'

'Maar dat is niet zo.'

'Dat geloof ik niet.'

'In de afgelopen anderhalf jaar, Randy, is de grootste verkeersopstopping die ik gezien heb, die keer toen ik moest wachten op een tegenligger voordat ik een tractor kon inhalen. Bovendien kan ik net zo goed als iedereen met startkabels overweg.'

'Daar ben ik van overtuigd.'

Terwijl hij zuchtte en met zijn ogen rolde, volgde ik zijn blik naar de uit drie verdiepingen bestaande fontein en de glazen liften die bijna geruisloos op en neer gingen. 'Hoe lang ik hier ook zal werken, ik denk dat ik dit altijd een verspilling van ruimte zal blijven vinden. Heel Simms past hierin, en dan blijft er nog een verdieping over.'

'Het is wel behoorlijk imposant, vind je ook niet?', vroeg hij.

'Maar heeft het enig nut? Dat is de vraag.'

Randy bleef staan en keek me aan. Ik ving een glimp van mijn haar op in de glimmende chromen vloer van de lift terwijl we wachtten tot die voor ons terugkwam. Mijn haar was vandaag bijzonder weerbarstig en vormde een stormachtige wolk rondom mijn gezicht. Soms denk ik dat mijn haar meer persoonlijkheid heeft dan ik. Het heeft in ieder geval een eigen wil.

Ken beschuldigt me er wel eens van dat ik op een gekleurd herfstblad lijk. Dat is een van zijn vriendelijkere opmerkingen. Meestal vergelijkt hij me met iets uit zijn vakgebied. 'Cassia, je bent zo mooi als een nieuwe elektrische zaag', 'zo slim als een Zwitsers zakmes' of 'speels als nieuw schuurpapier'. En als hij echt complimenteus is, zegt hij altijd: 'Ik heb nog nooit een huis gehad of verkocht dat zo mooi is als jij.' Als hij en ik het niet met elkaar eens zijn, is het altijd: 'Schat, je praat alsof je zolder nog niet af is.' Echt een romanticus, die Ken.

'Moet alles voor jou nuttig zijn om ervan te kunnen genieten, Cassia?', vroeg Randy, waardoor hij me terug in het heden bracht.

'Natuurlijk niet, maar het is wel meegenomen.'

'Ze zullen kinderen wel anders opvoeden, daar waar jij vandaan komt.'

'Simms? Misschien wel. Ik ken mensen die hun kinderen zich nog steeds laten verontschuldigen tegenover telefonische verkopers voordat ze ophangen.' Ik zweeg en keek hem voor de verandering eens aan. 'Vertel eens, Randy, wat is jouw verhaal? Je krijgt het mijne niet te horen voordat je iets over jezelf vertelt. Ik weet dat je accountant bent en dat je hier vlakbij naar de kerk gaat, maar verder ...'

Hij haalde zijn brede, maar knokige schouders op onder zijn jas. 'Er valt niet veel te vertellen. Ik ben geboren en getogen in een buitenwijk van de stad. Heb een goede opleiding gehad, heb aan de universiteit gestudeerd, ben accountant geworden en nu zit ik hier, bij Parker Bennett.'

'Dat is wel een beetje saai, vind je ook niet? Er zijn toch wel mensen in je leven.'

'Een jongere broer en zus, twee ouders die onderwijzer zijn. En een aantal neven en nichten die ik op feestdagen zie. Ik ben alleenstaand omdat het juiste meisje nog niet op mijn pad gekomen is. En ik heb een kat die Franklin heet, vernoemd naar het fornuis in de hut van mijn ouders.'

'Dat bedoelde ik. De mensen in je levens, je hobby's! *Dat* is het beste deel van iemands leven, niet wat ze bezitten.'

'Hoe zit het eigenlijk met jou? Ik heb nog nooit iemand ontmoet die zo ...' Hij zocht naar woorden. 'Die zo *tevreden* is als jij.' Hij wreef verwonderd over zijn zandkleurige haar. 'Je komt hier al bijna een maand iedere dag in dat oude brik van je, je lunch in een tas en neuriënd als een kanarie. De directeuren rijden in BMW's of Jaguars en lunchen in restaurants, waar ze klagen over hoe zwaar ze het hebben. Wat is je geheim?'

Hij zag er zo oprecht en schattig en kwetsbaar uit terwijl hij een poging deed om me te doorgronden, dat ik hem wilde knuffelen. Ik wist mezelf echter te bedwingen.

'Mijn geheim? Randy, ik ben de meest doorzichtige persoon op aarde. Bij mij is wat je ziet ook wat je krijgt.'

'Dat zeg je nu wel, maar er is iets ...' Randy keek zo verwonderd dat ik in de lach schoot.

'Wil je mijn geheim weten? Oké, ik zal je mijn vertrouwelijke recept geven. Maar ik weet zeker dat je het al kent.' Ik zocht in mijn tas naar een stuk papier en haalde een half stortingsbewijs van mijn chequeboekje tevoorschijn. Ik krabbelde de informatie neer waar Randy om vroeg en stopte het papiertje toen in het Nieuwe Testament dat ik altijd bij me heb en drukte dat in zijn hand. 'Alsjeblieft.'

'Ik heb al een Bijbel, Cassia.'

Ik liet hem praten.

De lift kwam terwijl hij naar het boekje in zijn hand keek. Toen we instapten, vroeg ik: 'Naar welke verdieping wil je? Ik rijd wel.'

'De zesde. Ik wil in de kantine koffie halen. Ik ben vanmorgen te laat opgestaan om zelf te zetten.' Toen sloeg hij het Nieuwe Testament open om te lezen wat ik op het papiertje geschreven had. Hebreeën 13:5, een van mijn favoriete verzen. *Laat uw leven niet beheersen door geldzucht, neem genoegen met wat u hebt. Hij heeft immers zelf gezegd: 'Nooit zal ik u afvallen, nooit zal ik u verlaten.'*

Hij liet het bijbeltje in zijn zak glijden en stapte op de zesde verdieping hoofdschuddend uit de lift.

Terwijl ik door de gang naar mijn kantoor liep, deed ik het spelletje dat ik iedere dag al deed sinds ik bij Parker Bennett was komen werken. Het was een spelletje dat mijn moeder altijd gebruikte om het ijs te breken en ons, kinderen, te helpen elkaars naam te onthouden op de vakantiebijbelschool. Kinderen stelden zichzelf voor door hun voornaam te noemen en een woord dat hen beschreef. Ik was altijd krullerige Cassia en mijn zus was jolige Jane. In de loop der jaren raakten onze klassen gevuld met opvallende personen, zoals vieze Vincent (dat had iets te maken met het feit dat hij in de stal hielp voordat hij naar de zondagsschool kwam), blitse Bonnie, rennende Ronnie, zingende Sara en, mijn persoonlijke favoriet, durfal Dan. Het spelletje werd zo'n populaire traditie dat alle zondagsschoolklassen het deden, en sindsdien is het een geheugensteuntje voor me. Het was vooral handig toen ik bij Parker Bennett aangenomen werd. Ieder gezicht is nieuw en ik geef bijnamen aan iedereen die ik ontmoet. In mijn hoofd heten mijn collega's stralende Stella, paranoïde Paula, begerige Bob, tedere Thelma, ego Ed, jaloerse Jan en – hoewel dat niet helemaal volgens de regels van het spel is – kleine Betty. De enige voor wie ik geen bijnaam hoefde te verzinnen, was iemand die al een gedenkwaardige naam had – Cricket.

Cricket is van mijn leeftijd, en terwijl ik lang en slank ben, is zij kort en rond en heeft ze altijd een enorme glimlach die een kamer kan verlichten. Cricket vertelde me meteen hoe ze aan haar ongewone naam kwam. Haar liefhebbende ouders – Jim en Mimi – probeerden haar een naam te geven die een combinatie van hun namen was. Helaas konden ze niets anders bedenken dan Jimini. Het duurde niet lang of iedereen noemde de baby Jimini Cricket, en niet veel later liet men Jimini helemaal achterwege, en was het gewoon Cricket. Ze worstelt altijd met haar gewicht, is gek op eten, verafschuwt lichaamsbeweging en vindt realityshows op televisie belachelijk. Toch voelt ze de behoefte al die shows te bekijken om zeker te weten dat niemand toevallig toch iets belangwekkends te zeggen heeft. Cricket is een ware zegen op kantoor, en – niet te vergeten – je kunt enorm met haar lachen.

Daarmee wil ik niet zeggen dat mijn collega's niet allemaal geweldige mensen zijn – dat zijn ze wel, en ik vind hen allemaal erg aardig. Maar ieder van hen heeft wel een eigenzinnigheid die hen van de anderen onderscheidt.

Ed, bijvoorbeeld. Ed is een aardige vent. Hij is vriendelijk, opgewekt en gul. Hij heeft ook een spiegel aan de binnenkant van zijn la geplakt zodat hij kan controleren of al zijn haren nog wel op de juiste plaats zitten en er zich geen stukje spinazie tussen zijn tanden bevindt. Als Ed kaal zou worden, zou hij onmiddellijk op pad gaan om een hele verzameling haarstukjes te kopen – een tapijt voor iedere kamer, zogezegd. Paula en Betty – logisch – denken dat Ed in zijn laatste vakantie iets rondom zijn ogen heeft laten doen. Thelma zegt dat hij er gewoon 'uitgerust' uitzag, maar Paula telt blijkbaar lachrimpels en houdt die bij. Nu proberen ze moed te verzamelen om te vragen wie zijn plastisch chirurg was. Ik heb hen gewaarschuwd. Als Ed geen ingreep gehad heeft, zal hij net zo overstuur zijn als een vrouw aan wie gevraagd wordt wanneer de bevalling is terwijl de geboorte al heeft plaatsgevonden.

Ik hoop dat ze mijn rimpels niet tellen. Ik had er niet veel toen ik bij Parker Bennett kwam, maar het kunnen er nu snel meer worden. Ik kijk niet vaak in de spiegel. Mezelf van tot teen in een winkelruit zien verrast me al. Aangezien alle spiegels in Simms aan kaptafels vastzitten, was ik zelfs vergeten hoe lang mijn benen zijn.

Als ik ze nu in een passpiegel zie, moet ik aan steltlopers denken. Ken heeft me weleens gezegd dat zijn vrienden vonden dat ik prachtige benen had. Het was een van de eerste en enige keren dat ik zou willen dat ze gewoon over vrachtwagens en bouwmaterialen waren blijven praten.

Ik had de meeste moeite met het vinden van een bijnaam voor Thelma. Ik twijfelde een paar dagen tussen 'teder' en 'tevreden' voordat ik voor het eerste koos. Ze is de liefste, vriendelijkste persoon op kantoor en vergeet nooit te vragen hoe het met Winslow gaat, of Stella een complimentje te geven over haar nieuwe schoenen of Jan over een nieuw kapsel. Ze neemt haar lunch ook de hele week lang in dezelfde papieren zak mee naar het werk, wast linnen tasjes om ze te hergebruiken en vindt dat theezakjes minstens vier of vijf keer hergebruikt kunnen worden voordat de smaak eraf is.

Ik liep langs het kantoor van mijn baas, Ned Lakestone, de man die de leiding heeft over de vele kleinere onderdelen die de afdeling klantenservice vormen. Zijn deur staat maar zelden open, en ik denk dat hij niet erg op mensen gesteld is. Klantenservice is een vreemde plaats om te werken voor een kluizenaar, maar Stella heeft me ervan verzekerd dat Ned de beste baas is die je kunt hebben – eentje die de werkdag van zijn werknemers maar zelden onderbreekt met instructies of aanwijzingen. Volgens Stella is dat type echt hinderlijk. Bovendien, als meneer Lakestone zich met ons zou bemoeien, zou ze waarschijnlijk geen tijd hebben om haar nagels iedere dag opnieuw te lakken.

Om een of andere vreemde reden kreeg ik kippenvel toen ik in de buurt van het kantoor kwam. Het deed me denken aan Boosters, de hond van Ken, wanneer hij een verandering in de lucht aanvoelt of een bijna onmerkbaar signaal dat er iets niet helemaal is zoals het zou moeten zijn. Dan komt de vacht in Boosters nek omhoog en drukt hij zijn neus tegen de grond omdat iets heel verdacht is. Toen ik er later aan terugdacht, besefte ik dat, als ik geweten had wat er komen ging, iedere haar op mijn hoofd recht overeind was gaan staan.

Ik baande me een weg door de menigte mensen die in de gang

voor de afdeling klantenservice stond en vroeg me af wat er gaande was in mijn kantoor. Als ik niet beter had geweten, zou ik gedacht hebben dat er een rommelmarkt georganiseerd was, en dat iedereen gekomen was om een eerste blik op de koopwaar te kunnen werpen. *Dat* maakt me duidelijk dat ik veel te veel tijd in Simms doorgebracht heb.

Voor de tweede keer in niet zo veel dagen drong ik naar voren. 'Pardon, sorry, ik wilde niet op je voet gaan staan, pardon ...' De deur was dicht, dus zonder te weten wat ik aan de andere kant zou aantreffen, deed ik hem een klein stukje open, wurmde me naar binnen en deed hem weer dicht.

'Wat is er hier aan de hand ...?' Mijn stem stierf weg toen ik verbijsterd naar het schouwspel voor me staarde. Ed stond nota bene op zijn bureau. Alles op zijn bureau was opzij geveegd en hij stond daar, met een piepschuimen koffiebekertje in zijn ene hand, terwijl hij juichend met zijn armen zwaaide. Toen ik binnenkwam, keek hij me aan en gilde: 'Joe-hoe!'

En dan was hij nog degene die het meeste gezonde verstand leek te hebben.

Kleine Betty rende rond – letterlijk, alsof een voet aan de grond vastgeplakt zat en ze eromheen bleef draaien. Haar handen wapperden als de vleugeltjes van een zielig klein vogeltje, en ze had een verwilderde blik in haar ogen.

Stella gooide flesjes nagellak in haar tas en negeerde haar telefoon, die onophoudelijk rinkelde.

Begerige Bob was in een luid telefoongesprek verwikkeld met wat klonk als zijn wedkantoor. 'Flytail ligt tweede! Flytail ligt tweede!' Ik werkte hier nog maar drie weken, dus ik sprak nog niet vloeiend wat Stella Bobs 'gokspraak' noemt, maar ik was er vrij zeker van dat dat de taal was die hij sprak.

Cricket en Thelma waren in een verhit gesprek gewikkeld, en paranoïde Paula luisterde onbeschaamd mee. Paula had haar tasje tegen haar borst gedrukt en bleef mompelen tegen de andere twee, die haar negeerden: 'Verkoop de huid niet voordat de beer geschoten is. Daar zou je spijt van kunnen krijgen. Verkoop de huid niet voordat de beer geschoten is!'

De archiefkasten leken overhoop te zijn getrokken, de inhoud lag over de vloer verspreid, en de rest van de kamer was net zo'n wanorde. Het was alsof iemand vrolijk had rondgerend, prullenbakken had omgegooid en dingen van de bureaus had geveegd.

Stella leek me, hoewel ze een gesprek met zichzelf bleef voeren met woorden als 'schoenen', 'diamanten' en 'ik zal ze eens wat laten zien', een van de kalmsten van het hele stel.

Ik liep behoedzaam naar haar bureau toe, bedacht op rondvliegende vijltjes en nagelknippers. 'Stella, wat is hier gaande?'

Ze keek op en staarde me aan. '*Weet* je dat niet?'

'Ik besef dat ik iets later dan normaal ben, maar ik ben nog wel op tijd. Wat doen jullie hier allemaal zo vroeg?'

'Ik heb Thelma gebeld', legde ze geheimzinnig uit. 'En zij heeft Paula en Jan gebeld. Zij zouden het tegen Bob, Ed, Betty, Cricket en jou zeggen. Misschien hadden ze je telefoonnummer niet.'

'Waarvoor zouden ze me bellen?' Alice in Wonderland was, toen ze door de spiegel heen viel, niets vergeleken bij mij.

'Om je te vertellen dat we *gewonnen* hebben!'

'Bonnen? Wat voor bonnen? Ik wist niet dat je cadeaubonnen wilde gaan kopen. Er stond niet op de envelop voor wie er ingezameld werd.'

'Nee, we hebben *gewonnen*. Wij. Deze mensen hier.' Ed maakte een weids gebaar om zich heen. 'Wij. Jij!'

Cricket gooide een stapel papieren in de lucht als confetti en liet ze op de grond vallen.

Was ze gek geworden?

'Gewonnen? Wat gewonnen?' Ik kon geen andere wedstrijden bedenken dan de uitverkiezing tot werknemer van de maand bij Parker Bennett, en die was echt niet zo belangrijk. De meeste foto's van werknemers die aan de muur in de hal hingen, zagen eruit als politiefoto's.

'De loterij, natuurlijk!'

'De loterij?', herhaalde ik, me met de minuut dommer voelend.

Cricket was inmiddels in haar eigen wereldje verzonken,

maakte een of ander idioot dansje door de kamer en zong 'New York, New York'. Cricket zingt verschrikkelijk slecht, maar ik begreep wel dat ze het over de stad had. Ze stopte net lang genoeg om mijn handen te pakken en een rondje met me te draaien. 'De loterij! Cassia, heb je die affiches niet gezien en heb je niet naar de radio geluisterd?'

'Ik heb veel in huis gedaan', gaf ik toe. 'Winslow en ik hebben veel gewandeld ...'

Uiteindelijk bleef ze stilstaan en ze keek me recht aan. 'Cassia, weet je nog dat we die loten gekocht hebben? Een ervan had het winnende nummer. We zijn allemaal miljonair!'

'Ik heb geen loten gekocht!'

Opa zou zich omdraaien in zijn graf als hij wist dat ik betrokken was geweest bij enige vorm van gokken. Nee, opa zou dit maar niks gevonden hebben.

'Natuurlijk heb je wel loten gekocht. Waarvoor dacht je dat die vijf dollar in die envelop op mijn bureau was?'

'Voor iemand die een baby kreeg of jarig was of ...'

Er verscheen een blik van verbijstering op Stella's gezicht. 'Je weet het echt niet, hè?'

'Wat?'

Cricket keek me met grote ogen aan. 'Ze weet het echt niet! Vertel haar over de pot, Stella.'

'De laatste vrijdag van iedere maand stoppen we allemaal vijf dollar in de pot, en dan koop ik loten voor de loterij. We doen het al een eeuwigheid. Het was gewoon voor de lol, maar dit weekend ...'

Stella kon de woorden nauwelijks over haar lippen krijgen. 'We hebben gewonnen!' Stella keek me begrijpend aan met die prachtige blauwe ogen van haar. 'En jij dacht dat je geld gaf voor een *baby*?'

Ik knikte schaapachtig. Er kwam een naar gevoel bij me omhoog.

'Er heeft niemand een baby gekregen, Cassia. Het geld dat je vrijdag in de envelop hebt gedaan, was voor loten.'

'Maar het is altijd voor iemands pensionering of voor een huwelijk of ...'

'Behalve de laatste vrijdag van iedere maand.'

'Maar ik heb hier nog nooit op een laatste vrijdag meegemaakt.'

'Daarom wist je het dus niet. Dat is de dag waarop we loten kopen.'

'Ik zou dat geld niet in die envelop gestopt hebben als ik geweten had dat het daarvoor was.' Ik zag voor me hoe opa zich omdraaide in zijn graf.

'Nu is het te laat', zei Stella. 'Het is van jou.' Ze pakte een vel papier en drukte dat in mijn handen. 'Op zaterdagochtend haal ik het geld op en koop ik de loten. Ik heb van alle loten een kopie voor je gemaakt, net zoals ik voor iedereen doe. Dat heb ik naar je gefaxt. Iedereen kan zo de nummers controleren. En zaterdagavond hebben we gewonnen!'

'Maar ik heb helemaal niets gedaan', protesteerde ik. *Waaronder het aansluiten van het faxapparaat dat me zo irriteert.* 'Dit is allemaal een misverstand.'

'Natuurlijk heb je wel iets gedaan. Iedereen die geld in de pot stopt, krijgt een deel van de winst.'

'Nou, ik kan het niet aannemen. Jullie mogen het onderling verdelen. Ga maar uit eten of zo.' Crickets ogen werden zo groot dat ik dacht dat ze uit haar hoofd zouden vallen. Ze maakte een wild gebaar dat ik mijn mond moest houden.

'Zo werkt het niet.'

'Ik wil het niet. Geef me mijn vijf dollar maar terug, dan doen we net alsof dit nooit gebeurd is.' Ik voelde de paniek opborrelen. Ik was zo naïef als het om geld ging. Daar had opa wel voor gezorgd.

'Ben je gek?' Stella sperde haar ijsblauwe ogen wijd open van verbazing. 'Zo gaat het, Cassia. Iedereen die aan de pot bijdraagt, deelt in de winst. Ik denk niet dat we ooit verwacht hebben echt een grote prijs te winnen, maar dat zijn wel de regels. Je *moet* het aannemen.'

'Ze is in shock – besteed maar geen aandacht aan haar', murmelde Cricket. 'Je kunt niet verwachten dat er nu iets zinnigs uit haar mond komt. Gun haar wat tijd om aan het idee te wennen.'

'Ik heb geen tijd nodig', smeekte ik, terwijl ik overspoeld werd door een golf van misselijkheid. 'Nemen jullie het. Geld aan mij geven is water naar de zee dragen! Ik heb het niet nodig!'

'Waar woon je, Cassia?', vroeg Stella streng. 'Ergens in een appartement, toch?'

'Ja, maar ...'

'Hoeveel slaapkamers heb je? Een of twee?'

'Een, maar dit kan ik me veroorloven ...' Ik perste mijn lippen op elkaar om haar niet te helpen, toen ik begreep waar Stella heen wilde.

'En hoe zit het met die hond?'

'Winslow? Wat is daarmee?'

'Kan hij naar buiten om te spelen?'

'Als ik hem meeneem. We gaan naar het park.'

'Zou je geen tuin met een hek voor hem willen hebben?'

'Natuurlijk wel, maar ...'

'En nog een of twee slaapkamers, zodat je af en toe kunt verkassen?'

'Ja, maar ...'

'En waar geef jij je geld aan uit'

'Voornamelijk aan de tienden. Van de rest leef ik.'

'Tienden, hè? Is dat geen tien procent van je inkomen? En zei je niet iets over terug naar school gaan om je doctoraal te halen?'

'Ja ...' Mijn argwaan steeg tot recordhoogte.

'Dit is de gelegenheid om veel meer dan tien procent van je hongerloontje hier te geven.'

'Natuurlijk, maar ik geloof niet in de loterij. Het is als, als ... als oneerlijk verkregen inkomsten. Heb je enig idee hoeveel gezinnen te lijden hebben van gokken?'

Terwijl ik sprak, riep Bob op de achtergrond: 'Hoebedoeloe te laat om in te zetten? Weet je wel tegen wie je het hebt?'

'Dan ben ik blij dat jij een deel van het geld gewonnen hebt', concludeerde Cricket oprecht. 'Want jij zult er in ieder geval op een goede manier mee omgaan.'

'Ik weet echt niet wat ik met een miljoen dollar moet doen, Stella. Weet je zeker dat je het niet kunt teruggeven? Ik zou willen dat mijn opa hier was ...'

'Een miljoen dollar?'

Er was iets zo vreemd in Stella's stem dat ik naar haar opkeek. Ze staarde me verwonderd aan en er speelde een glimlachje rond haar lippen. 'Je krijgt geen miljoen dollar, Cassia.'

'Niet?' Eindelijk goed nieuws. Ik zou willen dat Cricket niet zo grijnsde. Ze doet mijn gemoedsrust geen goed.

'Cassia,' zei Stella rustig, 'de jackpot was bijna honderdvijfentachtig miljoen dollar. Jouw deel is ...' Ze hield een papier omhoog waarop ze had zitten rekenen. 'Dit.'

Op het papier stond '$ 20.555.000,-'. Meer dan twintig miljoen dollar.

Het bloed gonsde door mijn hoofd. Ik wist nog net op tijd het bureau beet te pakken toen mijn knieën het begaven.

'Je raakt wel gewend aan het idee', verzekerde Ed me terwijl hij van zijn bureau af sprong. 'Ik was na een minuut of twee al aan het idee gewend.' Hij stompte met zijn vuist in de lucht. 'Vakantie. Pas op, vissen! Huisje bij het meer, ik kom eraan!' Hij kwam even bij zinnen. 'O, man, ik kan maar beter meteen naar boten gaan kijken. Misschien een motorjacht.' Hij huppelde naar zijn telefoon.

'Wie verspilt er nou geld aan vissen als je kunt reizen?', zei Betty. 'Ik ga een wereldreis maken. Ik vraag me af welke kant ik het eerst op zal gaan – om de evenaar of over de polen?'

Tijdens ons gesprek zat paranoïde Paula driftig aan haar bureau te schrijven, terwijl de anderen de ene droom na de andere opsomden.

'Wat ben je aan het doen?', vroeg ik met trillende stem. Dit was te bizar voor me.

'Ik schrijf mijn testament.' Paula stopte even om langs de punt van haar pen te likken en schreef toen verder. 'Als ik multimiljonair ben, wil ik niet dat die luie nietsnut van een schoonzoon van me een cent erft. Als ik onderweg naar huis overreden word, zou hij ontslag nemen, gaan zitten en nooit meer bewegen, behalve wanneer de batterijen van zijn afstandsbediening vervangen moesten worden.'

Ik voelde mijn lichaam beven, en mijn handen trilden toen ik ze op mijn wangen legde. Mijn zenuwen gingen tekeer als een kapotte elektriciteitskabel waaruit blauw vuur vonkte.

'Nou, we krijgen niet zo veel als we allemaal zouden willen', kondigde Betty aan. 'Er gaat tenslotte een flink deel naar de belastingen.' Toen klaarde ze op. 'Maar ik denk dat we het allemaal wel redden met die paar miljoen die we overhouden.'

Ik besefte niet eens dat ik flauwgevallen was totdat ik wakker werd en Thelma's bezorgde gezicht boven me zag, terwijl mijn collega's met vellen papier naast mijn gezicht wapperden om me meer lucht te geven. Ed hielp me onhoffelijk overeind en zette me tegen de zijkant van Stella's bureau aan.

'Ik heb iemand gebeld om je thuis te brengen', zei Stella kordaat. 'Je hebt tijd nodig om hierover na te denken. Wij weten het allemaal al sinds zondag.'

'Ik viel ook flauw', riep Betty. 'Zomaar ineens. Boven op de keukentafel. Ik kwam vlak naast een hete stoofschotel terecht. Je komt er gauw genoeg bovenop. Dat had ik ook.'

'Wie heb je gebeld?', vroeg ik zwakjes. Ik had nog nooit aan iemand het telefoonnummer van mijn zus gegeven, en mijn oma had geen auto. Zelfs Cricket wist niet veel persoonlijks over me.

'Randy, die vent met wie je altijd praat in de parkeergarage. Hij rijdt je auto naar huis en neemt dan zelf een taxi terug naar het werk.'

Op dat moment werd er op de deur gebonsd, en Bob deed hem op een kier open om Randy binnen te laten. Het kabaal op de gang was oorverdovend.

'De media zijn er', zei Bob ademloos. 'Randy, er is een achterdeur. Gebruik die maar om Cassia hier vandaan te krijgen. Anders wordt ze belaagd.'

Randy knikte kort. Hij trok me aan mijn armen omhoog. 'Kom mee, Cassia, laten we naar huis gaan. En binnenkort gaan we een nieuwe auto voor je kopen. Ik heb gehoord dat je daar genoeg geld voor gewonnen hebt.'

Hoofdstuk
7

Ik viel blijkbaar opnieuw flauw toen ik de mensen om mijn auto zag zwermen. Ik kwam pas weer bij toen we in de buurt van mijn appartement kwamen.

Ik keek naar Randy, die met een grimmige vastberadenheid op zijn gezicht reed. Toen hij me hoorde bewegen, draaide hij zich naar me toe.

'Is alles goed met je? Je hebt je hoofd toch niet gestoten?'

Ik onderzocht de bovenkant van mijn hoofd op bulten. 'Nee, dat geloof ik niet. Ik ben nog nooit eerder flauwgevallen,' gaf ik toe, 'behalve die keer dat ik gehecht moest worden en de verdoving nog niet werkte. Ik voel me echt een beetje dom.'

'Als je toch weer flauw ging vallen, was dit tijdstip net zo goed als ieder ander. Ik zou waarschijnlijk ook zijn flauwgevallen.'

Ik keek hem aan. 'Het is niet waar, hè? Dit allemaal, bedoel ik. Heeft Cricket dit bekokstoofd? Wat is ze toch een grappenmaker.'

'Het is geen grap, Cassia. Je collega's en jij hebben honderdvijfentachtig miljoen dollar gewonnen. Hoewel, na aftrek van de belasting komt het voor ieder van jullie afgerond neer op zo ongeveer ...'

Als een klein kind stopte ik mijn vingers in mijn oren. 'Ik wil het niet horen. Ik wil het niet weten.'

De accountant in Randy kreeg de overhand. 'Je kunt niet als een struisvogel je kop in het zand steken. Het is iets wat je zult moeten accepteren.'

Alle dingen die ik ooit uit Spreuken geleerd had over geld, begonnen als een stel gymnasten door mijn hoofd te buitelen. *Rijkdom helpt je niet op de dag dat God straft ... Een rijkaard denkt dat zijn bezit een vesting is ... Tob jezelf niet af om rijk te worden, zet dat plan opzij ... Een eerlijk mens wordt rijkelijk gezegend, wie snel rijk wil worden, blijft niet ongestraft ...*

'Misschien kan ik het weggeven.' Er steeg een sprankje hoop in me op.

Randy draaide zijn hoofd met een ruk om. '*Weggeven?*'

'Ik zou ...' Toen kreeg ik het gevoel alsof ik een klap in mijn gezicht gekregen had. 'Maar ik weet niet eens hoe ik dat moet doen!'

'Je kunt niet ergens op straat geld gaan staan uitdelen', zei Randy met een stem die droop van het sarcasme. Toen keek hij me aan, en ik zag dat hij er spijt van had dat hij zo fel gereageerd had. 'Je wilt toch niet dat dat geld naar zomaar iemand gaat, Cassia', smeekte hij. 'Het zou naar goede doelen moeten gaan, betrouwbare liefdadigheidsinstellingen ...'

'Goed. Noem er eens een paar. Ik zal ze bellen.' Begreep nou niemand hoe rampzalig dit was? Ik ben wel de laatste mens op aarde die zo'n geldbedrag in handen zou moeten krijgen. Ik heb absoluut geen ervaring met grote sommen geld. Bovendien zijn christenen overgevoelig voor dingen als de loterij. Hoewel er in de Bijbel niet specifiek staat dat je het niet *mag* doen, zijn er wel veel redenen om het niet te doen. Voor mij was het bijna ondenkbaar loterijgeld voor mezelf aan te nemen.

Ik ging achterover zitten en dacht na over mijn niet bestaande mogelijkheden.

'Ik weet vrijwel zeker dat ik het niet kan aannemen, Randy. Spreuken 28:22 zegt genoeg, denk je ook niet?'

De nietszeggende uitdrukking op zijn gezicht zei me dat hij helemaal niet nadacht.

'*Een hebzuchtig mens jaagt rijkdom na, hij weet niet dat hem gebrek wacht'*, citeerde ik. 'Ik kan het me niet veroorloven nog gebrekkiger te worden. Los van die twintig miljoen kan ik nu al nauwelijks de eindjes aan elkaar knopen.'

Hij keek me met een pijnlijke uitdrukking aan. 'Luister naar me, Cassia. Ik wil dat je naar huis gaat en dat je met je familie en vrienden gaat praten. Bel dan een advocaat. Hij zal je waarschijnlijk contact laten zoeken met je bank of een investeringsadviseur of een accountant. Laat die mensen je helpen beslissen.' Hij keek smekend. 'Dat doe je toch wel, hè?'

'Ik denk dat dat een goed idee is. Mijn zus is leningsdeskundige bij een bank. Zij zou me kunnen helpen.'

Randy keek opgelucht. Ik wilde hem een knuffel geven vanwege zijn bezorgdheid.

'Ze zal me niet geloven. Ze zal zeggen dat ik droom.'

'En over vierentwintig uur, wanneer je in het hoofdkwartier van de loterij geweest bent, zal ze dat niet meer kunnen zeggen. De pers zal er zijn. Jij en je winst zullen voorpaginanieuws zijn.'

'Ik snap niet waarom iedereen zo snel zijn geld wil gaan halen. Moeten we niet wachten op ... op iets? *Wat dan ook?*'

'Wachten heeft waarschijnlijk niet veel zin. Aangezien er zo veel van jullie bij betrokken zijn, is het nieuws toch al bekend.'

Vierentwintig uur. Ik heb vierentwintig uur om aan het idee te wennen dat ik miljonair ben. Het is gewoon niet eerlijk. Ik heb tenslotte achtentwintig jaar geoefend als armoedzaaier.

Randy parkeerde voor mijn huis, sprong uit de auto en rende naar mijn kant om me te helpen. Ik geloof dat ik niet zo standvastig was als ik dacht, want ik viel bijna languit op de stoep.

Gelukkig kwam Adam Cavanaugh op dat moment de hoek om met een tas vol boodschappen. Toen hij zag hoe Randy me overeind probeerde te helpen, zette hij de boodschappen neer en liep naar me toe.

'Cassia, is alles goed met je?'

Nou, zie ik er goed uit?

'Ze is in shock. Ik heb aangeboden haar thuis te brengen, maar ...'

'Ik kan haar verder wel helpen', zei Adam snel. 'Ik woon in het appartement onder haar.'

'Vind je dat goed, Cassia?', vroeg Randy. Hij leek zich niet op zijn gemak te voelen bij de gedachte me over te dragen aan deze grote, ruig uitziende vreemdeling.

'Natuurlijk. Waarom niet?' Ik was duizelig en misselijk. Op dat moment zou het me waarschijnlijk niet eens geïnteresseerd hebben als hij me aan een boot vol tonijnvissers zou hebben overgedragen.

Ik ben geen klein meisje – ik ben één meter drieënzeventig –, maar Adam wist me op een of andere manier op te tillen en het gebouw in te dragen.

'Ze kan bij mij blijven totdat ze zich beter voelt', zei hij tegen Randy, die de boodschappen achter hem aan droeg. 'Wat is er met haar gebeurd?'

Randy zuchtte en haalde zijn schouders op. 'Het is lastig uit te leggen. Ik denk dat Cassia het je zelf maar moet vertellen.'
Hij wendde zich tot mij. 'Gaat het?'

'Prima. Uitstekend. Super', kakelde ik.

Hij pakte een visitekaartje uit het zilveren kaartendoosje in zijn zak en schreef er iets op. 'Ik heb mijn privénummer achterop geschreven. Bel me maar als je iets nodig hebt.' Randy keek me meewarig aan. 'Ik zal voor je bidden, Cassia.'

'Je bent geweldig, maar het komt wel goed met me. Echt.'
Zodra ik erachter ben hoe ik van dit geld afkom.

Aarzelend liep hij het appartement uit. Adam knikte hem geruststellend toe, en toen verdween hij.

Adam wendde zich tot mij: 'Wat is er gebeurd?'

Ik deed mijn mond open en weer dicht. Hoe moest ik hem vertellen dat ik morgen om deze tijd meer geld zou hebben dan wie dan ook op deze aarde zou mogen hebben? Het is duidelijk dat het onmogelijk is iemand ervan te overtuigen dat ik dit geld niet wil of nodig heb. Ik moest met iemand praten die het zou begrijpen.

'Mag ik je telefoon gebruiken? Ik moet mijn oma bellen.'

Adam keek een beetje geïrriteerd, maar zei niets. In plaats

daarvan gaf hij me de draadloze telefoon en ging in de stoel tegenover me zitten. Pepto ging, met een adem die naar kattenvoer stonk, spinnend naast me zitten.

Ik toetste het nummer in en hoopte dat Mattie zou opnemen, maar de telefoon bleef rinkelen totdat haar antwoordapparaat aansprong en Mattie's boodschap begon. 'Werkt dit ding? Ik hoor niets ... Ja? O, oké. Hallo, u spreekt met Mattie Carr. Ik ben er nu even niet – moet ik dat zeggen? Natuurlijk weten ze dat ik er niet ben! Nou, laat een boodschap en uw nummer achter, dan bel ik u terug ... tenzij u niet lokaal belt. Belt *u* me dan maar terug, oké? Zo. Hoe was dat? Moet ik nu ophangen ...?'

Oma had geweigerd de boodschap opnieuw in te spreken, en het klonk zo als Mattie dat zelfs Jane niet had geprobeerd haar over te halen het te veranderen.

Jane nam ook niet op. Ik werd zowel bij haar thuis als op haar werk naar de voicemail doorgeschakeld. Ik overwoog Ken te bellen. Hij accepteerde nog steeds niet dat ik niet stapelgek op hem was, en ik wilde niet dat hij dacht dat ik zijn advies nodig had over wat ik met het geld moest doen. Het kon zijn dat ik hem onderschatte, maar ik dacht dat Kens idee van liefdadigheid zou bestaan uit nieuwe auto's voor al zijn vrienden.

Dan moest ik het doen met Winslow, Pepto of de man die tegenover me zat en naar me keek alsof ik een buitenaards wezen was.

Hoewel het niet mijn bedoeling was, begonnen de tranen als kleine rivieren over mijn wangen te stromen. Sommige vrouwen huilen mooi, maar daar hoor ik niet bij. Mijn neus wordt rood, mijn ogen bloeddoorlopen en mijn gezicht pafferig.

Adam pakte een doos zakdoekjes en zette die naast me op de bank. Toen ging hij weer zitten, sloeg zijn armen over elkaar en wachtte totdat ik klaar was met snotteren.

Ik dacht dat ik stoom aan het opbouwen was en uren zou huilen, maar Pepto begon naast me te spinnen, met zijn poten op mijn dij, en Adam wachtte geduldig zijn tijd af, dus ik haalde diep adem. Het duurde echter een paar minuten voordat ik niet meer schokte en het liefst een kussensloop over mijn hoofd wilde trekken om mijn witte huid met rode vlekken en onflatteuze reeks sproeten te verbergen.

'Wil je erover praten?' Adam keek vol medeleven naar me, zonder te oordelen en geïnteresseerd.

Hij was er, en Mattie en Jane niet. 'Het meest afschuwelijke wat je maar kunt bedenken, is vandaag met me gebeurd!'

'Ben je ontslagen? Beroofd? Is je auto gestolen?'

Iedere keer dat ik mijn hoofd schudde, werden zijn ogen groter.

'Je bent toch niet ... je weet wel ... aangevallen door een man?'

'Nee!' Ik barstte opnieuw in tranen uit. 'Ik heb de loterij gewonnen!' Terwijl ik huilde, hoorde ik dat hij opstond, de fluitketel vulde en op het fornuis zette. Er gingen kastdeurtjes open en dicht. Even later kwam hij terug met twee dampende mokken thee, lepeltjes en een potje suiker op een dienblad.

Hij duwde een mok in mijn handen en ik nam hem dankbaar aan. Ik keek hem aan terwijl hij stoïcijns afwachtte tot ik mezelf weer in de hand had. Wat een knappe man, dacht mijn grillige geest. Zelfs onder deze afschuwelijke omstandigheden kon Adam mijn gedachten binnendringen.

'Ik geloof niet dat ik je goed verstaan heb', zei hij, zich voor het eerst sinds we elkaar ontmoet hadden, volledig op mij geconcentreerd. 'Ik kreeg de indruk dat je zei dat je de loterij gewonnen hebt'

'Dat klopt. Het is ook zo verschrikkelijk!'

'Wacht eens even.' Adam boog zich naar voren en keek me indringend aan. 'Je hebt geld gewonnen en je bent van streek. Ik kan niet zeggen dat ik dat snap. Hoeveel geld heb je gewonnen?'

Ik had het getal opzettelijk uit mijn gedachten verdreven, dus ik zei: 'Ken je die grote loterij? Waarvan de trekking zaterdagavond was?'

'Ja. Er zat een obsceen geldbedrag in de jackpot, zo'n honderdvijfentachtig miljoen ...' Zijn stem stierf weg, en zijn ogen werden groot. Adam heeft prachtige ogen. 'Heb jij dat gewonnen?'

Ik knikte ellendig. 'Niet alles. Mijn kantoor heeft het gewonnen. Negen van ons blijken meegedaan te hebben en moeten het delen. Dat komt neer op zo'n twintig miljoen dollar de man. Wat moet ik doen?' Ik voelde de tranen opnieuw opwellen.

Hij ging achteroverzitten en ik zag dat hij verbijsterd was. Hij aarzelde en antwoordde toen: 'Het vieren?'

'Ik kan het niet vieren.'

'Waarom niet?' Zijn knappe gezicht had zo'n verblufte uitdrukking dat ik in de lach schoot.

'Je kent me niet zo goed,' begon ik, 'maar ik ben de dochter en kleindochter van predikanten. Voor hen is er heel wat mis met het winnen van de loterij – oneerlijk verkregen winst, potentiële verslaving, berooide gezinnen en wie weet wat nog meer. Gokken wordt verafschuwd in mijn familie.'

'Waarom heb je dan een lot gekocht?'

'Ik wist niet dat ik er eentje kocht. Ik dacht dat ik vijf dollar in een envelop stopte voor een cadeautje voor iemand!'

Hij kreeg een begrijpende blik op zijn gezicht, en er klonk vermaak door in zijn stem. 'En hoewel je er niet naar op zoek was of het wilde of zelfs maar wist dat je er kans op maakte, heb je meer dan twintig miljoen dollar gewonnen?'

Ik liet mijn schouders hangen. 'Ja. Is het niet vreselijk?'

Hij keek me aan alsof ik gek geworden was.

'Ik heb geprobeerd het terug te geven, maar daar wilden mijn collega's niets van weten. Zelfs Cricket, die normaal gesproken altijd naar me luistert, hield vol dat het geld van mij is. En ik krijg mijn zus en oma niet te pakken. Zij begrijpen mijn probleem wel. Ik moet er op een of andere manier vanaf zien te komen!'

Hij kneep zijn ogen halfdicht. 'Dus je bent bereid twintig miljoen dollar terug te geven aan mensen die de loterij goedkeuren?'

Ik deed mijn mond open om iets te zeggen en sloot hem toen weer. Zo had ik er nog niet over nagedacht. Op die manier zou er alleen maar weer een andere jackpot mee gevuld worden. Wat was dan erger? Het houden of teruggeven? Plotseling wist ik het niet meer. Ik begon weer te huilen.

Pepto, die mijn tranen niet leuk vond, ging op mijn schoot staan en probeerde het vocht met zijn staart weg te vegen.

'Wil je terug naar je appartement?', vroeg Adam vriendelijk.

Verdrietig schudde ik mijn hoofd. Ik was nu ontzettend slecht gezelschap en wilde niet met mezelf alleen zijn. 'Kan ik hier nog even blijven? Alleen maar totdat ik mijn zus of mijn oma kan bereiken.'

'Dat denk ik wel', zei Adam, die duidelijk niet wist wat hij met me aan moest.

Ik hoorde de buurman aan de andere kant van de gang langs de deur schuifelen. Er trok een glimlach aan mijn lippen, maar ik was te moe om meer te doen dan de spieren in mijn gezicht vertrekken.

Al dat gehuil is vermoeiend. 'Als ik even zou kunnen gaan liggen ...' Ik zakte weg in de zachte bank. Het leer voelde koel tegen mijn verhitte wangen.

Pepto kroop tegen me aan toen ik mijn hoofd op het kussen legde. Zijn stevige lijf lag warm tegen me aan, en zijn gespin klonk zachtjes in mijn oor. Het laatste wat ik voelde, was zijn tong die de binnenkant van de arm likte die ik om hem heen geslagen had.

Hoofdstuk
8

Adam ijsbeerde door de keuken als een leeuw in een te kleine kooi. Hij kon beter nadenken wanneer hij zich bewoog en nu had hij alle hulp nodig die hij kon krijgen. Cassia's bizarre probleem bleef door zijn hoofd spoken totdat het zeer deed. Waarom waren deze gestoorde vrouw en haar absurde verhaal hem in vredesnaam nu in de schoot geworpen?

Het was natuurlijk een ideaal verhaal. Prachtige jonge vrouw wint loterij en probeert het geld terug te geven. Iedereen zou dat willen lezen en erover praten. Wat bezielde een vrouw als Cassia om twintig miljoen dollar terug te geven? Waarom veroorzaakte zo'n groot geluk haar tranen van verdriet? Tijdschriften en kranten die dit versloegen, zouden uit de rekken vliegen. Cassia zou ongetwijfeld gevraagd worden voor radioprogramma's, en de televisiezenders zouden knokken voor een eerste interview. Het land had een verhaal als dit nodig om afgeleid te worden van de moorden thuis en de rotzooi in het buitenland. Het verhaal kon lief en grappig zijn, net als Cassia zelf. Ze was prachtig, met haar porseleinen huid en hoge jukbeenderen, en zonder twijfel fotogeniek. Hiermee kon hij de plank niet misslaan.

Maar hij schreef niet meer. Hij had tegen zijn agent gezegd dat hij ermee stopte. Dat hij niet meer over pijn en verdriet wilde schrijven.

Toen herinnerde hij zich wat Terrance als antwoord gegeven had. *Je hoeft niet van iedere tragedie in de wereld verslag te doen ... Kom op. Doe voor de verandering eens iets minder zwaars, iets luchtigs.*

Adam grinnikte onwillekeurig. Hij herinnerde zich zijn eigen laatste antwoord ook nog heel goed. *Ik bel je wel als zich een verhaal aandient.*

Hij keek naar de bank, waar Cassia en Pepto lagen te slapen. Daar was het, het verhaal dat zich aandiende.

Adam had in haar tas naar een sleutel gezocht, was naar boven gegaan en had Winslow uitgelaten. Hij had de hond een bot gegeven dat hij nog in plastic verpakt gevonden had, en liet hem vrolijk kauwend op de delicatesse achter. Als Pepto hem verraadde en hem voor Cassia in de steek liet, kon Adam net zo goed proberen die grote hond voor zich te winnen. En tot nu toe lukte dat aardig.

Toen hij in het appartement terugkwam en zag dat het tweetal nog steeds sliep, wou hij dat hij de hond langer uitgelaten had. Hij wilde niet graag alleen zijn met zijn gedachten. Hij had bij de buurtwinkel naar de krantenkoppen gekeken. 'Jackpot op winnend lot'. In het verhaal eronder stond dat de winnaar of winnaars de volgende ochtend hun prijzengeld konden innen. Hij schudde zijn hoofd. Een van de winnaars lag nu een dutje te doen op zijn bank.

Hij vond niet prettig wat hij dacht, maar hij kon het zichzelf maar beter toegeven. Hij voelde de adrenaline door zijn aderen gieren en de opwinding door zich heen stromen. Dit was iets heel anders dan de sombere verhalen over de kinderen van Burundi.

Als het geëindigd was bij het feit dat zij het geld gewonnen had, was het makkelijker geweest dit verhaal te laten lopen, het te negeren en weg te gaan. Maar er was ook nog die opmerkelijke wending in het verhaal. Cassia wilde haar deel van de jackpot niet omdat ze vanwege haar opvoeding het gevoel had dat het bezoedeld geld was.

Maar, peinsde Adam, met dat geld kon je zo veel doen ...

Hij sloot zijn ogen even, en achter zijn oogleden verscheen het beeld van zijn laatste dag in Burundi. Hij had afscheid genomen van Carl en John Austin, broers en liefdadigheidswerkers die het kleine beetje voedsel en medicijnen uitdeelden dat ze voorhanden hadden. Hij glimlachte en zwaaide naar de anderen die hij ontmoet had en met wie hij bevriend was geraakt in de korte tijd dat Frankie en hij daar waren.

Hij was onderweg naar de vrachtwagen die hen naar Bujumbura zou brengen toen hij vlakbij een hartverscheurend geluid hoorde. Het duurde niet lang totdat hij de bron van het geluid gevonden had. Een moeder, zo mager dat ze zelf wel een skelet leek, zat op de grond met een levenloze baby in haar armen. Ze wiegde en kreunde, zonder zelfs maar te begrijpen dat Adam daar hulpeloos toe stond te kijken, terwijl de tranen over zijn wangen stroomden. Het beeld bracht opnieuw de gevoelens terug die hem hadden doen kokhalzen voordat hij in de vrachtwagen stapte die hem naar het vliegveld zou brengen, waar hij een vlucht terug naar de Verenigde Staten zou nemen. Terwijl zij om haar kind rouwde, zou hij terugkeren naar meer voedsel dan mensen konden opeten, een plaats waar overgewicht in plaats van honger een probleem was.

Wat kon er met twintig miljoen dollar gedaan worden? Hoeveel levens kon dat redden?

Maar het was Cassia's geld, niet het zijne. Als ze er maar toe overgehaald kon worden het aan hem te geven om ...

Doe normaal, Cavanaugh. Adam streek met zijn vingers door zijn haar. Hij kende deze vrouw niet eens, en hij probeerde haar geld al voor haar uit te geven!

Langzaam kwam er een idee in hem op. Hij kon haar geld niet *aanraken*, maar hij kon er wel over *schrijven*. Het zou hem een behoorlijk geldbedrag opleveren, aangezien hij een ooggetuige was. Hij was letterlijk de enige journalist ter wereld die waarheidsgetrouw kon vertellen over de worsteling van deze vrouw met het geld. En iedere cent die hij verdiende, zou gebruikt worden om de kinderen van Burundi te helpen. Adam voelde het bloed in zijn oren gonzen. Dit verhaal moest een succes worden. Het was, besefte Adam, een zaak van leven en dood.

Misschien kon Cassia er zelfs wel toe overgehaald worden het geld te doneren om de Burundiërs te helpen, maar daar was het nog te vroeg voor. Ze had nog niet eens met haar familie gesproken. Hij had vanuit zijn eigen jeugd een vaag benul van een kerkse familie, maar begreep niet goed waarom dit zo moeilijk voor haar was. Dit religieuze gedoe betekende voor haar duidelijk meer dan voor hem.

Hij was christen geweest, dacht Adam. Hij had in Christus geloofd en Jezus als zijn redder aangenomen. Maar toen hij over de hele wereld begon te reizen om humanitaire verhalen te schrijven en zo veel lijden zag, dacht hij steeds minder na over zijn geloof, en steeds meer over zijn toenemende twijfel waarom mensen moesten lijden en kinderen onnodig stierven. Nu, na Burundi, had de twijfel hem volledig in zijn greep. Hij was opgegroeid in een familie van gelovigen − zoals zijn neef Chase − en verafschuwde de tegenstrijdige gevoelens in hem, maar hoe kon een God ...

Hij schudde zijn hoofd. Daar was nu geen tijd voor.

Als hij Cassia ertoe kon overhalen te wachten totdat hij haar kon laten zien wat voor werk ze met het geld kon doen ... Adam wist dat als iemand dat kon, hij het was, omdat hij wist hoe volhardend en overtuigend hij kon zijn. En vanwege alle passie die hij voor dit doel voelde, zou Cassia er wel mee instemmen. Hij zou zijn tijd echter moeten afwachten. Hij zou niet overhaast te werk moeten gaan. Maar hij kon nu al wel op zoek gaan naar potentiële uitgevers ...

Ze sliep twee uur en werd toen al rekkend en strekkend wakker, net als Pepto. Adam zag een geeuw die de hele binnenkant van haar roze mond en witte tanden liet zien en werd nagebootst door zijn humeurige oude kat. De kat was zo dol op deze vrouw geworden dat hij nu voor haar op zijn rug ging liggen, smekend om over zijn buik geaaid te worden. Verbijsterend.

Terwijl Cassia wakker werd, bedacht hij dat zij misschien niet zo blij was als hij met het idee dat haar verhaal gepubliceerd zou worden. Dat zou hij later wel oplossen. Hij was ervan overtuigd dat hij haar kon laten inzien hoe belangrijk dit was. Hij bestudeerde de mooie vrouw op zijn bank. Totdat ze geaccepteerd had dat ze echt multimiljonair was, zou hij het verhaal dat hij schreef, voor zichzelf houden.

Zijn hersens gingen onmiddellijk over op de schrijfstand.

Loterij maakt miljonair tegen wil en dank
Gouden moment van de waarheid valt bitter tegen voor vrouw die niet in gokken gelooft.
Heb je er ooit van gedroomd gemakkelijk rijk te worden — door het winnen van de loterij of het vinden van een waardevolle schat op je zolder? Ken je iemand die deze droom niet heeft?
Dan is daar Cassia Carr, een van de negen loterijwinnaars die de recente jackpot van 185 miljoen dollar delen. Een reeks misverstanden heeft geleid tot een van de grootste prijzen in de geschiedenis van de loterij, en een vrouw die sindsdien probeert haar opbrengst weg te geven ...

Hoofdstuk

9

Ik ijsbeerde voor mijn oma en mijn zus, terwijl ze me vanaf Matties bank aanstaarden.

'Meer dan twintig miljoen?', herhaalde Jane.

'Minus de belasting', zei ik zwakjes, alsof het er niet echt toe deed. Tien miljoen hebben is net zo belachelijk als twintig miljoen.

'Ho-ho-ho', zei Jane, waardoor ze meer als de kerstman klonk dan als een bankier. 'Hierop heeft opa ons nooit voorbereid!'

'Ja, dat heeft hij *wel* gedaan. Dat is nou juist het probleem, Jane! Spreuken 15:16!'

'*Beter een schamel bezit en ontzag voor de Heer*', mompelde Mattie automatisch, '*dan grote rijkdom en veel onrust.*'

Ik liet mezelf op dramatische wijze in een stoel vallen, maar zoals gewoonlijk was het theatrale niet aan mijn familie besteed.

'Ik wil niet rijk zijn!', jammerde ik. 'Het is veel te lastig! Matteüs 6:24. Dat is alles wat ik erover te zeggen heb.' Ik deed mijn mond dicht.

Niemand kan twee heren dienen: hij zal de eerste haten en de tweede liefhebben, of hij zal juist toegewijd zijn aan de ene en de andere verachten. Jullie kunnen niet God dienen én de mammon.

Oma klapte in haar handen zoals ze altijd deed wanneer het

tijd was om aan het werk te gaan. 'We moeten bidden, Cassia. Neem geen beslissing en geef niets van dat geld weg voordat we erachter zijn wat God wil dat je ermee doet.'

'Bedoelt u dat ik naar het hoofdkantoor van de loterij moet gaan om het te halen?' Alleen al het uitspreken ervan maakte me misselijk.

'Iedereen doet het. Je kunt er nu niet meer omheen, hè?'

Ik zou geen manier kunnen verzinnen.

'Als ze het aanneemt, zou ze een tiende ervan kunnen weggeven', stelde Jane voorzichtig voor. 'Zou dat helpen?'

'Bedoel je dat het goed zou kunnen zijn te gokken als je maar een tiende van wat je wint, aan de kerk geeft?', vroeg ik.

'Het is niet zo dat zulke geluksspelen in de grond slecht zijn', zei Mattie langzaam. 'Het probleem is naar mijn idee dat het winnen ervan voor een enkeling een zegen kan zijn, maar heel veel anderen kan beschadigen.'

'Het is ingewikkeld', gaf Jane toe. 'Handelingen 1:21-26, weet je. De discipelen wierpen het lot om te bepalen wie Judas als discipel moest vervangen.' *Ze lieten hen loten en het lot viel op Mattias. Hij werd aan de elf apostelen toegevoegd.*

Dit was nog veel ingewikkelder dan ik beseft had.

'Maar waarom ik? Ik begrijp het gewoon niet. Waarom kon het niet door een andere christen gewonnen worden, die meer verstand van geld heeft?'

Oma grinnikte. 'Je doet me denken aan Mozes, schat. Hier ben ik, Heer, stuur Aäron.'

Oké, dus Mozes, *Mozes* had niet genoeg zelfvertrouwen om met de farao te gaan praten toen God dat van hem vroeg, en dus liet God zijn broer Aäron dat doen. Als ik dat deel van de Bijbel lees, wil ik altijd schreeuwen: 'Doe het zelf, Mozes! God staat achter je. Je hebt geen spreekbuis nodig.' Maar hier ben ik en ik doe hetzelfde.

Oma keek me strak aan, alsof ze afwoog wat ze hierna moest zeggen. 'Je gedraagt je alsof God je verlaten heeft, terwijl je de loterij gewonnen hebt. Ik denk dat het zijn wil is.'

'Dat is nogal vergezocht, Mattie.'

Mijn oma straalde, en haar ogen schitterden van vreugde. 'En dat is een van de redenen waarom ik zo van Hem houd, Cassia. Niets is te vergezocht voor Hem. Op aarde deed Hij zo veel wonderen – een maagdelijke geboorte, het genezen van melaatsen, blinden weer laten zien, mensen uit de dood opwekken. Ik weet dat de situatie verwarrend voor je is, schat, maar zet je zorgen gewoon aan de kant. Aangezien deze sneeuwbal toch al een lawine geworden is, kun je niets meer doen dan afwachten om te zien wat Hij ermee doet.'

'U hebt gelijk, zoals gewoonlijk.' Ik zuchtte en wierp een blik op mijn horloge. 'Ik hoop dat Hij er zin in heeft zijn plan snel te onthullen.'

'Volg zijn weg, Cassia. Hij zal hem voor je uitstippelen.'

Dat zou voorlopig haar laatste opmerking over het onderwerp zijn, wist ik. Ik heb het gevoel dat het een weg vol valkuilen wordt voordat Hij me hierdoorheen geholpen heeft.

Ik zat in de keuken en keek hoe de wijzers van de klok langzaam naar het uur gleden waarop ik mijn collega's voor het hoofdkantoor van de loterij zou ontmoeten om ons geld op te halen. Toen er iemand aanklopte, sprong ik overeind.

Het was mevrouw Carver, de zovelenzeventig jaar oude vrouw die tegenover me woont. Toen ik mijn deur opendeed, liep ze mijn appartement binnen voordat ik haar kon tegenhouden. Ik had afgezien van Adam nog geen andere buren ontmoet voordat iemand er lucht van kreeg dat er wellicht een loterijwinnaar in het gebouw woonde. Vanaf dat moment was ik opgezocht, begroet, verwelkomd en had ik van alles aangeboden gekregen, van zelfgebakken koekjes tot een nieuwe gootsteenontstopper en waarschuwingen over de staat van de leidingen in het gebouw. Misschien woont er iemand tegenover me die graag mijn chaperonne wil zijn.

De media hadden Ego Ed weten te traceren, die natuurlijk graag wilde opscheppen en vertellen over zijn winst. Het één leidde tot het ander, en nu ben ik het onderwerp van de belangstelling in het gebouw.

Mevrouw Carver, die me gisteravond een gehaakte onderlegger en een zakje pepermuntjes kwam brengen, aaide afwezig over Winslows kop en keek me met haar kraaloogjes aan. 'Ik heb de hele nacht aan je liggen denken. Ik heb nauwelijks een oog dichtgedaan.'

Net als ik.

Ze nam me op alvorens onuitgenodigd op mijn bank plaats te nemen. 'Ik heb maar twee woorden voor je: levercirrose.'

Technisch gezien was dat maar één woord, maar ik deed geen moeite om haar daarop te wijzen, aangezien ik toch al geen idee had waar ze het over had.

'Mijn zwager kreeg een aantal jaar geleden een geldbedrag in handen. Niets in vergelijking met dat van jou natuurlijk, maar meer dan hij ooit eerder in handen had gehad. Het ergste wat er ooit met hem gebeurd is.' Ze schudde triest haar hoofd. 'Mijn arme zus had haar handen vol. Wenste voortdurend dat het nooit gebeurd was.'

'Die leverziekte?'

'Nee! Dat geld! Het maakte een halvegare van hem. Het begon ermee dat hij een RV kocht.' Ze sprak de letters met nadruk uit: 'Er-vee', en schudde somber haar hoofd. 'Vanaf dat moment ging het bergafwaarts. Er volgden een vissersboot, een nieuw geweer en een sneeuwmobiel. En hij begon te drinken – en dan al die nieuwe vrienden die hij onderweg oppikte. Het was het geld, zo eenvoudig was het, wat die levercirrose veroorzaakte. Dat heeft mijn zus altijd gezegd.'

Ze keek me vol medelijden aan toen ze opstond. 'Ik wilde het je alleen even laten weten.'

Alsof ze ineens nog iets bedacht, wendde ze zich weer tot me. 'O, trouwens, nogmaals welkom in het gebouw.'

Toen ze de deur opendeed om weg te gaan, stond Adam aan de andere kant, met geheven hand om aan te kloppen. Hij schrok van de bejaarde vrouw, maar groette haar beleefd. Nadat ze in haar appartement verdwenen was, liep hij het mijne binnen.

'Waar ging dat over?'

Ik vertelde het hem, en er verscheen een grijns op zijn gezicht.

'Ik denk dat je eraan zult moeten wennen advies te krijgen over dit mazzeltje van je.'

'Het is geen mazzeltje, het is een catastrofe. En ik houd het niet zelf. Ik weet alleen nu nog niet wat ik ermee zal doen.' *Geef me een aanwijzing, Heer, snel!*

'Je hebt dus besloten het niet aan de loterij terug te geven?'

'Ik wacht nog op een antwoord daarover.'

Hij keek verbaasd. 'Van wie?'

Ik wees naar boven. 'Van Hem.'

'God?' Hij keek nogal ongelovig bij iets wat volkomen logisch voor mij was.

'Natuurlijk. Wie anders?'

Hij knikte bedachtzaam. 'En in de tussentijd?'

'Ik leef bij de dag en bid om leiding.'

'Dus je *gaat* vandaag naar het hoofdkantoor van de loterij?'

Ik zuchtte en voelde tranen in mijn ogen opwellen.

'Moet ik je erheen brengen?' Zijn blik was verbazend meelevend, aangezien hij duidelijk dacht dat ik geflipt was.

'Wil je dat?'

'Natuurlijk, als je dat plezierig vindt.'

'Ja. Dank je wel. Als we nu gaan, kunnen we onderweg misschien even stoppen bij Parker Bennett. Het is vandaag betaaldag, en ik wil graag mijn cheque ophalen.'

Adam keek me met opgetrokken wenkbrauwen aan, en ik besefte hoe vreemd die opmerking geklonken moest hebben. Maar ik had dat geld verdiend en ik was van plan ervan te leven. Ik kon het me niet veroorloven het niet te innen.

'Na-tuurlijk', stamelde hij. 'Laten we gaan.'

Adam reed een gedeukte Hummer voor die eruitzag alsof hij meer kuilen en zandpaadjes gezien had dan echte wegen. Hij gooide een computerkast van de voorstoel om ruimte voor me te maken. Het zag er nog steeds uit alsof er een papiermassa in de auto ontploft was. Er lagen overal pennen, tijdschriften, notitieblokjes en gebruikte plastic bekertjes.

Niet dat ik iemand wil kritiseren, hoor. Jane weigert meestal in mijn auto mee te rijden omdat ik de passagiersstoel altijd moet leegmaken voordat zij erop kan zitten. Het is heel logisch voor me. Ik ben een alleenstaande vrouw die meestal geen passagiers heeft. En Winslow is te groot om voorin te passen. Hij ligt altijd op de achterbank naar buiten te kijken of te slapen. Ik knip zorgvuldig kortingsbonnetjes uit omdat ongebruikt weggooien me het gevoel geeft dat ik geld weggooi.

Poeh. De ironie daarvan dringt ineens tot me door. Ik ben volledig bereid iemand een paar miljoen te geven, maar weiger een dollar meer te betalen voor een merk tandpasta waarvan ik niet eens houd.

In ieder geval, de kortingsbonnen, de dingen die ik nog op de post moet doen, dingen die teruggebracht moeten worden, de cassettebandjes van de bibliotheek waarnaar ik luister wanneer ik rijd, een extra trui en een paar handschoenen nemen het grootste deel van de voorstoel in beslag. Eigenlijk zie ik mijn auto als een grote handtas en behandel ik hem ook zo. Adam gebruikt zijn Hummer blijkbaar als koffer.

'Sorry voor de rommel. Ik wist niet dat ik een mooie dame zou vervoeren, want anders had ik het wel opgeruimd.'

'Wat *doe* je eigenlijk, Adam? Ik geloof niet dat je ooit verteld hebt ...' Maar voordat ik mijn zin kon afmaken, raakte ik afgeleid en begon ik aanwijzingen te geven. 'Weet je waar ik werk? Parker Bennett? Nee? Als je deze weg neemt ...'

Toen we aankwamen, stuurde ik hem naar een deur waarvan ik wist dat die overdag open was voor werknemers. Hij bevond zich vlak bij het bureau waar ik mijn salarischeque kon halen, en gelukkig ver uit het zicht, zodat ik snel naar binnen en naar buiten kon rennen zonder al te veel aandacht te trekken.

'Wacht hier. Ik ben zo terug.'

Ik vermeed iedereen, behalve Ellen bij de salarisbalie.

'Zo, zo, Cassia Carr, van de klantenservice, is hier om haar loon op te halen?'

'Ja, alsjeblieft.'

Ze overhandigde me een witte envelop met mijn naam erop. 'Zeg eens, is het gerucht waar?' Ze liet het stuk kauwgom in haar mond knappen, zette haar hand in haar zij en keek me aan. 'Het moet wel, of je bent in de gang door een vrachtwagen overreden. Je ziet eruit alsof je niet weet ... En als dat inderdaad zo is, wie weet het dan wel?'

'Er was een misverstand ...', begon ik.

'Dat geloof ik meteen. Ik zou ook nog niets uitgeven voordat ik die cheque geïnd had. Wat zou het balen zijn als je dacht dat je gewonnen had, helemaal opgetogen bent en er dan achter komt dat je je vergist hebt. Ik hoor dat jullie vandaag het grote geld gaan halen.'

Ik keek haar aan en mompelde zwakjes: 'Ik wil het geld niet.'

'Nee? Je gaat het investeren, zeker? Ik weet niet of ik het geld allemaal in één keer zou willen hebben. Wat als je het op een of andere manier kwijtraakt? Ik heb gehoord van mensen die de loterij wonnen, meteen auto's en huizen kochten en uiteindelijk in de *schulden* zaten! Het is niet gemakkelijk een groot bedrag te winnen. Ik heb gehoord dat sommige mensen gewoon niet kunnen omgaan met het geld en de aandacht.'

Ellen bleef maar ratelen.

'Je hebt toch geen jaloerse familieleden, hè? Niemand die een huurmoordenaar ingehuurd heeft om je uit te schakelen? Ik heb erover gehoord, weet je. Soms schept geld net zoveel problemen als het oplost ...'

Vertel mij wat.

Ellen liet haar kauwgom nog een keer oorverdovend knallen en keerde toen de achterkant van haar rode kunststof shirt naar me toe.

Als ik maar geweten had dat dit ging gebeuren, zou ik dat geld nooit in die envelop gestopt hebben ... Maar hoe had ik het kunnen weten?

Terwijl ik me omdraaide om weg te gaan, liep Hank Henderson van het kantoor van de onderdirecteur langs. Ik had hem nog maar één keer eerder ontmoet, tijdens mijn eerste sollicitatiegesprek. Toen had hij me het gevoel gegeven dat het verwelkomen van nieuwe werknemers een van zijn vernederendste taken was. Vandaag schepte hij echter nieuw belang in me.

'Zo, is het gerucht waar?' De blik in zijn ogen beviel me niet.

Hoewel ze fletsblauw waren, waren ze ook groen van jaloezie. Er liep een rilling over mijn ruggengraat en ik besefte dat er anderen waren die waarschijnlijk net zo min blij waren dat ik de loterij gewonnen had als ikzelf – om totaal andere redenen.

'Ik … eh …' Intuïtief voelde ik aan dat Henderson een trouwe deelnemer aan de loterij was.

'Maakt niet uit. Ed had zijn mond niet kunnen houden als zijn leven ervan afgehangen had. Gefeliciteerd.' Hij schudde mijn verlamde hand. 'Ik zou zo veel kunnen doen met dat geld …' Hij keek me zo indringend aan dat ik ineenkromp. 'Wat je er ook mee doet, verspil het niet.'

Ik staarde hem na terwijl hij wegliep. Zo'n tien miljoen dollar 'verspillen'? Een acute aanval van benauwdheid overspoelde me. Hoe ter wereld moest juist ik nu weten wat ik met zo'n bedrag moest doen? Het enige waaraan ik kon denken, was dat ik genoeg geld moest hebben om de trimsalon te betalen. Als Winslow eruit moest zien alsof hij van een miljonair was, kon ik me dat nu veroorloven.

Adam zat in de Hummer op me te wachten. Hij was onderuitgezakt in zijn stoel, en leek ingedommeld te zijn. Hij deed één oog open toen ik in de wagen stapte. 'En?'

Er zou een wet moeten zijn tegen mannen die zo knap zijn als Adam Cavanaugh. Ik heb al genoeg aan mijn hoofd zonder dat ik iedere keer van slag ben wanneer ik hem aankijk. Meestal ben ik ongevoelig voor knappe mannen – Ken vindt dat een vreselijke eigenschap van me, aangezien hij denkt dat hij de personificatie van dat soort is –, maar Adam heeft een intrigerende, geharde, blasé houding die gecompenseerd wordt door een bijna voelbare compassie in zijn ogen.

'Laten we gaan', zei ik met meer vastbeslotenheid in mijn stem dan ik voelde.

Ik moet gezucht hebben, want Adam vroeg: 'Bang?'

'Doodsbang. Ik weet niet waarom dit mij nou juist moest overkomen.'

'Ik geloof niet in toeval', mompelde Adam.

'Mijn oma noemt het 'God-val'.'

Hij keek me scherp aan. 'Wat als dit 'God-val' is? Wat als jij juist de aangewezen persoon bent om het geld te krijgen?'

'Dat kan niet!' We naderden het hoofdkantoor van de loterij, en mijn handpalmen waren nat van het zweet.

'Waarom niet? Je gelooft in God. Misschien wilde Hij wel dat jij dit kreeg.'

'Maak me niet in de war. Wat voor wijsheid of macht heb ik om iets goeds met het geld te doen?'

'Als wat ik lees, juist is,' zei Adam langzaam, 'geeft God er de voorkeur aan te werken met mensen die niet veel macht of invloed hebben. Een tienermoeder voor zijn Zoon, een stelletje gewone vissers, een klein mannetje dat in een boom moest klimmen om een glimp op te kunnen vangen van wat er op straat gebeurde ... waarom jij *niet*?' Er verscheen een vreemde uitdrukking op zijn gezicht, alsof hij aan iets pijnlijks herinnerd werd. Toen mompelde hij zachtjes: 'Je zou veel goeds kunnen doen in de wereld.'

Ik weet niet waar ik meer van schrok — dat Adam heel bekend leek met de Bijbel en de manier waarop God werkte, of dat hij misschien een punt had. De vraag die ik gesteld had, was: 'Waarom ik, Heer?' Ik had nooit over de andere kant nagedacht, over de vraag: 'Waarom ik niet?'

Ik dacht terug aan het telefoongesprek dat ik de vorige avond met mijn vader gevoerd had. Pap kan dingen op zo'n manier samenvatten dat ze logisch klinken. Hij wees me erop dat ik een lange weg afgelegd had vanaf het moment dat ik over het geld hoorde en er zo snel mogelijk van af wilde zien te komen. Het eenvoudigweg 'dumpen' en anderen erover laten beslissen was de weg van de minste weerstand, onverantwoord. 'Cassia, van wie veel gekregen heeft, wordt veel verwacht. Het is een voorrecht dit kruis op te nemen. Dit is discipelschap. God heeft je ertoe geroepen iets waardevols met dit geld te doen. Geef je gehoor aan zijn oproep?'

Waarom ik niet?

Hoofdstuk
10

Toen we het hoofdkantoor van de loterij tot op drie kilometer genaderd waren, probeerde ik Adam ertoe over te halen om te keren en me naar huis te brengen, maar hij deed alsof hij me niet hoorde. Ik jammerde uit alle macht, maar hij klemde, als een vader die vastbesloten is zijn tegenspartelende kind naar de tandarts te brengen, zijn kaken op elkaar en reed door.

'We zijn er. Zie je je vrienden al?'

'Misschien komen ze wel niet opdagen.' Ik was nu echt wanhopig.

Hij parkeerde, zette de motor uit, sloeg zijn armen over elkaar en liet zich onderuitzakken in zijn stoel alsof hij zich klaarmaakte voor een lange wachttijd.

'Ik kan daar niet alleen naar binnen. Ga je met me mee?' Op een of andere manier behandelde ik Adam niet als een vreemdeling, maar als een goede vriend.

Hij kwam overeind en keek geïnteresseerd – veel geïnteresseerder dan ik.

'Weet je het zeker? Ik wil me niet opdringen.'

'Ik kan het niet alleen.' Ik werd overweldigd door een gevoel van dankbaarheid jegens hem. 'Alsjeblieft?'

We werden naar een vergaderruimte gebracht die vol stond

met lange vergadertafels en metalen stoelen. Stella was er, beeldschoon als altijd. Ze droeg een lichtblauwe trui van kasjmier en ik had het gevoel dat de diamanten oorbellen die ze droeg, niet uit de koopjeshoek van een warenhuis afkomstig waren. Ze glimlachte naar me, maar ik merkte dat ze met haar gedachten ergens anders was – Harrods in Londen waarschijnlijk.

Ed kamde zijn haar in de weerspiegeling van een grote ingelijste foto van een eerdere loterijwinnaar die grijnsde en een cheque ter waarde van een miljoen dollar in zijn handen had. Als iemand al zo'n glimlach van oor tot oor had voor een miljoen dollar, wat moest er dan voor twintig gedaan worden? Ik betwijfelde of ik überhaupt zou glimlachen en kreeg een sprankje hoop dat ik misschien achter Stella kon wegduiken als we op de foto moesten. Het laatste wat ik wilde, was dat dit nieuws in Simms terechtkwam, waar mensen mij en mijn familie kenden. Ik wilde de leer die mijn opa zo trouw verkondigd had, niet tenietdoen.

Mijn collega's wierpen nieuwsgierige blikken op Adam, maar ze waren zo met zichzelf bezig dat niemand vroeg wie hij was.

Paula zat gedeprimeerd op het puntje van een stoel en klemde haar tas tegen haar borst. Zelfs nu leek ze nog bang dat haar tas geroofd zou worden.

'Hoi, hoe gaat het met je?' Ik legde mijn hand op haar schouder en ze sprong op.

'Ik wil dit gewoon zo snel mogelijk achter de rug hebben. Als ik het eenmaal op mijn bankrekening zie staan, voel ik me al een stuk beter.' Ze wierp een ongemakkelijke blik in mijn richting. 'De wereld is vol bedriegers en schurken, Cassia. Vertrouw niemand.' Ze keek even vluchtig naar Adam. 'En laat je door niemand wijsmaken dat hij van je houdt. Mannen zullen vanaf nu alleen maar van je geld houden.'

Ik keek naar Adam.

Hij probeerde onopvallend op de achtergrond te blijven, wat bijna onmogelijk is voor iemand die in lichamelijk opzicht zo imponerend is als hij. Het was alsof hij een magneet was – iedereen in de kamer werd naar hem toe getrokken. Ik zag het aan de blikken en in Stella's geval het verleidelijk zwaaien van haar heupen.

Het enige lelijke aan Adam is zijn horloge, een ingewikkeld uitziend geval dat de datum en de tijd in iedere tijdzone van de wereld aangeeft. Hij is het soort man dat je zou verwachten op het omslag van een tijdschrift dat over 'de meest sexy man van het jaar' schrijft. Ik voel me tot hem aangetrokken, dat leidt geen twijfel, ook al gedroeg hij zich tot gisteren alsof ik een lastpost was die hij tolereerde in plaats van een vrouw die hij interessant vond.

Ach, Adam bewonderen lijkt een beetje op het waarderen van kunst – je hebt oog voor de schoonheid, ook al is het niet je bezit, en kun je het niet aanraken. Ik hoef de *Mona Lisa* niet in mijn huiskamer te hebben om van haar glimlach te houden.

'Pas op, Thelma', zei Paula. 'Neem niet meteen de eerste de beste gladjanus in dienst die langskomt om je huis van een nieuw dak te voorzien. Het zou een oplichter kunnen zijn, weet je. Ik heb meteen een papierversnipperaar gekocht – identiteitsdiefstal is een groeiend probleem ...'

Ik kan de obsessies van mijn collega's niet aanhoren. Het loutere feit dat paranoïde Paula denkt dat we niemand meer kunnen vertrouwen, betekent nog niet dat het waar is.

Het doet me zeer me daar zorgen over te maken. Als iemand verliefd op me wordt, wil ik dat dat is omdat ik volmaakt ben in zijn ogen, niet omdat ik een enorme bruidsschat heb. Jakobus 5:1 werd al waarheid. *En nu iets voor u, rijken! Weeklaag en jammer om de rampspoed die over u komt.*

Geld hebben is een enorme ramp.

De anderen waren echter buiten zichzelf van opwinding. Iedereen had blosjes op de wangen, en Ego Ed begon steeds meer te lijken op een haan die op het punt stond te gaan kraaien. Zelfs Thelma, die mij nog de verstandigste van het hele kantoor geleken had, straalde van vreugde. Ze was altijd al slim en praktisch, en je kon altijd op haar rekenen, zo had ik ontdekt, voor een goed advies. Vandaag dacht ze echter aan niets anders dan aandelen en obligaties.

Ze pakte mijn handen toen ik voor haar kwam staan. 'Cassia, is het niet geweldig?'

Ik wilde de pret niet bederven. 'Je kunt het je niet voorstellen.'

'Het eerste wat ik ga doen, is mijn hele familie mee op een cruise nemen. En mijn kleinzoon wil een bestelwagen. Zijn tweelingzussen doen volgend jaar allebei eindexamen, dus ik zal een studiefonds moeten stichten ...'

Ze was al druk bezig het geld weg te geven dat ze nog niet eens ontvangen had, maar wie was ik om kritiek te leveren? Zij had in ieder geval een plan met haar geld, terwijl ik me als een kip zonder kop gedroeg, rondjes liep en 'Help, help!' kakelde.

Ben ik dat echt? Waar is mijn godsvertrouwen?

'Ik kan het alleen maar aan Hem overgeven en het in zijn handen leggen', mompelde ik.

Adam bekeek me met dezelfde blik die hij waarschijnlijk voor Pepto reserveerde wanneer die boven in een gescheurd gordijn hangt. 'Zomaar?' Hij knipte met zijn vingers. Hij zag eruit alsof hij zojuist een nieuwe diersoort onder de lens van zijn microscoop ontdekt had en mompelde: 'Ik ben nog nooit iemand als jij tegengekomen, Cassia Carr, nergens ter wereld.'

'Dan begeef je je niet in de juiste kringen. Daar zit het hem in.' Ik voelde me een miljoen – of twintig miljoen – pond lichter nu het probleem niet langer op mijn schouders rustte, maar in Gods handen lag, en daardoor was ik in staat de rest van de ochtend door te komen, inclusief de pijnlijke fotosessie. Het lukte me echter wel me grotendeels achter Stella's omvangrijke lichaam te verschuilen.

Het probleem met alles aan God overdragen is dat ik, hoewel ik wel beter weet en mezelf er geregeld op betrap, altijd de problemen terug wil nemen om er op mijn eigen weinig effectieve, improductieve manier mee verder te prutsen. Het loterijgeld is een volmaakt voorbeeld. Hoewel ik wist dat Hij de enige was die ermee kon omgaan, bleef ik me er toch mee bemoeien.

Bovendien, ik moet nog steeds zelf de post, de telefoon en de horden mensen afhandelen die plotseling weten dat ik de ontvanger van miljoenen dollars ben. En het is vandaag nog maar twee weken geleden dat we de loterij gewonnen hebben. Maar het kostte blijkbaar niet veel tijd een totale transformatie in sommige mensen te laten plaatsvinden, zoals Cricket algauw opmerkte.

'Heb je gemerkt dat iedereen van kantoor een beetje vreemd begint te doen, Cassia? Behalve jij, natuurlijk.'

'Hoezo? Ik ben meestal degene die als vreemd beschouwd wordt, in de zin van: 'Daar is ze, die christen met die vreemde ideeën.''

Cricket roerde het ijs in haar cola en nam een slok voordat ze antwoord gaf. 'Dat dacht ik eerst ook', gaf ze toe. 'Maar ik ben van gedachten veranderd.' Ze rekte zich uit in een van de houten stoelen die rondom een vuurkuil stonden, niet ver bij Lake Harriet vandaan. Stella en zij waren wezen winkelen, een veelvoorkomend tijdverdrijf voor hen, en Cricket had me opgebeld om bij haar te komen terwijl ze uitrustte voor een nieuwe winkelsessie.

'Je bent in feite de enige wiens persoonlijkheid niet veranderd is. Alle anderen worden zo ... arrogant. 'Waarom is de bediening niet sneller?', bootste ze na. 'Waarom maken ze geen auto's met drie televisies?'' Ze keek me aan. 'Het is alsof ze door het geld zo ontevreden en ongeduldig zijn geworden.'

'Het is net als in een nieuwe auto rijden', zei ik. Ik had er ook over nagedacht. 'Ze willen gewoon zien hoeveel paardenkrachten er onder de motorkap zitten, nu ze deze idiote geldbedragen hebben. Maar het zijn allemaal goede mensen. Het zal wel weer overgaan.'

'Wilde jij daarom het geld niet, Cassia? Omdat het je misschien zou veranderen?'

Soms zou ik Cricket wel willen omhelzen. Zij probeert me tenminste te analyseren zonder me ongevraagd als gestoord af te doen.

'Als je over bepaald gedrag twijfelt,' zei opa altijd, 'vraag jezelf dan af wat er oprecht en goed aan is. Komen er goede of slechte dingen uit voort?''

'Goed voor ons, niet zo goed voor alle anderen', merkte Cricket op. 'Ik moet even niet denken aan al die mensen die zich de loten niet konden veroorloven maar ze evengoed gekocht hebben.'

'Ik ook niet.' We zwegen, versomberd door het idee.

'Weet je,' ging ik verder, 'het is trouwens helemaal niet eens van ons.'

Cricket keek me aan alsof ik Grieks sprak. 'Dat is het wel degelijk. Ik werk hard voor mijn geld – tot nu toe, natuurlijk. Ik zie het graag als iets wat ik verdiend heb.'

'Daar twijfel ik geen seconde aan. Maar alles wat we hebben, is nog steeds een lening. Weet je nog dat ik mijn wekkerradio op de grond had laten vallen en jij mij een wekker leende terwijl die van mij gemaakt werd?'

'Ja ...' Ze kneep haar ogen wantrouwend samen.

'Ook al gebruikte ik die wekker, hij was niet van mij, toch?'

'Natuurlijk niet. Ik vind het een heerlijke wekker.'

'Met andere woorden: je liet me die wekker met alle liefde gebruiken, maar je gaf hem niet aan me om hem voorgoed te houden.'

'Precies.'

'Ons leven is net als die wekker, Cricket. Het is in principe al niet eens van ons. Moeten we er dus niet voor zorgen voor de eigenaar?'

Ze dacht erover na, en op haar expressieve gezicht waren tientallen emoties te zien. Ik kon zien dat ik een gevoelige snaar bij haar geraakt had. 'Zo heb ik er nooit over nagedacht ...'

Uiteindelijk lichtte Crickets gezicht op, en ze kondigde aan: 'Ik denk dat er alleen maar goede dingen uit jouw geld zouden moeten voortkomen. Maak een lijst, Cassia. Wie heeft dit geld het hardst nodig?'

'Hoe gaat het, Cassia?', vroeg Jane op maandag, terwijl ze heel goed wist dat ik, als ik eerlijk was, 'afschuwelijk' zou zeggen.

'Ik bereid me voor op de postbode.'

'Je krijgt nog steeds veel post, hè?' Haar volle, diepe stem klonk sympathiek door de telefoon.

Ik wierp een blik op de manden die langs mijn muur stonden. Eerder die dag had Winslow ze omgegooid en opgetogen een glijpartij gehouden over de tientallen enveloppen die overal over mijn houten vloer verspreid lagen. Nu lag hij te slapen op het papieren bed, zijn vacht verwarmd door een zonnestraal die door het raam naar binnen viel. Hij kon tenminste slapen met al die post om zich heen. Dat was mij nooit gelukt.

'Wil je dat ik vanavond langskom om alles door te nemen, of zullen we bij oma Mattie afspreken?'

'Ik bel je nog wel. Ik ga er vandaag mee aan de gang. En ik moet ook de personeelsadvertenties nog doornemen.'

'Zoek je echt een andere baan? Dat meen je niet.'

'Hoe moet ik anders mijn rekeningen betalen?' Alle anderen hadden onmiddellijk ontslag genomen bij Parker Bennett. Misschien ben ik wel gek, maar ik leefde steeds in de veronderstelling dat ik onbetaald verlof kon nemen, kon rondkomen van het geld dat ik voor school gespaard had en dan weer aan het werk kon gaan. Maar mijn spaargeld slinkt sneller dan ik gedacht had. En naar Parker Bennett teruggaan lijkt me niet realistisch meer.

Daarnaast moet iedere liefdadigheidsorganisatie, iedere verspreider van junkmail, ieder schoolkind en iedere gevangene gehoord hebben dat ik geld in handen gekregen heb, want ze schrijven me allemaal om uit te leggen waarom vooral zij recht hebben op een gift. En dan heb ik het nog niet eens over de verdachte en platvloerse verre familieleden die ik in de afgelopen twee weken ontdekt heb – mensen die mijn oma niet eens kende.

Ze wist bijna zeker dat ik geen neef George in Detroit heb die de dieselmotor heeft uitgevonden. (Hij spelde het als 'diezel moter'.) Ik had ook geen oom Martin die vermist geraakt was op zee, aan de kust van Miami aangespoeld was en net ontwaakt was uit een twintig jaar durend geheugenverlies. Ik ben begonnen het aantal familieleden dat we voor de familiestamboom vonden, te tellen, maar ben daarmee gestopt toen ik besefte dat we niet meer met een boom, maar met een heel bos werkten – waarvan de meeste struiken waren geïnfecteerd met de iepziekte of de watermerkziekte.

En de zielige verhalen! Ze braken mijn hart – totdat ik besefte dat een aantal door dezelfde persoon geschreven, maar met een verschillende naam ondertekend was, en dat een alarmerend aantal arriveerde op duur postpapier vanaf adressen die riekten naar welgestelde gemeenschappen in de voorsteden van Chicago.

'Hoe, God, hoe kom ik erachter welke van deze brieven van lijdende mensen afkomstig zijn, en welke van zwendelaars en bedriegers komen?' Er wordt soms gezegd dat geld in je zak kan branden. Dit geld brandde in mijn hart.

Een luide klop op de deur leidde me af van de taak die voor me lag, maar het was absoluut geen ontsnapping.

Het was Freddy, de postbode. We noemen elkaar bij de voornaam sinds al die brieven begonnen binnen te stromen. Vandaag leek hij op een pakezel die een zware last vervoerde. 'Luister, Cassia, vanaf nu zul je naar het postkantoor moeten komen om je post op te halen. Er is te veel om in je kleine brievenbus te stoppen, en ik verga van de rugpijn.'

'Maar Freddy, neem dan niet alles mee, alleen mijn rekeningen. Ik kan de rest ook niet aan!'

'Die beslissing ligt niet bij mij. Je zult het zelf moeten afhandelen.'

Dat is precies waar ik al bang voor was – het zelf moeten afhandelen. Ik ben de rekeningen voor mijn elektra en telefoon al kwijtgeraakt in de massa brieven, en ik begin te vrezen voor telefoontjes dat ik, als ik niet betaal, afgesloten zal worden. Dat is zielig – een miljonair die in een flatgebouw zonder lift woont en geen elektra of telefoon heeft.

Hoofdstuk
11

'Als ze nou maar niet meer dat roze T-shirt droeg met voorop de tekst 'Mijn hond kan jouw hond likken' ...'

Wie probeerde hij voor de gek te houden? Hij dacht altijd aan haar. Hij had voortdurend aan haar gedacht in de drie weken sinds ze het geld gewonnen had. Ze zou een kartonnen doos met 'Deze zijde boven' kunnen dragen en dan zou hij nog glimlachen. Alles wat Cassia tegenwoordig deed, fascineerde hem.

'Terrance, ze is zo open en eerlijk over haar leven en over wat er gaande is met dat loterijgeld dat ik het gevoel heb dat ik snoep afpak van een baby. Ze wil het geld echt niet, wat op zichzelf al een verhaal is, maar alles aan haar is interessant – haar ongewone gezichtspunt, haar normen en waarden, de manier waarop ze haar leven leidt, haar schoonheid en het feit dat ze geen idee heeft hoe mooi ze is.'

Adam ijsbeerde door de woonkamer terwijl zijn agent op de bank zat te grijnzen als de kat uit Alice in Wonderland en met plezier de eer opstreek voor zijn suggestie dat Adam een luchtig verhaal zou kunnen schrijven. Terrance genoot duidelijk van de situatie. Adam, in een gebleekte spijkerbroek en een nieuw wit T-shirt, vormde een sterk contrast met het gedistingeerde jasje en de keurig geperste marineblauwe pantalon van zijn agent. Maar ze werkten al vele jaren goed samen en bewezen dat tegenpolen elkaar soms inderdaad aantrekken.

'Ze liet me zelfs door mij bij haar werk afzetten om haar salarischeque op te halen', zei Adam verwonderd. 'Die vrouw zou het bedrijf kunnen *kopen,* en ze is zo vastbesloten het geld niet aan te raken dat ze bang is de huur niet te kunnen betalen.'

'Ongelooflijk!', grinnikte Terrance. 'Wat zei ik tegen je, ouwe jongen? Is dit niet leuk? Er ligt een verhaal voor het oprapen, en er is nog een leuke, rijke vrouw bij betrokken ook! Ik zei toch al tegen je dat er zoiets nodig was om je te laten vergeten wat je in Burundi gezien hebt.'

Adam kromp ineen, en zijn blik werd duister en pijnlijk. 'Niemand ter wereld kan me dat laten vergeten, Terry.'

'Oké, oké', haastte Terrance zich te zeggen. 'Het spijt me dat ik het ter sprake bracht. Ik weet dat de wonden nog vers zijn.'

Niet te vers, dacht Adam, maar te diep om ooit nog helemaal te genezen. In zijn hart wist hij dat er nooit een tijd zou komen dat hij niet meer zou denken aan die met insecten bedekte kinderen die van de honger omkwamen en te zwak waren om een hand op te tillen om de vliegen weg te slaan.

Hij wilde het ook niet vergeten. Hij wilde niet opnieuw in zijn oude, egoïstische leventje vervallen. Iedere keer wanneer hij was thuisgekomen na een verhaal geschreven te hebben over een oorlog, een aardbeving of een andere catastrofe, had hij geweigerd te vergeten wat oorlog en de woeste natuur konden aanrichten. Anders zou het te makkelijk zijn onderuit te zakken en niet meer te denken aan die miljoenen mensen die per dag minder eiwitten binnenkregen dan zijn slechtgehumeurde, asociale kat. En van alles wat hij gezien had, was Burundi het ergst geweest. Hij kon hen gewoon niet vergeten, de graatmagere kinderen met gezwollen buikjes die voor zijn ogen stierven.

Hij keek Terry beschouwend aan. 'Hoeveel geld denk je dat dit artikel me kan opleveren?'

'De rechten op de eerste serie? Met genoeg materiaal om er een serie van te maken? Ik denk dat we er verschillende markten mee kunnen aanboren.' De rekenmachine in Terry's hoofd draaide op volle toeren. 'Een hoop geld.' Hij noemde een bedrag. 'Wat dacht je daarvan?'

Normaal gesproken zou Adam vergenoegd geknikt hebben bij het bedrag, maar vandaag fronste hij zijn wenkbrauwen. 'Is dat alles?'

'Dat is meer dan genoeg! Je schrijft geen script, hoor.'

'Misschien zou ik ...'

'Waar heb je het over?'

'Ik ken daar mensen die zo veel met iedere dollar kunnen doen, en ik vertrouw erop dat ze alles doen wat in hun macht ligt om de kinderen te helpen. Ik wil iedere cent die ik kan krijgen.'

'Vraag die mejuffrouw Carr dan iets voor het goede doel te doneren. Zij heeft zat. Ze zou Burundi waarschijnlijk kunnen kopen.'

Hoewel Adam aan hetzelfde had zitten denken, gaf Terry's voorstel hem een onbehaaglijk gevoel. 'Dat klopt niet, Terry. Ik lieg al tegen haar door een verhaal te schrijven over haar en haar ongewenste miljoenen zonder haar dat te laten weten. Ze is zo open en onbevangen dat ze het gemakkelijkste slachtoffer van misbruik is dat ik ooit ontmoet heb. Ik kan haar er niet ook nog eens toe overhalen haar geld voor mijn project te gebruiken. Ik heb al een grens overschreden, maar ik kan niet nog verder gaan.'

'Ze klinkt zo ...' – Terry zocht naar de juiste woorden – '... naïef en onvolwassen.'

'Zo bedoelde ik het niet. Ze heeft misschien niet veel ervaring met geld, maar ze heeft genoeg levenservaring en kennis die onbetaalbaar is. Het is moeilijk haar te omschrijven, Terry. Bovendien begin ik haar zelf net pas een beetje te leren kennen. Geef me wat tijd en ik zal er de vinger op leggen. Maar nu zou ik mezelf een hufter vinden als ik haar op die manier onder druk zou zetten.'

'Je bent zo moralistisch dat je bijna doorslaat', antwoordde Terry. 'Niet dat ik denk dat dat slecht is, trouwens. Je bent opmerkzaam, uitgesproken en recht door zee. Maar ...' – Terry klonk teleurgesteld – '... ik denk dat je gelijk hebt dat je Burundi erbuiten moet houden. Je hebt je eigen reputatie hoog te houden.' Hij wreef in zijn handen. 'Dus hoe ga je het doen? Het verhaal, bedoel ik.'

Adam liet zich in de grote fauteuil vallen. 'Het verhaal? Tot nu toe heb ik een beeldschone roodharige die met haar hele hart gelooft dat ze 'onrechtmatig verkregen winst' heeft en geen idee heeft wat ze ermee moet doen. Ze wil haar handen er op een of andere manier niet aan vuil maken. Wat het nog ingewikkelder maakt, is dat ze gelooft dat God de controle over het geld zou moeten hebben en erop wacht te horen wat Hij wil. Een aantal aasgieren, waaronder valse familieleden, niet-bestaande goede doelen en opportunisten zijn op haar pad gekomen en dat zullen er ongetwijfeld meer worden. Ze heeft al met heel veel pijn een aantal lessen geleerd.'

'Ga door', moedigde Terry hem aan.

'Ze beginnen haar te belagen, in de hoop de zwakke plek in haar harnas te vinden, waardoor ze het geld zal gaan uitdelen ...' Adam zweeg even. 'En een adder die in het appartement onder haar woont, probeert haar uit te buiten door met haar bevriend te raken om een verhaal te schrijven en een slaatje uit haar situatie te slaan.'

'Wat een plot', zei Terry terwijl hij overeind kwam. 'Dit wordt goed, Adam. Ik voel het aan mijn water. Een prachtige vrouw, geld, geloof, intriges en hebzucht – welke tijdschriftredacteur kan nog meer wensen?' Hij gaf Adam een schouderklopje en liep langs hem naar de deur. 'Houd me op de hoogte. En welkom terug, man. Welkom terug.'

Adam bleef in zijn stoel voor zich uit zitten staren totdat Terry de deur achter zich dichtgetrokken had, en het geluid van zijn voetstappen wegstierf.

Welkom terug.

Slechts een deel van hem was teruggekomen, besefte Adam; een groot deel van zijn geest en zijn hart waren nog steeds in dat wanhopige, uitstervende land, zo ver weg. Op het nieuws had hij gehoord dat de situatie in Burundi in snel tempo verslechterde. Cassia's unieke verhaal was uitermate geschikt om snel geld te verdienen. Zou het zo slecht zijn zich nog een tijdje als een goede

buur te blijven voordoen? Hij wilde echt helemaal niets voor
zichzelf. Al het geld dat hij met dit verhaal verdiende, zou regelrecht naar Burundi gaan.

Loterij maakt miljonair tegen wil en dank
Gouden moment van de waarheid valt bitter tegen voor vrouw die niet
in gokken gelooft.

Cassia Carr, een jonge pedagogiekstudente die met haar doctoraal in
de kinderpsychologie bezig is, komt uit een predikantenfamilie die fel
afgeeft op het bezit van te veel 'wereldse goederen'. Carrs wereldse goe-
deren omvatten nu meer dan tien miljoen dollar, na aftrek van de be-
lastingen, en het vermogen om bijna alles te kopen wat ze maar wil.
Terwijl haar collega's schijnbaar genieten van de vruchten van hun
'werkloosheid', zou Carr het liefst willen dat ze, zoals ze zelf zegt,
weer 'blut en gelukkig' was.
Een deel van haar frustratie komt voort uit haar klaarblijkelijke on-
vermogen de organisaties te vertrouwen die in de rij staan om een deel
van de opbrengst op te strijken. Een bedrieger die bekend is bij de po-
litie, stelde zich aan Carr voor als directeur van een tehuis voor mis-
handelde vrouwen en hun kinderen. Carr overwoog een flinke dona-
tie serieus, totdat haar zus, die beleggingsadviseuse is, naspeuringen
deed en ontdekte dat de organisatie helemaal niet bestond. De politie
is de zaak nu aan het onderzoeken. Dit maakt wellicht een einde aan
de activiteiten van bedriegers en zwendelaars die zich in de afgelopen
tien jaar in de gemeenschap gemanifesteerd hebben.
De ervaring maakte de toch al schichtige Carr nog wantrouwiger ...

De woorden rolden van zijn vingertoppen. Zijn hart bonsde van
opwinding. En hij haatte zichzelf erom.

Hoofdstuk

12

'Waarom verstop je je hier? Jou zoeken was net zoiets als een ijs-
beer zoeken in een sneeuwstorm.' Jane liet haar ronde, glim-
lachende lijf op de bank tegenover me vallen. Hoewel mijn zus
het waarschijnlijk niet beseft, vieren we een twijfelachtige feest-
dag – de dag die drie weken en een eeuwigheid geleden plaats-
vond, de dag waarop ik mijn loterijwinst ophaalde. Ik heb de gastvrouw van het restaurant om de plaats met de meeste privacy gevraagd, en ze kan trots zijn op zichzelf. We zitten naast de keuken
en een afruimkar die waarschijnlijk zelf nooit meer schoongemaakt is sinds de opening van de zaak in de jaren negentig. Niemand zou het in zijn hoofd halen hier te komen kijken.

'Bah.' Jane haalde haar neus op en huiverde onwillekeurig. 'Je
bent er altijd op uit geweest niet te veel uit te geven, zus, maar dit
is belachelijk.'

'Ik denk dat de koffie wel te drinken is. Ik zag net nog iemand
een lege pot omspoelen. Bestel maar cafeïnevrije.'

De serveerster kwam onze bestelling opnemen, en we vroegen
allebei frisdrank – in een blikje – ongeopend, zonder ijs.

'Waarom heb je me gevraagd hier te komen in plaats van op
de plek waar we meestal eten, aan de overkant?'

'Daar zag ik een verslaggever, en ook een vrouw die me al

twee dagen volgt en me geld vraagt. Sinds mijn foto in de krant heeft gestaan, word ik door mensen herkend.'

'Ah, de beruchte foto. Je had minstens rechtop kunnen gaan staan en naar de fotograaf kunnen glimlachen', berispte Jane me. 'Je viel nu waarschijnlijk extra op doordat je om Stella heen keek waardoor het was alsof je een tweede hoofd op haar schouders was.'

'Ik wilde niet gezien worden. Ik keek alleen langs haar om te zien hoeveel tijd ik nog had voordat de fotograaf de foto nam en ... nou ja, de rest weet je.'

'Inderdaad. Nu moet ik niet alleen uitleggen hoe mijn zus de loterij gewonnen heeft, maar moet ik ook nog vertellen dat je hoofd op je negende klem heeft gezeten tussen een defecte elektrische autoruit en dat je sindsdien nooit meer de oude bent geworden. Ik zeg gewoon dat we het in de familie altijd 'de grote klem' noemen, die Cassia gemaakt heeft zoals ze nu is.'

'O, dat is niet waar.'

'Nee, maar dat zou ik wel graag willen. Ik moet een manier hebben om uit te leggen hoe het komt dat juist jij de loterij hebt kunnen winnen. De mensen die je kennen, kunnen niet geloven dat je aan een loterij hebt meegedaan, en de mensen die je niet kennen, willen weten waaraan je het gaat uitgeven. En', ging Jane zonder adempauze verder, 'ik hoorde van je vriendin Cricket dat je jezelf behoorlijk voor schut gezet hebt op het hoofdkantoor van de loterij.'

Meer dan eens in de afgelopen drie weken had ik er spijt van gehad dat ik mijn zus aan Cricket en Stella had voorgesteld. Ze waren meteen bevriend geraakt, en ze gebruikte hen om de details te achterhalen die ze van mij niet kreeg.

'Hoe kon ik nou weten dat ik, telkens wanneer ze met die enorme cheque naar me toe kwamen om vast te houden, zou gaan huilen en hyperventileren? Ik ben zo in de war. Van de ene kant heb ik het gevoel dat ik door het aannemen van die cheque alles wat ik van onze ouders en grootouders geleerd heb, achter me heb gelaten ...'

'En van de andere kant?'

'Oma Mattie zegt dat dingen een reden hebben en dat ik moet afwachten, bidden en naar God moet luisteren. Ik voel me verscheurd. Daarom ben ik goede doelen gaan zoeken en weeg ik alle voorstellen die binnenstromen. Het houdt me in ieder geval bezig.'

'Er is iets anders gebeurd, hè?'

Ik heb er een hekel aan dat ze dat doet. Ben ik zo voorspelbaar?

'Ik denk dat mijn leven verwoest is.'

'Ik ben blij dat je geen dramatica bent', zei Jane droogjes. 'Ik zou het vreselijk vinden als je altijd maar overdreef.'

'Jij zou ook vinden dat je leven verwoest was als je door een tienjarige was bedrogen.'

Het moest even tot haar doordringen. 'Wat?'

'Ik ben veel te goedgelovig. Het is gewoon gênant.'

'Vertel me eens over dat kind.'

'Misdadiger in kinderkleren, bedoel je. De kleine bedrieger zat op de trap van mijn appartementencomplex toen ik vanmorgen naar de sportschool ging, en hij zat er nog steeds toen ik terugkwam. Hij zag er zo verloren uit dat ik vroeg of er iets aan de hand was. De tranen welden op in zijn ogen, en hij keek me zo verdrietig aan ...'

Jane kromp in elkaar. 'Ik weet niet of ik de rest van het verhaal wel wil horen.'

'Hij zei tegen me dat zijn vader en moeder gingen scheiden, dat hij moest verhuizen naar een appartement, weg van zijn vriendjes, en zijn hond moest achterlaten omdat ze het zich niet konden veroorloven die te houden.'

'Je hebt toch niet ...'

'Jawel. Vijftig dollar voor hondenvoer.'

'Nee, Cassia!'

'Mijn hart zou breken als ik Winslow weg moest doen.' Het blijft een zwak excuus voor dom gedrag.

'Hoe kwam je erachter dat hij geen hond had, dat hij niet ging verhuizen en dat zijn ouders nog bij elkaar waren?'

'Dat was zuiver toeval. Ik wilde mijn sportkleren wassen en

moest wisselen voor de wasmachine en de droger. Ik jogde naar die speelplaats vlak bij mijn huis om de munten te halen. En daar liep hij. De kleine bandiet gedroeg zich alsof hij de baas was, kocht frisdrank voor iedereen en gooide geld in het apparaat zodat zijn vriendjes konden spelen.'

Jane hield haar hand voor de onderste helft van haar gezicht, en ik wist dat ze lachte.

'Het is helemaal niet om te lachen!'

'Belazerd worden door een tienjarig ventje? Cassia, het is om je te bescheuren. Hoe goedgelovig ben je eigenlijk?'

Behoorlijk goedgelovig.

'Ik zou naar zijn moeder stappen als ik jou was', zei Jane toen ze uitgegrijnsd was. 'De creatieve energie van die jongen zou moeten worden omgebogen in een andere richting dan afpersing. Als ik zijn moeder was, zou hij tot zijn achttiende huisarrest krijgen.' Ze keek me indringend aan. 'Zijn dat soort dingen de laatste tijd vaker met je gebeurd?'

Ik had nooit de vergissing moeten begaan mijn schouders te laten hangen in Janes bijzijn. Net zoals in de rest van het dierenrijk zag ze mijn zwakke plek en pakte uit.

'Je kunt me maar beter alles vertellen.'

'Wist jij dat tante Naomi een goede vriendin in Seattle heeft die een hersenoperatie moet ondergaan zodra de familie genoeg geld ingezameld heeft om die te kunnen betalen?'

'Cassia, we *hebben* geen tante Naomi.'

Ik haalde een brief uit mijn tas en gaf die aan haar. 'Nu wel.'

Ze keek vol afschuw toe toen ik een stapel enveloppen uit het voorvak van mijn tas haalde. 'Hier, neem jij deze maar door om te bepalen wat de aandacht waard is. Ik had geen idee dat we zoveel huisvrienden van de familie hadden. Ik kan duidelijk het kaf niet van het koren scheiden. Ik herken zelfs de minimaffia in mijn wijk niet.'

'Mag ik deze meenemen?', vroeg Jane, en zonder op antwoord te wachten stopte ze ze in haar eigen tas. 'Ik handel dit wel af.'

'Hoe?'

'Ik stop ze in het dossier.'

'Waar?'

'In het ronde dossier op de grond bij mijn bureau.'

'Gooi je ze gewoon weg?' Ik was zowel geschokt als opgelucht. Ik ben te gewetensvol om ze weg te gooien en te zeer van streek om ze te lezen. Ik was opgelucht en dankbaar dat Jane bereid was de beslissing voor me te nemen. 'Ik zit er tot aan mijn nek toe in, zus. Ik bid en ik bid, maar ik heb nog steeds net zomin een idee wat ik met het geld moet doen als op de dag waarop de winnaars bekendgemaakt werden.'

'Hoe zit het met de anderen? Heb je weleens iets van hen gehoord?'

'Af en toe. Je weet dat Stella en Cricket de enige twee zijn die ik geregeld zie. Stella's vader is beleggingsdeskundige, dus zij maakt zich niet zo veel zorgen dat ze afgeperst wordt. Maar ze vertrouwt geen man meer. Ze is bang dat ze alleen maar achter haar geld aanzitten. Ze is duidelijk vergeten dat ze met een uiterlijk als het hare toch wel achter haar aanzitten, of ze nu een prinses is of een armoedzaaier. Crickets enige investering tot nu toe zijn schoenen – en een nieuw huis om ze in kwijt te kunnen. Ik betwijfel of zij wel weten hoe het de anderen vergaat.'

'Nou, ik ben een lijst aan het samenstellen van mensen die je kunt vragen je te helpen het geld te beheren totdat je weet wat ermee gebeuren moet. Ik wil dat je hun vragen gaat stellen om iemand te vinden van wie je zeker weet dat het iemand is met wie je kunt samenwerken. Ik kan een heel team samenstellen, als dat nodig is, van mensen die ik ken en vertrouw.'

'Kan het niet gewoon blijven waar het is? Op de bank?' Ik was meteen met de cheque naar Janes bank gegaan en had daar een rekening geopend, in de hoop dat dat de laatste keer zou zijn dat ik ernaar hoefde om te kijken.

'Zus, ik werk bij een bank, en ik zou je niet aanraden het daar te laten. Niet alles, tenminste. Schep evenwicht in je investeringen. Aandelen, obligaties ...'

'Jane ...', jammerde ik.

'Lucas 16:10-12. Meer zeg ik er niet over.' *Wie betrouwbaar is in het geringste, is ook betrouwbaar als het om veel gaat, en wie oneerlijk*

is in het geringste, is ook oneerlijk als het om veel gaat. Als jullie onbe-
trouwbaar blijken in de omgang met de valse mammon, wie zal jullie dan
werkelijk belangrijke dingen toevertrouwen? En als jullie onbetrouwbaar
blijken met wat een ander toebehoort, wie zal jullie dan geven wat jullie
zelf toekomt?

Ik heb er een hekel aan dat Jane gelijk heeft.

'Nu we geregeld hebben dat je hulp gaat zoeken voor het beheer van het geld, wie kunnen je helpen?', vroeg Jane.

'Jij, Mattie, mam en pap, Stella, Cricket ...'

'Ik werk, mam en pap zitten uren bij ons vandaan, Mattie is
bejaard en hoort die verantwoordelijkheid niet te krijgen, en Stella en Cricket hebben hun eigen leven. Je moet hulp zoeken, Cassia.'

'Ik woon hier net. De enige mensen die ik ken, zijn mensen
van mijn werk ...' – plotseling kwam Adam in mijn gedachten –
'... en in het appartement.' Ik kon niet eens zeggen dat ik mensen
van de kerk kende, hoewel ik me ingeschreven had in de kleine
kerkgemeenschap die zich op slechts een kilometer afstand van
mijn appartement bevond. Het is een 'kerk in opmars', zoals mijn
vader zou zeggen, levendig van geloof. Bovendien is hij niet zo
groot dat ik verloren loop. Ik ga het liefst naar een kleinere kerk
omdat ik graag gemist word wanneer ik een dienst oversla.

'Goed. Beloof je me dat je hun ook om hulp vraagt?'

Adam om hulp vragen? Ik verkeer in tweestrijd over die mogelijkheid. Hij is erg aardig en heeft geduld met me. Hij is af en
toe zelfs regelrecht bezorgd om me. Op andere dagen is hij afstandelijk, alsof zijn gedachten zich mijlen ver weg op een ongelukkige plaats bevinden. Hij lijkt zich net zo tegenstrijdig over
mij te voelen als ik over hem – dat gedoe met toenadering zoeken en ontwijken. Maar hij is – eerlijk gezegd – een hele verbetering in de omgeving van het appartementencomplex.

'Misschien.'

'Beloof het me, Cassia.'

'Oké, oké, ik doe alles om van je af te zijn.'

'Hoe hard je het ook probeert te negeren of te ontkennen, dat geld is van jou. Totdat je weet wat je ermee gaat doen, heb je alle hulp nodig die je krijgen kunt. Vorm dus een team, Cassia.'

Vorm een team.

Ik dacht nog steeds na over Janes advies toen ik langs het postkantoor ging om mijn post op te halen. Ik begon het al in het postkantoor te sorteren en liet een groot deel ervan daar in de vuilnisbak achter. Ik zag tot mijn genoegen een brief met een poststempel uit Simms, en geen enkele van de onlangs ontdekte tante Naomi.

Winslow stond al bij de voordeur op me te wachten toen ik in het appartement terugkwam. Ik durf te zweren dat hij glimlacht wanneer hij me ziet.

'Kom, ouwe jongen. We hebben een brief uit Simms.'

Winslow kent de vaste gang van zaken. Ik pak een fles water en een appel, hij krijgt een bot, en we kruipen samen op mijn bed, zetten de verwarming aan, maken het ons gemakkelijk op een paar kussens en lezen de post. Ik lees die altijd hardop voor, omdat Winslow erin geïnteresseerd blijkt te zijn.

Als ik de post niet hardop voorlees, legt hij een poot op mijn hand en jankt hij totdat ik hem het plezier doe. Ik heb gemerkt dat hij geniet van brieven van mijn ouders, maar vaak wegdommelt wanneer ik iets van Ken voorlees. Ik zou waarschijnlijk meer van Winslows adviezen ter harte moeten nemen.

'Oké, jochie, daar gaat-ie. Deze brief is van ... hé ... de *burgemeester.*' Ik keek naar het dikke geschepte briefpapier met het 'zegel' dat burgemeester Ed Parker voor zichzelf ontworpen heeft. Er staat een boer op, een ploeg, Mount Rushmore, Wall Drug en een vage afbeelding van zijn vrouw, allemaal door elkaar heen.

In sommige kleine stadjes is burgemeester zijn een parttime baan die nauwelijks iets voorstelt, maar in Simms is het heel wat. Er is meestal meer dan één kandidaat, en de strijd kan behoorlijk fel en heftig zijn. Ik heb eens geopperd dat de strijd zo fel was omdat die een excuus was om overheidsgeld uit te geven aan belachelijke zaken, maar Ken wond zich daar heel erg over op en zei dat er 'belangrijke stadszaken' mee gemoeid waren. Ken en ik hebben blijkbaar ook verschillende definities van 'belangrijk'. Het maakt me niet zo veel uit of een nieuwe gemeentelijke bestelwagen een Ford of een Chevy is, maar voor sommigen blijkt het heel wat uit te maken. Ze houden vurige, informele publieke debatten in het café voor de verkiezingen zodat iedereen weet hoe de zaken ervoor staan.

Geld voor chemicaliën voor de waterzuiveringsinstallatie staat altijd op de agenda, evenals een nieuwe auto voor de enige politieagent die door de straten rondrijdt. Ken heeft me laatst nog de reden verteld waarom onze plaatselijke politieagent nooit een nieuwe auto krijgt. Hij is blijkbaar een beetje te enthousiast, en de raad is bang dat hij, zodra hij meer paardenkrachten tot zijn beschikking krijgt dan zijn Ford uit 1993, zich verplicht zal voelen razendsnelle achtervolgingen in te zetten.

Burgemeester Ed Parker wordt normaal gesproken gezien als een praktische en betrokken man. De macht is hem een beetje naar het hoofd gestegen toen hij voor het eerst gekozen werd, en hij probeerde een straat naar zijn familie te vernoemen, maar de familie waarnaar de straat eerst vernoemd was, protesteerde. Uiteindelijk kwamen ze tot overeenstemming dat de nieuwe speelplaats in het stadspark 'Parker Park' genoemd zou worden, en dat blijkt zowel hem als zijn familie tevreden te stemmen.

Een brief krijgen van de burgemeester van Simms is dus een behoorlijke eer. Winslow en ik gingen klaarliggen om hem te lezen. Hij was precies zo geschreven als Ed praat. Ik kon hem bijna horen praten.

Geachte mejuffrouw Carr,

Uw opmerkelijke geluk is ons ter ore gekomen. Gefeliciteerd met het enorme geldbedrag dat u in handen gekregen hebt. Door deze prijs bent u een onderwerp van gesprek geworden in de stad. U bent nu een van onze beroemdste inwoners, samen met Torvald Olleson, de uitvinder van de verstelbare schoenschraper, die het leven van mensen in de gemeenschap op modderige dagen zoveel eenvoudiger maakt. Mijn vrouw zweert bij de hare.

En we mogen de kleine Tommy Alfonso Rye niet vergeten, die nu in de Mayo-kliniek werkt als gerenommeerd dokter in de chiropodie of de proctologie, ik weet niet meer wat van beide. Ter informatie, dokter Tommy is zo vrijgevig geweest onze geweldige kleine gemeenschap geld te schenken dat bestemd is voor de vernieuwing van het park van ons stadsplein. We zijn van plan er een fontein te plaatsen, die we – om hem te eren – Rye-fontein zullen noemen. Bovendien heeft Torvald schoenschrapers gedoneerd voor ieder publiek gebouw in de stad, en wij honoreren zijn bijdrage met een plaquette die in de school opgehangen wordt. Dit geweldige gebaar was een voorstel van de conciërge van de school, die tegenwoordig veel minder schoon te maken heeft.

Ik dacht dat u misschien geïnteresseerd zou zijn in de vrijgevigheid van onze succesvolle burgers, en u de kans niet zou willen laten ontnemen om het leven in Simms te verbeteren. Dat u het maar weet, we hebben nog niet genoeg banken in het park en de fanfare klaagt over de slechte conditie van de uniformen. Ik weet hoe goed u opgevoed bent door pastor en mevrouw Carr en dat u een van de gulste mensen bent. Een royale gift van u zal ongetwijfeld resulteren in een plaquette zoals die van Torvald of, als het gebaar groot genoeg is, een portret of buste in de stadsbibliotheek. (De bibliotheek kan ook wel een paar nieuwe boeken gebruiken trouwens.)

Ik zou u niet geschreven hebben als ik niet wist hoe verbolgen u zou zijn als u niets wist van deze stadsverbeteringen door onze vrijgevige donateurs. Ik zou een belangrijke voormalige inwoner als uzelf hier niet buiten willen houden.

Mijn vrouw groet u gedag en zag graag dat u Mattie om haar recept voor een taartbodem vroeg.

Met vriendelijke groet,

De edelachtbare Edwin William Parker,
burgemeester van Simms

'Winslow!' Ik zwaaide met het papier voor de snuit van de hond. 'Je gelooft je ogen niet! Zelfs de burgemeester van Simms!'

Winslow snoof, blafte en jankte meelevend en drukte zijn warme lichaam nog dichter tegen me aan.

'Heeft geld dit effect op mensen? Maakt het hen hebberig voor zichzelf en hun eigen goede doelen? Niet dat er iets mis is natuurlijk met geld geven aan Simms, maar zou ik niet tenminste zelf degene moeten zijn die het initiatief neemt? Ze weten niet eens of ik het geld houd of niet.'

Ik was al net zo verbaasd als Winslow toen de tranen over mijn wangen begonnen te stromen. Kan ik dan niemand meer vertrouwen? Is er niemand van wie ik zeker weet dat die niet naar me kijkt en intussen uitrekent hoeveel geld hij me afhandig kan maken voor zijn goede doel? Het is voor Jane gemakkelijk te zeggen dat ik hulptroepen nodig heb en mensen met wie ik kan praten, maar iedereen hier kent me alleen maar als loterijwinnaar, niet als een gevoelig iemand die van tosti's houdt, van open schoenen, draaimolens en druivenlolly's. Voor hen ben ik vleesgeworden geld. Ik heb het gevoel alsof mijn persoonlijkheid en leven gestript zijn en vervangen zijn door een huid vol tatoeages met de woorden 'rijk', 'goedgelovig', 'argeloos', 'kwetsbaar', 'schatrijk', 'gemakkelijk slachtoffer', 'tast toe', 'rentevrije leningen verkrijgbaar' en 'zielenpoot'.

'Zie ik er volgens jou zo dom uit?' Ik zwaaide opnieuw met de brief voor Winslows snuit totdat ik besefte dat ik het vroeg aan – en van plan was te vertrouwen op de mening van – een hond.

'O, Winnie.' Ik rolde boven op hem en sloeg mijn armen om hem heen. 'Wat moet ik doen?'

Hij kreunde even en ik besefte dat de knoop van mijn shirt vastzat in zijn vacht en aan zijn huid trok. Ik maakte mezelf los en kroop van het bed af.

Hij keek me aan, leek opgelucht te zijn dat hij alleen op bed lag en viel in slaap, waardoor ik alleen achterbleef met mijn problemen en wanhopig graag wilde praten met iemand die me begreep, bij voorkeur een mens.

Hoofdstuk
13

De deur van Adam Cavanaugh stond open toen ik langsliep, maar hij noch Pepto was te zien. Ik had echt niet verwacht hem nog geen halfuur later te zien toen ik terugkwam van de winkel met de ingrediënten voor een avondje zwelgen in zelfbeklag. Ik had drie bakken Ben & Jerry's gekocht – Half Baked, Peanut Butter Cup en Chocolate Chip Cookie Dough –, een zak borrelnootjes, een flesje toffeesaus om met een lepel op te eten, salsa, chips, tumtum en Clearasil voor het geval al die chocolade gevolgen zou hebben voor mijn huid. Zelfs wanneer ik mezelf beklaag, anticipeer ik graag. Ik had ook drie films met een zielige afloop gehuurd – *Terms of Endearment, Where the Red Fern Grows* en *Black Beauty* – en drie dozen tissues meegenomen.

Ik was zelfs verdrietig geweest dat een aantal van mijn favoriete ijssmaken op waren. Mijn gevoel voor humor en smaakpapillen genoten altijd van Pepermint Schtick, Entangled Mints, Hunka Burnin' Fudge en, o ja, Economic Crunch. Sommige mensen zijn wijnconnaisseur. Ik ken toevallig mijn ijs.

Ellende komt nooit alleen, en ik ben mijn eigen beste gezelschap.

Ik merkte Pepto zelfs niet eens op in de gang totdat hij een poot uitstak en zijn nagels in mijn broek zette. Pepto weet wat volhouden is. Ik schudde met mijn been en probeerde me los te trekken. Ik wilde doorlopen, maar dan had ik hem met me mee moeten sleuren, dus ik kon niet anders dan mijn tassen neerzetten en zijn nagels lostrekken.

Hoe een dier tegelijkertijd kan grommen en spinnen is me een raadsel.

Ik was zo met Pepto bezig dat ik niet eens merkte dat Adam zijn appartement uit kwam.

'Hulp nodig?'

'O!' Ik keek op. 'Ik had je niet zien staan.' Ik schudde met mijn bevrijde been. 'Dat beest van je klampte me aan.'

'Slim beest. Wat heb je gedaan? *Alweer* boodschappen?'

Ik probeerde de tas dicht te doen toen ik hem oppakte, zodat hij niet zou zien wat erin zat. 'Een paar delicatessen, dat is alles.'

Alles zou in orde geweest zijn als Pepto niet besloten had dat hij nog niet klaar was met me, en een poging deed om in mijn been te klimmen. Ik slaakte een kreet en liet mijn tassen vallen.

'Ik weet niet hoe je die kat voor je gewonnen hebt, maar hij laat je niet meer met rust.' Adam knielde neer en begon mijn boodschappen op te rapen terwijl ik me overgaf en Pepto vasthield, precies zoals hij de hele tijd al wilde.

'Wat is dit?' Adam hield de borrelnootjes en een zak chips omhoog.

'Ik had niet veel meer in huis', zei ik uit de hoogte en ik probeerde te voorkomen dat hij verder op onderzoek zou uitgaan. Helaas had ik twee handen nodig om Pepto vast te houden, die zichzelf nu aan mijn jas vastgehaakt had door zijn nagels erin te boren. Dat dier is klittenband met steroïden.

'En wat hebben we hier?'

Betrapt.

'Heb je de laatste tijd een beetje te doen met jezelf?'

'Hoe weet je dat?' Mijn mond viel open, en pas nadat ik de woorden uitgesproken had, besefte ik dat die een volledige bekentenis vormden.

'Ik heb gezien wat je eet – we hebben dezelfde vuilnisbak. Wanneer je je goed voelt, liggen er alleen maar restanten van groente en fruit in. En wanneer ik je zonder glimlach in de gang zie, kan ik er meestal wel van op aan dat er de volgende dag een of andere ijsbeker, donutverpakking of pizzadoos in de vuilnisbak ligt.'

'Je zou detective moeten worden!', zei ik verbijsterd. Toen raakte ik geïrriteerd. 'Ben je soms aan het spioneren?'

'Niet met opzet. Macht der gewoonte. Ik moet mijn ogen openhouden voor mijn werk.'

'Nu je het er toch over hebt ... Ik wilde je nog vragen wat je eigenlijk doet ...'

De deur ging open en een bejaarde man die tegenover Adam woonde, stak zijn hoofd naar buiten.

'Ik ging net naar binnen, George. Sorry voor het kabaal.'

Adam pakte mijn boodschappen op en gebaarde dat ik binnen moest komen. Ik ging alleen maar mee naar binnen omdat hij zowel Ben als Jerry gekidnapt had.

'Hé! Het ziet er hier geweldig uit! Heb je schoongemaakt?' De planken en kasten waren afgenomen, de vloer glom en er was nergens een stofje te bekennen. Zelfs de stapels tijdschriften waren geordend.

'Ik had niet veel anders te doen vanavond. Ik had geen zin om weg te gaan.'

'Nee, ik ook niet.' Ik hoopte dat het geen leugentje was als ik het zo zei. Ik wist gewoon niet waar ik heen zou moeten.

'Hoe zit het met al dat eten?'

'Ik was van plan een feestje te houden.'

'Voor wie? Wanneer?'

'Voor mezelf. Vanavond. Een mode- en eetfestijn voor arme Cassia. Ik was van plan te gaan eten en janken, alle kleren uit mijn kast die niet meer passen, aan te trekken en te janken, films te kijken en te snotteren. Weet je wel, net als de meeste feestjes – ik vermaak me *uitstekend*.'

Hij wist niet of hij erom moest lachen of niet. 'Als ik erachter kon komen hoe jouw geest werkt, ben ik de volgende Freud', zei hij uiteindelijk hulpeloos. 'Waarom wil een prachtige vrouw, een multimiljonair, thuisblijven en in zelfbeklag zwelgen?'

'Voornamelijk omdat ze multimiljonair is.' Ik wees op mijn jaszak. 'Wil je de brief lezen die ik van de burgemeester van mijn geboortestad gekregen heb?'

'Natuurlijk.'

Nadat hij de brief gelezen had en zichzelf in de grote leren fauteuil had laten vallen, lachte Adam totdat hij bijna huilde.

'Je mag heus wel stoppen met lachen, hoor. Dit helpt *echt* niet.' Ik probeerde streng te zijn, maar zijn gelach werkte aanstekelijk, en de absurditeit van Eds brief zorgde ervoor dat ik uiteindelijk ook begon te grinniken.

'Dat is het grappigste wat ik in lange tijd gelezen heb, Cassia.' Ten slotte kwam hij op adem, en bleef er alleen nog maar een scheve grijns over. Pepto gromde.

'Voor jou, misschien.' Ik ging naast hem zitten en sloeg mijn armen over elkaar. 'Het is al net zo erg als brieven krijgen van een onlangs opgedoken 'tante' Naomi. Misschien wel erger. Dit komt van iemand van wie ik dacht dat hij om mij en mijn familie *gaf*!'

'Ze hebben duidelijk waardering voor de taartbodem van je oma.'

Hij keek alsof hij ieder moment weer in lachen kon uitbarsten, dus ik schopte met de neus van mijn schoen tegen zijn been. 'Ik ben aan het einde van mijn Latijn. Heb je dat niet in de gaten?'

Hij rechtte zijn rug en leunde naar voren. Hij keek me aan en kuste me toen teder op mijn voorhoofd. Onverwacht ging er een siddering door me heen. Het was koud en heet, pittig maar sprankelend. Gedachten aan Janes advies over het opbouwen van een team kwamen in me naar boven. Adam stond plotseling op mijn definitieve lijst van gegadigden.

Hij had blijkbaar ook zichzelf verrast. 'Sorry, dat was waarschijnlijk te brutaal, maar je zag er zo ellendig uit ...'

Ik raakte mijn voorhoofd zachtjes aan en zwoer de plek een week lang niet te wassen. 'Het geeft niet. De enige andere die me daar kust, is Winslow.'

Adams mond viel open en ik dacht dat hij onzichtbare hondenharen zou gaan uitspugen, maar hij vermande zich, sloeg zijn armen over elkaar en keek me aan.

'Ik wilde zeggen ...' – ik probeerde mezelf weer onder controle te krijgen – '... dat ik wel wat menselijk medeleven kan gebruiken.' Onmiddellijk voelde ik me als een gefrustreerd kind. 'O, waarom schiet Hij niet een beetje op om me vertellen wat ik met het geld moet doen, zodat ik mijn normale leven weer kan oppakken?'

'Maar wat nou als dit je leven nu *is*, Cassia?' Adam keek me opnieuw aan, en dat sprankelende gevoel golfde opnieuw door me heen.

'Spreuken 27:24.'

'Sorry, maar ik spreek geen Bijbels, Cassia. Ik weet wel iets van het Nieuwe Testament, maar Oudtestamentisch spreek ik niet vloeiend. Niet zo vloeiend als jij in ieder geval.'

'*Er is niet altijd overvloed ...*'

'Natuurlijk niet, maar 'altijd' is een ideetje van God, toch? Het lijkt erop dat Hij wil dat je hier en nu overvloed hebt.'

Goed, ik wilde het eigenlijk niet, maar ik moest nu wel met grof geschut komen.

'Habakuk 2:9!'

Zelfs mijn opa citeerde Habakuk niet zo vaak, omdat het zo moeilijk te vinden was voor de gemeenteleden, weggestopt achter in het Oude Testament tussen Nahum en Sefanja.

Adam keek me vragend aan totdat ik citeerde: '*Wee hem die woekerwinsten maakt!*'

Ik had niet eens gemerkt dat de tranen me in de ogen gesprongen waren, totdat ik er een over mijn wang voelde biggelen.

Toen hij zijn armen naar me uitstak, protesteerde ik niet.

Ik snufte en snotterde in zijn shirt, maakte een puinhoop van ons allebei, totdat de emoties me uitgeput hadden. Ik snoot mijn neus in de zakdoek die hij me aangereikt had en maakte geen bezwaar toen hij beschermend een arm om me heensloeg. We bleven enkele minuten zwijgend op die manier zitten, beiden in gedachten verzonken. En toen hij weer iets zei, was het alsof de grond onder mijn voeten weggeslagen werd.

'Als je geloof zo'n belangrijke rol speelt in je leven, waarom vertrouw je God dan niet?'

'Hoe bedoel je?', vroeg ik gekwetst en beledigd.

Hij stond van de bank op en ging in de stoel tegenover me zitten. 'Het is duidelijk dat dat loterijgeld voor jou een negatieve geschiedenis heeft – gezinnen die lijden onder gokverslaving, geld dat besteed had kunnen worden aan zending of medisch onderzoek, een factor in echtscheidingen enzovoort.'

'Dus je snapt *wel* waarom ik het niet kan houden.'

'Waarom heb je het geld dan überhaupt?'

'Ik heb er niet met opzet loten voor gekocht, als je dat soms bedoelt.'

'Dat weet ik. Je hebt het door een misverstand in handen gekregen, doordat je de gewoonten van je collega's niet kende, door rare timing en wie weet wat nog meer. Ben je het daarmee eens?'

Ik knikte zwijgend en vroeg me af waar hij hiermee heen wilde.

'Als het zo onwaarschijnlijk was dat juist jij de loterij zou winnen – omdat je er niet in gelooft, er niet aan meedoet en zelfs bang voor geld lijkt ...'

Ik was een open boek voor die man.

'Probeer je eens in te denken dat jij precies de *juiste* persoon bent om het geld te hebben. Dan gaat het er niet om zo snel mogelijk van het geld af te komen, maar te ontdekken wat je ermee moet doen.'

En hoe zou ik dat moeten ontdekken?

Die zondag haastte ik letterlijk naar het grote antwoord toe.

De kerk zag eruit als een Hallmark-kerstkaart – zonder de sneeuw dan. Nu, in mei, groeide heldergroene klimop langs de oude roodbruine bakstenen, en overschaduwden reusachtige iepen het gebouw. De torenspits raakte de wolken bijna, en het gebrandschilderde glas zag er zelfs vanaf de buitenkant spectaculair uit.

In mijn jeugd had ik de gelovigen uit het verleden nooit echt gewaardeerd. Net als alle kinderen geloofde ik dat ik alles voor het eerst ontdekte, dat mijn bevindingen op een of andere manier geweldiger waren dan die van anderen, dat God speciaal tegen mij fluisterde over de bijzondere dingen die Hij gedaan had. Toen deed ik een liedboek open.

Opa Ben trakteerde ons vaak op wat hij 'het verhaal achter het verhaal' van de liederen noemde. 'Weet je,' vroeg hij dan, met zijn stem de spanning opbouwend totdat mijn ogen wijd openstonden, en Jane een stukje naar me toe schoof op de bank, 'dat de man die 'Amazing Grace' geschreven heeft, slavenhandelaar was voordat hij tot geloof kwam?'

'Ooit was ik verdwaald, maar nu ben ik gevonden; eens was ik blind, maar nu kan ik zien.' Dat was een understatement.

Voor hoeveel dingen ben ik nu blind?

'Help', mompelde ik tegen de Enige die luisterde. 'Alstublieft!'

Hoofdstuk 14

Het is Carrs wens geld te schenken aan kleine christelijke hulporga-nisaties die vaak met moeite het hoofd boven water kunnen houden en door de meeste gevers over het hoofd worden gezien. Hoewel het een bewonderenswaardig doel is, ontdekt Carr dat het pad naar liefdadig-heid niet alleen langs oprechte lieden gaat, maar ook langs fraudeurs, bedriegers en oplichters.
Dit komt nergens sterker naar voren dan in haar in snel tempo groei-ende familie. Er arriveren dagelijks brieven van doodgewaande ooms en tantes die om geld, hulp en zelfs een studiebeurs vragen ...

Adam was begonnen Cassia in het kort over zijn werk te vertel-len. Dat hij zo vaak in het buitenland was omdat hij onderzoek deed voor artikelen die hij schreef. Ze had niet geïnteresseerd ge-leken in de artikelen, maar wilde meteen weten welke landen hij bezocht had en of op een kameel rijden echt zo ongemakkelijk was als ze zeiden. Aangezien ze zelf zo argeloos was, ging ze er zonder meer van uit dat anderen ook volkomen eerlijk tegen haar waren.

Adam staarde naar zijn computerscherm met emoties die in zijn binnenste om de voorrang vochten.

Wat ben ik? Een schoft of een hulpverlener? Een achterbakse bedrieger of een weldoener?

Tegenstrijdige gedachten raceten door zijn hoofd als marathonsprinters toen hij aan de uitdrukking op Cassia's gezicht dacht. Schuldgevoel – een emotie die hij zelden voelde – stak de kop op.

Hij had zojuist geprobeerd haar voor zijn eigen karretje te spannen. Deze vrouw kon hem als geen ander in de war brengen. Hij had strijdlustige radicalen, eigenzinnige dictatoren van kleine landen, rebellenleiders en – het ergst van allemaal – politici geïnterviewd. Maar geen van hen had hem zo van zijn stuk gebracht als Cassia. Toch bespeelde hij haar als een instrument, liet hij haar doen wat hij wilde en beïnvloedde hij haar voor zijn eigen doelen.

Echt een schoft.

Toch?

Het was duidelijk dat hoe meer hij over haar wist en hoe langer hij ervoor kon zorgen dat Cassia het geld zelf zou houden, zijn verhaal des te beter zou worden. En misschien was hij te scrupuleus geweest toen hij Terry's voorstel van de hand had gewezen. Het zou natuurlijk niet goed zijn het nu met Cassia over Burundi te hebben, maar als ze zou besluiten naar verschillende goede doelen te kijken, zou hij misschien over een tijdje de gelegenheid krijgen om haar te laten zien dat zijn goede doel belangrijker was dan alle andere.

Maar hij hoorde haar niet te vertellen dat dit geld 'Gods wil' voor haar leven was als hij alleen maar hoopte dat ze het zou houden, zodat hij een goed verhaal kon schrijven dat kranten en tijdschriften zouden willen publiceren of dat misschien wel een boek zou kunnen worden en misschien zou kunnen bepalen waar het geld heen zou gaan. Hij had niet meer gebeden sinds hij uit Burundi teruggekomen was. Het was ironisch dat hij nu voor iemand anders 'Gods wil' erbij haalde.

Maar wat moet een zielig rijk meisje? Zelfs mensen uit haar eigen geboortestad proberen hun deel van haar buit op te eisen. Wie ze kan vertrouwen, zo heeft Carr ontdekt, is net zo moeilijk als bepalen wat ze met het geld zelf moet doen ...

Adam keek naar zijn computerscherm. Dit meisje moest niet alleen tegen zichzelf beschermd worden, maar tegen iedereen met dollartekens in plaats van pupillen in zijn ogen. En hij was er één van. Maar hij wilde haar geen pijn doen. Hij stelde haar belang voorop.

Daarmee ben ik dus een van de heel goeden, hè?

Adam liep als een gekooid dier de kamer rond en merkte niet eens dat Pepto, met zijn afgebroken tand, sjofel en duidelijk genietend van het geijsbeer en ongenoegen van zijn baasje, vlak achter hem aan liep. Toen hij ging zitten, haalde hij een tweede verhaal tevoorschijn waarmee hij bezig was.

In Centraal-Afrika, ver buiten de gedachten en harten van de meeste mensen, ligt Burundi, een helemaal door andere landen ingesloten, bergachtig land, niet veel groter dan de staat Maryland. Het wordt bewoond door de Tutsi's, de Hutu's en de oorspronkelijke Twa-pygmeeën. De spanningen tussen de Tutsi's, die oorspronkelijk uit Ethiopië en Uganda komen, en de Hutu's bestaan al tientallen jaren, en in de afgelopen veertig jaar is het al vele malen tot een uitbarsting gekomen. Het leven daar is zwaar, met dreigende droogte, overstromingen en aardverschuivingen. En afgezien daarvan is er nog de tol die AIDS eist, een ziekte waarmee meer dan elf procent van de Burundezen besmet is, en die de bevolking verwoest door een lagere levensverwachting, een verminderd aantal levende geboorten en een verhoogd sterftecijfer. Nog geen drie procent van de bevolking haalt de vijfenzestig. De gemiddelde levensverwachting is bij benadering zesenveertig jaar ...

En velen leven niet eens langer dan een paar maanden of jaren, mijmerde hij. De woorden op het scherm teisterden hem. De gemiddelde Burundese vrouw kreeg zes kinderen. Hoeveel daarvan uit ieder gezin overleefden hun jeugd? Hij wilde er niet eens over nadenken.

Burundi, Cassia en haar ongewenste geld spookten door zijn

hoofd. Hoe kon het verkeerd zijn zo veel te willen voor die kleintjes wier trieste levens in maanden in plaats van in jaren geteld moesten worden? Alleen al bij de herinnering brak het zweet hem uit.

Hij was op bezoek geweest in het huis van een vrouw die, zo vertelde men hem, voor wezen en verschoppelingen zorgde. Haar werk werd steeds zwaarder door AIDS, waardoor jonge ouders niet langer voor hun kinderen konden zorgen. Het was een van de vele beelden die hij niet van zich af had kunnen zetten na zijn terugkeer in dit land van overvloed. Kampvuren, gescheurde dekens of delen daarvan, voedsel voor een of twee mensen dat onder zes of zeven mensen verdeeld werd – het was een hartverscheurend tafereel. Maar vooral de ogen van de kinderen hadden hem aangegrepen. Ze waren als kleine zwarte gaten die in een deken gebrand waren – grauwe oogleden, holle oogkassen, ogen die vanuit uitgemergelde gezichten een sombere toekomst in keken. Ze hadden Adam doen denken aan minimensen die wachtten op hun dood. De wanhoop van de kinderen had hem als een onzichtbare golf overspoeld, een ijzig miasma dat hem diep in zijn ziel geraakt had. Het was een plaats die niemand ooit *wilde* bezoeken. Zelfs degenen die niet dood waren, leefden ook niet echt. Ze wachtten gewoon op hun einde. De sporadische rantsoenen die ze soms ontvingen, vormden een bijna wrede verlenging van het onvermijdelijke.

Hij herinnerde zich dat hij in de hut op zijn knieën gevallen was alsof iemand hem met een knuppel tegen zijn benen geslagen had.

Frankie, zijn fotograaf, had het er ook moeilijk mee gehad.

'Ik kan de beelden niet van me afschudden', had hij tegen Adam gezegd toen ze elkaar een week eerder gesproken hadden. 'Het lukt me niet me op iets te concentreren. Ik kan niet helder denken. In plaats daarvan zie ik alleen maar de kinderen in die hut voor me. Er gebeurt iets met me, Adam. Ik kan mezelf niet losmaken van het verhaal. Ik zie mensen die te veel kopen, te veel eten, te veel klagen, en ik wil tegen hen schreeuwen. Beseffen ze niet hoe goed ze het hebben?'

Meer dan eens had Adam Frankie op een afgelegen plek aangetroffen met de tranen over zijn wangen. Ze hadden allebei hun portefeuille geleegd, het geld in een mand gestopt en het aan de verzorger van de kinderen gegeven. Haar reactie had hen diep geraakt.

'Voor de volgenden', had ze gezegd. 'Voor de volgenden.'

Het was volkomen duidelijk dat ze er niet van uitging dat deze groep kinderen er nog lang genoeg zou zijn om er ook echt baat bij te hebben, of dat de toestroom van dakloze, hulpeloze kinderen zou ophouden. Er zouden meer uitgehongerde, zieke kinderen volgen.

Adam klemde zijn kaken opeen, en er klopte een ader in zijn nek. Het speet hem dat hij aan Cassia's verhaal begonnen was, maar de teerling was geworpen – de uitgevers en tijdschriftredacteuren zaten te wachten. Het was een bittere pil, maar hij was bereid hem in te nemen. Hij hoopte met heel zijn hart dat Cassia, als ze gezien had wat hij had gezien, begrijpen zou waarom het zo belangrijk was iedere cent die hij missen kon, aan die mensen te geven. Maar op dit moment had ze geen idee wat hem bezighield. Ze kende hem eigenlijk helemaal niet.

Zijn plan was nu een eigen leven gaan leiden. Hij kon haar verhaal verkopen, en als er een God was – een groot 'als' voor hem op dit moment –, was zij misschien ook wel bereid dat geld aan de kinderen te geven.

Maar als ze het geld te snel weggaf, waar zou het dan terechtkomen? Wat was zijn rol hierbij? Verrader of ridder op het witte paard? Misschien een klein beetje van beide. Hij zou alles doen of zeggen wat nodig was om ervoor te zorgen dat 'zijn' kinderen van Cassia's geld zouden profiteren. Hier, in het appartement onder het hare, had Adam een voorsprong op de anderen. Ze vertrouwde hem. Ze was openhartig en loslippig, naïef en lief, onschuldig en onaangetast door de grote, boze wereld. Cassia was een klein wonder in de moderne tijd. En ze was echt. Ze zou met hem praten, haar gedachten net zo bereidwillig delen als haar bloemen, fruitsalade en haar geloof. Een fantastisch verhaal uit haar krijgen was net zo gemakkelijk als snoep afpakken van een klein kind.

Adam bleef even stokstijf staan alvorens zichzelf te corrigeren. Als snoep afpakken *voor* een klein kind. Dat moest hij niet vergeten. Wat hij deed, was *voor* de kleine kinderen.

Hij wierp een blik op zijn horloge. Hij moest er even tussenuit. Hij pakte zijn sleutels en liep zijn appartement uit.

'Hé, ouwe rakker, hoe is het met jou? Je hebt de hele avond nog bijna geen woord gezegd.' Dick Aimes sloeg Adam op zijn schouder. Dick, ook journalist en goede vriend, was ongeveer tegelijkertijd met Adam begonnen te schrijven. 'Is er iets aan de hand?'

'Acclimatiseren, dat is alles.'

Hij was naar zijn vrienden toe gegaan voor een van hun traditionele woensdagavondbijeenkomsten en zou – in ieder geval in theorie – plezier moeten hebben.

Een van de anderen aan de tafel, een nieuwsverslaggever, voegde eraan toe: 'Blijf een tijdje thuis. Ik moet tegenwoordig rechtbankverslagen doen. Neem mijn baan ... alsjeblieft.'

'Dick zei dat je onderzoek doet voor een nieuw verhaal en dat je niet wilt zeggen wat het is. Wat is het grote geheim?'

Adam deed zijn mond open om te antwoorden en deed hem toen weer dicht. Het grote verhaal was het ethische vraagstuk waarvoor hij stond. Hij bevond zich al op de gladde helling van de hoge weg naar de lage. Hij wilde niets zeggen wat zijn leven nog moeilijker zou maken.

Voor het eerst sinds hij uit Burundi teruggekeerd was, besefte hij dat hij God miste. Er was een tijd geweest dat hij het aan Hem had kunnen voorleggen en advies zou hebben gekregen. Helaas bestond God niet meer voor hem. Daar had Burundi wel voor gezorgd.

Hoofdstuk

15

Ik liet de deurbel drie keer rinkelen voordat ik besloot open te doen.

Jane en oma bellen altijd voordat ze langskomen, en ik herken Adams speciale klopje. En afgezien daarvan weet Winslow door een of ander dierlijk instinct altijd precies wanneer Adam voor de deur staat. Hij gaat staan janken totdat ik Adam binnenlaat. Als ik niet onmiddellijk kom, kijkt Winslow me boos aan. Ik *denk* tenminste dat het boos is. Wie weet hoe een harige halve herder in werkelijkheid kijkt?

Om een of andere vreemde reden is Winslow gek op Adam, en Pepto dol op mij. We hebben het nog niet aangedurfd die twee samen in één kamer te zetten uit angst dat dan de Derde Wereldoorlog zal uitbreken. We maken ons vooral zorgen om Winslow, aangezien Pepto het tegen alles en iedereen opneemt, van de koelkast tot de koerier van UPS.

Daarom is Adam overgeschakeld op een andere koerier.

Tot mijn verbazing en plezier zag ik mijn vriend Randy door het spionnetje aan de andere kant van de deur staan. Ik vind het leuk als hij na het werk langskomt.

'Hé, vreemdeling!' Ik gooide de deur open en gebaarde hem binnen te komen. 'Hoe is het bij Parker Bennett?'

'Nogal saai.' Hij zag eruit als een leeggelopen ballon. 'Je bent nu vast wel van gedachten veranderd en erachter gekomen dat je niet terug hoeft naar de wereld van de werkenden.'

'Dat heb ik helemaal niet besloten. Ik weet alleen dat ik niet terugga naar Parker Bennett. Ik moet toch ergens van rondkomen. Wil je iets drinken? Frambozenijsthee? Kruidenthee?'

'Wat jij neemt, is prima.' Hij trok een stoel bij de keukentafel vandaan en liet zich erop vallen.

'Wat is er aan de hand?' Ik schonk de thee over de ijsklontjes heen en ging bij hem aan tafel zitten. Ik had niet doorgehad hoezeer ik onze dagelijkse babbeltjes miste totdat ik ze niet meer had.

'Iedereen houdt zich alleen maar bezig met het feit dat jullie de loterij hebben gewonnen.'

Ik denk dat dat me niet zou moeten verbazen. Stella en Cricket zijn de afgelopen dagen op reis geweest, en zij zijn mijn enige informatiebron over Parker Bennett. Stella is aan boord van de Queen Elisabeth II naar Europa gegaan en vliegt terug wanneer die is aangemeerd. Cricket brengt het weekend door op een 'vetboerderij'. Ze heeft alle beautyfarms in het land bekeken en een top tien samengesteld, en die probeert ze nu één voor één. Ze hoopt dat ze niet alleen een geweldige vakantie heeft, maar ook nog eens slank en fit terugkomt. Helaas is ze er tot nu toe alleen nog maar achter gekomen dat ze zwaar allergisch is voor lichaamsbeweging en alles wat haar aan het zweten maakt, en dat ze *gek* is op granola en sojamelkijs. Ik denk dat ze al blij mag zijn als ze niet *aangekomen* is wanneer ze thuiskomt. De enige verbetering die ze me tot nu toe gemeld heeft, is dat ze nu een video over 'stalen spieren' heeft en overal mee naartoe neemt, 'gewoon voor de zekerheid'. Ze vertelt me nooit waarvoor precies, maar als ze een groep vrouwen tegenkomt die verschrikkelijk graag willen trainen en zich toevallig in een gymzaal bevinden, zal zij de held van de dag zijn.

'Laat me eens raden. Ze zouden allemaal willen dat een van hen gewonnen had.'

'Zo ongeveer.'

'Ga verder', moedigde ik hem aan. 'Ik heb al in geen tijden

meer iets over de zaak gehoord.' Ik had niet lang met mijn collega's samengewerkt, maar ik miste hen toch. Bovendien, als Randy zou vragen wat ik tegenwoordig deed, zou hij doodgaan van verveling bij het horen van mijn antwoord.

'Je weet natuurlijk van Bob.'

'Bob? Aardige vent. Ik denk de laatste tijd vaak aan hem. Wat is er met hem aan de hand?'

Randy's mond zakte open. 'Heb je het niet gehoord? Het heeft in alle kranten gestaan en is zelfs op televisie geweest.'

'Mijn televisie is nog niet aangesloten,' bekende ik, 'en ik heb gemerkt dat dat me eigenlijk wel bevalt. De bibliotheek is hier in de straat, en ik lees nu alle boeken die ik altijd al een keer wilde lezen.' Ik voelde mezelf blozen. 'En wat kranten betreft, nou ja, ik schrijf zelf een beetje. Ik ben bezig met een schattig verhaaltje over een bastaard golden retriever/herdershond en een misdadige kat ... Ik heb me alleen nooit op een krant geabonneerd.'

'Dus je weet niet dat Bob in de gevangenis zit?'

Ik bleef met een ruk staan, precies tussen de eiernoedels en de champignonsoep in. 'Bob? In de gevangenis?'

'Als hij er nog niet in zit, zal dat niet lang meer duren.' Randy schudde triest zijn hoofd. 'Man, man, Cassia, ik had nooit gedacht dat geld zoiets met een mens kon doen.'

'Wat heeft dat geld ermee te maken?'

'Hij kreeg het idee dat zijn nieuwe geld hem onoverwinnelijk maakte, denk ik. Voor zover ik gehoord heb, was Bob drie dagen en nachten in het casino. Hij verloor behoorlijk wat geld en was daar nogal chagrijnig over. Hij reed blijkbaar boos en uitgeput naar huis. Hij werd aangehouden door een agent en viel flink uit. Toen beschuldigde de agent hem van belemmering van de rechtsgang en zei dat hij hem zou arresteren.'

'O, nee.'

'Maar dat is nog niet alles. Hoewel hij zo veel verloren had, had Bob blijkbaar nog steeds een boel geld op zak, dus hij probeerde de agent om te kopen om hem te laten gaan.'

Ik slaakte een diepe zucht. 'Nee, toch ...'

'Jawel. Een agent omkopen. Al dat geld, en nu zit hij zo in de ellende. Ze zeggen dat hij al zo veel vergokt heeft en nog zo veel rekeningen en boetes heeft liggen dat hij nauwelijks meer miljonair zal zijn tegen de tijd dat alles betaald is.'

Er welde een pijn op in mijn borst. 'Hij was zo aardig tegen me, de eerste dag dat ik bij Parker Bennett kwam werken', mompelde ik. 'Ik kreeg grote problemen met een klant, en Bob kwam me meteen helpen. Ik heb zijn vrouw en zoon ontmoet toen ze hem van het werk kwamen halen. Leuke mensen. Ze heeft me nog uitgenodigd om eens op de koffie te komen.'

'Misschien is het wel goed dat ze dat gedaan heeft, Cassia. Ze zal best een hoop steun nodig hebben. Het rechtssysteem is heel hard voor mensen die agenten proberen om te kopen.'

'Ik snap het niet.' Ik zette mijn ellebogen op tafel, liet mijn kin op mijn handen rusten en staarde Randy aan. 'Waarom heeft hij dat gedaan? Hij had alles wat hij wilde of nodig had.'

'Omdat hij verslaafd is, Cassia. We weten het al jaren in het bedrijf. Jij was er nog maar drie weken, en je zag het al. Met dat geld kon hij gewoon helemaal los gaan. Bob wilde altijd al belangrijk zijn.' Randy leek van streek. 'Het spijt me dat ik zulk slecht nieuws heb. Ik wilde alleen even langskomen, gedag zeggen en vragen hoe het met jou gaat.'

Ik ben zelfs wantrouwig ten opzichte van Randy – en ik ben echt gek op hem. Hoewel ik van nature niet achterdochtig ben, ben ik zo schichtig geworden dat ik iedereen alleen nog maar vertrouw zolang ik hen kan zien. Het is niet mijn aard, en ik vind het ook maar niks.

Randy moet mijn gedachten aangevoeld hebben, want hij voegde eraan toe: 'Ik ben hier niet om te spioneren, Cassia.' Hij zag er zo wanhopig uit dat ik bijna grinnikte toen hij eraan toevoegde: 'Man, wat heb ik een slechte timing. Ik ga iedere dag tegen mezelf tekeer sinds jij dat geld gewonnen hebt. Weet je nog dat we samen met de lift naar boven gingen die ochtend dat je de loterij gewonnen had?'

'Ja.'

'En dat ik maar bleef zeuren dat je een nieuwe auto moest kopen?'

'Ja.'

'Ik wilde je die avond mee uit vragen. Ik zag je de parkeerplaats op komen rijden in die roestbak van je en besloot het erop te wagen. Ik gebruikte de auto als smoes om afspraakjes te maken. Ik dacht dat we samen naar autodealers zouden kunnen rijden en dan ergens wat zouden kunnen gaan drinken. En toen', ging hij verder, 'kwam jij het kantoor binnen en hoorde je van het geld. Ik wist meteen dat ik je nooit meer mee uit kon vragen zonder de indruk te wekken dat ik op iets uit was.'

Hij haalde zijn lange vingers door zijn zandkleurige haar. 'Ik snap dat ik mijn kans gemist heb. De blik in je ogen zegt genoeg.'

'O, Randy. Het zou heel lief geweest zijn.'

'Het is verleden tijd, dus? 'Zou geweest zijn'?'

'Op dit moment in ieder geval wel', zei ik spijtig. 'Het breekt mijn hart. Het spijt me verschrikkelijk maar het overweldigt me. Wat één ding betreft, heb je gelijk. Mensen zijn niet altijd zoals ik hoop dat ze zijn.' Ik vertelde hem over de brief van de burgemeester, dat ik door een klein jochie belazerd was, de bizarre liefdadigheidsinstellingen die me bleven lastigvallen en nog een heleboel andere zielige verhalen. Tegen de tijd dat ik klaar was, zaten we allebei te lachen.

'Dat je het maar weet, Cassia, ik begrijp je helemaal. Als het niet te veel gevraagd is, zou ik af en toe even kunnen langskomen om je op de hoogte te houden van wat er op de zaak gebeurt?'

Het feit dat hij weigerde op te geven, was vleiend. 'Dat zou ik leuk vinden.' Ik vraag me af of de FBI een afdeling heeft die de achtergrond van mogelijke partners controleert. Je zou rijk kunnen worden met zo'n dienst. Stella alleen al zou hun waarschijnlijk een dagtaak kunnen verschaffen.

'Ik beloof het. Geen gesprekken over geld.' Hij stond op. 'Luister, ik moet er weer eens vandoor. Dank je wel voor de gastvrijheid.' Hij pakte mijn hand, en ik voelde de zachte warmte van zijn handpalmen. 'Ik heb je gemist, Cassia.'

'En dank je wel – denk ik – voor het nieuws over Bob.' Ik trok mijn hand terug. 'Misschien bel ik zijn vrouw wel.'

Winslow rende speels tussen ons in toen we naar de deur liepen. Tot onze verbazing stond Adam in de gang, net op het punt om aan te kloppen. Adams gezicht veranderde van ongedwongen in bedachtzaam en in opgelucht, allemaal in een oogwenk. Ik voelde op dat moment aan dat Adam Randy had opgenomen en hem gemonsterd had als iemand die in de gaten gehouden diende te worden. Vreemd.

Ik liep met Randy mee naar de trap, en toen ik in het appartement terugkwam, hield Adam Winslow bij zijn halsband vast en waren hun hoofden op slechts enkele centimeters van elkaar verwijderd. Adam brabbelde iets tegen Winslow, en Winslow leek hem uitstekend te kunnen verstaan. Winslow kijkt Adam vaak aan met die verliefde blik die jonge minnaars hebben.

Misschien ben ik gewoon jaloers.

Ik zette de beschamende gedachte van me af dat ik, een volwassen vrouw, jaloers was omdat mijn hond Adam net zo leuk vindt als mij. Ik glimlachte opgewekt. 'Hoe gaat het met jou?'

'Gaat wel.' Adam keek me onschuldig aan. 'En met jou?'

'Dat was een vriend van mijn werk.' Ik liep de woonkamer in, en Adam volgde me. Omdat we allebei het grootste deel van de dag thuis waren, hadden we vaak burengesprekjes met elkaar. Als zijn deur openstaat, weet ik dat dat een teken is dat gezelschap welkom is. Hij lijkt geen uitnodiging nodig te hebben om hier langs te komen. Omdat we zo dicht bij elkaar wonen, zijn we zowel buren als vrienden, maar we stellen Winslow en Pepto even zo goed niet aan elkaar voor.

'Wat doet je vriend bij Parker Bennett?'

'Hij is een accountant. Een 'getallenkraker', zegt hij zelf. Hij pest me altijd met mijn auto en zegt dat ik een nieuwe nodig heb.'

'Ja, hoe zit het met die auto? Hij haalt de huizenprijzen in de buurt naar beneden.' Hij gaapte en rekte zich uit zoals Pepto na een uur in de zon ook doet, waarbij zijn spieren opbollen onder zijn grijze T-shirt. Die buikspieren waren ongetwijfeld het resultaat van urenlang buikspieroefeningen doen. Adam zou met gemak reclame kunnen maken voor de plaatselijke sportschool.

'Hij staat in de garage.'

'Ja, en mijn Hummer vindt hem daar ook geen fijne aanblik.

Hij is een belediging voor het oog, Cassia.' Hij ging op de bank zitten en klopte op het kussen naast hem.

Ik ging naast hem zitten. 'Hij brengt me waar ik heen moet.' *Mmm, nieuwe aftershave.*

'Misschien wil je in de toekomst ooit nog weleens meer dan twintig kilometer rijden voordat de radiator oververhit raakt, het touw dat de uitlaat op zijn plek houdt, eraf valt, en wil je de raampjes opendoen, die volgens mij allemaal vastgeroest zijn.'

'Ik heb een afspraak om hem te laten repareren, oké?'

Wat hebben mannen toch met auto's? Het is alsof een oude auto – goed dan, in mijn geval een roestbak – een persoonlijke belediging voor hen is, een opzettelijke aanslag op hun gevoel.

'Hij staat deze week gepland, en ik ga hem donderdag wegbrengen.'

'Gepland? Cassia, je bent multimiljonair. Ga een nieuwe auto kopen. Een *gloednieuwe* auto.' Hij zag mijn gezichtsuitdrukking en hief zijn handen. 'Ik snap het niet. Wat is een nieuwe auto nu nog voor je? Je zou er al tien kunnen kopen van de rente die je tot nu toe gekregen hebt.'

Mijn mond viel open, en mijn ogen werden groot van schrik. 'Rente? Bedoel je dat er nog *meer* komt? Ik had helemaal niet gedacht aan rente!'

'Je hoeft er niet zo verdrietig van te worden. De meeste mensen vinden het wel prettig slapend nog rijker te worden.'

'Ik niet. Houdt die geldstroom dan nooit op?'

Adam keek me zo intens aan dat ik dacht dat zijn blik me doorboren zou. Hij zat met iets en probeerde te bedenken of hij het zeggen moest of niet.

'Kom er maar mee voor de draad', beval ik. 'Je denkt zo hard dat ik het kan horen kraken.' Ik nestelde me steviger op de bank. Winslow kwam aanlopen om mijn hand te likken.

'Wil je woensdag samen met me lunchen?'

Krijg nou wat! Adam Cavanaugh vraagt mij mee uit? Ik wilde met mijn hoofd tegen iets aan bonzen om te zien of mijn oren en hersens het nog wel deden of dat er ergens kortsluiting was ontstaan.

'Dat lijkt me leuk', hoorde ik mezelf zeggen. Ik speel geen spelletje. Eten is eten, en plezier is plezier. Ik sla geen van beide af, als het aan mij ligt.

Ik moest mijn enthousiaste brein onmiddellijk een halt toeroepen. Ik was degene die meteen aan een afspraakje dacht. Hij had me mee uit gevraagd – geen afspraakje, gewoon mee uit. Uit eten. Zoals alle normale mensen doen. Ik heb al zo lang geen sociaal leven meer dat ik me dingen begin in te beelden. Geen achterliggende bedoelingen, maar gewoon een goed gesprek, een tandenstoker en een pepermuntje. Ik begin een beetje wanhopig te verlangen naar gezelschap van het andere geslacht.

Ik heb gisteravond zelfs een halfuur met Ken gepraat.

'Wat is er allemaal gaande in de grote stad, schat? Vuurgevechten? Wilde achtervolgingen? Fraudezaken? Corruptie? Doe je je ramen en deuren wel goed op slot?' Ik hoorde Kens kauwgom knappen terwijl hij op antwoord wachtte.

'Je hebt wel het slechtste beeld van het stadsleven dat ik ooit gehoord heb. Het is hier geweldig.'

'Ja, vast. Mis je me?'

'Als een boer met kiespijn.'

Ik voelde me wel een beetje schuldig toen ik dat zei, omdat ik in feite blij was toen de telefoon ging, en ik op de nummermelder zag dat het eindelijk eens geen familielid van me was. Helaas is Ken nooit beledigd, en mijn opmerking gleed van hem af alsof hij teflon droeg.

'Je hebt je gevoel voor humor tenminste nog. Wanneer kom je thuis?'

'Dat weet ik niet.'

'Waarom kom je niet hier? Je kunt in het huis van je oma wonen. Ik heb een paar nieuwe waterscooters, dus we kunnen ergens op een meer spelen. Ik zit ook te denken aan quads. Of misschien vind je een paar rijpaarden leuker. Ik weet hoe gek je op dieren bent, vooral op Winslow. Zeg eens, hoe oud is die grote zwabber eigenlijk? Ik mis hem naast me in de wagen, met zijn grote kop uit het raam ...'

Hoezeer ik me er ook tegen verzette, ik werd een beetje week bij Kens poging om lief te zijn. Hij is echt een van de vrijgevigste mensen op aarde. Eigenwijs, maar vrijgevig. Hij is ook, zoals mijn vrienden in Simms duidelijk proberen te maken, charmant, makkelijk in de omgang, grappig, knap, rijk, enthousiast en helemaal gek op me. Ken heeft zelf tegen me gezegd dat ik net zo belangrijk voor hem ben als zijn hond Boosters. Doordat ik zoveel van Winslow houd, begrijp ik dat. Ik denk dat het het liefste is wat hij ooit tegen me gezegd heeft.

Oké, misschien vind ik hem wel leuker dan ik laat blijken ...

We hebben het over een heleboel dingen gehad − onze gemeenschappelijke vrienden, de verbouwing van de oude bioscoop, het nieuwe bord dat in het park gezet is en de fratsen van Kens vrienden. Als iemand zou hebben meegeluisterd, zou die gedacht hebben dat we het over twaalfjarige jongens hadden, niet over volwassen mannen.

'Je vriendin Greta valt me steeds lastig. Ze wil een vrouwenfeestje geven als je terugkomt. Ze denkt dat je veel hebt om over te praten nu je miljonair bent.'

'Vast wel.'

'O, Cassia, doe er niet zo somber over. Ik weet dat je niet materialistisch bent en dat je bijna allergisch bent voor geldverspilling, maar ik ben nu al een aantal jaar miljonair, en mij bevalt het wel.'

Ik barstte onwillekeurig in lachen uit. Alleen Ken kan miljonair zijn vergelijken met een ander leuk tijdverdrijf als bowlen of picknicken.

Dat is waarschijnlijk de reden waarom ik toch dol ben op die man. Geld is niet belangrijk voor hem. Hij houdt van werken omdat hij geniet van wat hij doet. Hij geniet van de uitdaging prachtige huizen te bouwen en de reacties van zijn klanten te zien. Hoewel hij het zelfs als hij met de dood bedreigd werd, nooit zou toegeven, is hij artistiek. Dat komt naar voren in de huizen die Ken bouwt. De details zijn altijd precies goed, het werk is foutloos en er zijn altijd van die kleine extra's die zo belangrijk zijn.

Wanneer iemand in een van Kens huizen gaat wonen, staan er

al bloemen om diegene te verwelkomen, ligt er een doos chocolaatjes en een bedankje voor de aanschaf van een van Kens huizen. En iets wat zowel gek als attent is, Kens handtekening in zijn nieuwe huizen is dat de kastjes in de badkamer altijd vol liggen met zeep, toiletpapier en tandenborstels. Er is altijd brood, en er staat een pak melk in de koelkast voor de nieuwe huiseigenaren. Als hij weet dat het een gezin met kinderen is, ligt er meestal ook een doos ijsjes in de vriezer. Wanneer de verhuizers vertrokken zijn en het gezin in de puinhoop achterblijft, zijn er in ieder geval basisvoorzieningen die ze niet in dozen hoeven te zoeken. Hoe eenvoudig, attent en ongewoon zijn praktijken ook zijn, Kens handelsmerk wordt vermeld in lokale kranten, vastgoedbrochures en zelfs nationale kranten. Steeds wanneer er een verhaal gepubliceerd wordt, verkoopt het artikel een half dozijn huizen. Ken leeft volgens de gouden regel anderen net zo te behandelen als hij zelf behandeld zou willen worden. Nu zit hij eraan te denken ook nog een pond koffie en een fruitmand aan zijn welkomstgeschenk toe te voegen.

Zelfs Ken begint de ware voor me te lijken.

Om een lang verhaal kort te maken, ik moet er nodig eens tussenuit.

Ertussenuit werd uiteindelijk een uitstapje met Mattie naar de kerk waar ik op zondag heen ga.

'Er is deze week een spreienshow bij jou in de buurt', zei oma Mattie. 'Ik las het in de krant. Wil je er dinsdag heen? Morgen?'

Dat betekende dat Mattie er graag heen wilde. En ik kon wat afleiding niet zomaar van de hand wijzen. Winkelen was niet leuk. Ik keek naar dingen in de wetenschap dat ik ze me kon veroorloven en herinnerde mezelf dan aan de belofte die ik mezelf gedaan had geen cent van het loterijgeld uit te geven totdat ik zeker wist wat ik ermee moest doen. Ik ben echt een zielig rijk meisje.

Ik reed in mijn wrak naar Mattie toe en wachtte bij de deur op haar. Ze kwam naar buiten in een felpaars broekpak met een hoed met een veer waarvoor zelfs een pauw zich zou schamen.

O, nee, ze hadden haar ook ingepalmd, die groep vrouwen uit

haar complex die paarse kleren en rode hoeden droegen. Die groep is een cultureel fenomeen – bejaarde vrouwen die alle voorzichtigheid laten varen en lol hebben om, nou ja, gewoon om de lol.

'U ziet er ... f-feestelijk uit', stamelde ik. Haar hoed zag er, afgezien van de rode veren, uit als een bolhoed die Sherlock Holmes zou kunnen dragen of een klodder rode gelei. Hoe dan ook, uit de vreemde, smalle rand staken veren als verwelkte bladeren.

'Agnes, mijn buurvrouw, heeft hem me geleend. Ik overweeg me bij hun club aan te sluiten, en dus stelde ze voor dat ik de hoed op proef zou dragen.'

Geweldig. Vroeger reden mensen in auto's rond om te zien hoeveel bewonderende blikken ze kregen. Nu doet mijn oma hetzelfde met een hoed. We leven in een vreemde wereld.

'Dus dit is de kerk waar je tegenwoordig heen gaat', merkte oma Mattie op toen we de parkeerplaats van de oude stenen kerk op reden. 'Wat mooi.'

'En de gemeente groeit.' Verkeersregelaars zwaaiden met vlaggen en gaven aanwijzingen opdat iedere centimeter van de parkeerplaats benut zou worden. Het deed me denken aan wat ze met vliegtuigen doen – nog een rij stoelen in het toch al bomvolle toestel plaatsen. Voordat je het weet, zetten ze er nog een paar rijen stoelen tussen en vragen ze de passagiers: 'Houd u alstublieft de komende twee uur uw adem in zodat u degene in de stoel naast u niet stoort.'

Ik hielp Mattie de auto uit en de kerk in. De grote zaal was omgetoverd in een droomwereld van spreien. Het zien van al dat beddengoed bij elkaar zorgde ervoor dat ik wilde gaan liggen om een dutje te doen. Mattie liep onmiddellijk met een verzaligde uitdrukking op haar gezicht de zaal in, iets mompelend over staalkaarten, blokhutten en vliegende ganzen, waarna ze een gesprek begon met een vrouw die naalden in haar revers geprikt had. Ze moest een officier in de spreienbrigade zijn. Ik liep naar het café dat in de keuken van de kerk aan de andere kant van de zaal gecreëerd was, glimlachend naar mensen die trots naast hun spreien stonden en hun naaitechnieken of materiaalkeuze wilden delen met anderen.

Ik heb één keer genaaid. Ik maakte in vier uur een schort, een theemuts en een paar servetten omdat ik gehoord had dat mensen prijzen wonnen op de jaarmarkt. Mijn moeder dankt alle grijze haren bij haar slapen aan dat ene naaiproject. Ze doet nog steeds dramatisch wanneer ze erover praat. De dokter van de eerste hulp had ten slotte tegen haar gezegd dat het niet nodig geweest was zowel mij als de naaimachine mee te nemen. Natuurlijk zat mijn vinger er nog steeds aan vast, vastgepind tussen de naald en de basis. Ik moet wel hard geschreeuwd hebben, want ik weet nog dat Jane met haar vingers in haar oren met ons meeeging. Ik ben een beetje een aanstelster, dat heb ik van nature.

'Mevrouw Carr?'

Ik keek op en zag dominee Carl Osgood glimlachend op me neerkijken. 'We hebben elkaar afgelopen zondag even gesproken, geloof ik.'

Golven van herinnering overspoelden me. Opa Ben herinnerde zich ook altijd alle nieuwe mensen in de kerk.

'Ja, ik woon nog niet zo lang in de stad. Ik heb enorm van het bezoek aan uw kerk genoten.'

'Mooi zo. Je bent van harte welkom. We hebben hier een actieve, groeiende gemeenschap. De Heer werkt op grootste wijze. En als je vragen hebt of als ik je van dienst kan zijn – geestelijk of op een andere manier –, bel me dan alsjeblieft of kom langs op mijn kantoor.'

Hmm. Er begon zich een idee in mijn gedachten te vormen.

'Dominee Osgood, ik vraag me af of u me iets kunt vertellen over de prachtige goede doelen die op dit moment krap bij kas zitten ...'

Tegen de tijd dat Mattie ons vond, had ik hem de belofte weten te ontfrutselen dat hij voor me op onderzoek uit zou gaan en 'een paar telefoontjes' zou plegen, om te zien of hij en iemand in nood me met mijn 'geldprobleem' konden helpen. Ik had nooit beseft hoeveel christelijke zendingsorganisaties, ziekenhuizen en scholen van over de hele wereld problemen hadden. Ik voelde een sprankje hoop in me opwellen. Als Osgood voor me werkte, zou ik mijn geld binnen de kortste keren kunnen weggeven.

Hoofdstuk
16

Adam stond buiten toen ik thuiskwam van de spreienshow. De sleutels van zijn Hummer hingen half uit zijn achterzak en hij had een colaatje in zijn hand. Ik parkeerde – Randy zegt liever: verstopte – mijn auto in de garage en liep naar hem toe.

Soms verlang ik naar een kersencola zoals Wilber Hanson ze maakt – met extra kersensiroop en een handvol cocktailkersen op verzoek. Meneer Hanson wilde in de jaren zeventig zijn apotheek oorspronkelijk moderniseren door de grote oude fontein weg te halen, maar aangezien die te groot was om gemakkelijk te verplaatsen, liet hij hem maar staan. Nu is het het beroemdste deel van zijn zaak. Hij heeft zelfs borden langs de snelweg laten plaatsen, net zoals Wall Drug dat doet. In plaats van met koud water te adverteren, belooft hij de beste kersencola in Zuid-Dakota. Ik denk dat als je maar lang genoeg wacht, alles uiteindelijk wel weer in de mode komt.

Mijn opa geloofde dat en hij gooide nooit iets weg. Maar oma heeft wel stiekem dat kunststof vrijetijdspak weggegooid dat hij ooit in een vlaag van verstandsverbijstering gekocht had, en het een nette begrafenis gegeven. Het was, voor zover ik me kan herinneren, het enige wat hij ooit gekocht heeft dat hem misstond.

Opa in vrijetijdskleding was net zoiets als oma op hoge hakken en met een boa ...

'Waar ben jij geweest?'

'Ik ben in de kerk geweest. En jij, Adam? Waar ga jij naar de kerk?'

Hij keek niet op. 'Ik ben veel op reis, hè.'

Nou dat liep gesmeerd. *Niet dus.*

Nadat we afscheid genomen hadden, drong het tot me door dat de reden waarom Adam en ik buren waren, misschien iets te maken had met zijn gebrek aan geloof. Misschien was ik hier om een of andere reden deel uit te maken van zijn geestelijke groei. Misschien was ik wel degene die hem tot de Heer kon leiden ... Ik had zendeling moeten worden. Ik heb het zeker in me verloren zielen te redden.

Geef me een teken, Heer, als het daarom gaat, bad ik in stilte. Ik bid de laatste tijd veel om tekenen. Ik hoop dat ik ze niet gemist heb.

Toen ik donderdagavond langs Adams deur liep, vroeg ik hem impulsief of hij nog boodschappen nodig had. Boodschappen voor Adam zijn kattenvoer, eieren, spek en bijna alles met 'kant-en-klaar' op het etiket. Hij had blijkbaar geen kattenvoer meer, want Pepto siste naar zijn etensbakje alsof er maar beter meteen iets in kon liggen, *want anders...* Pepto heeft lichtkoordjes, gordijntouwtjes en zijn pluchen speeltjes op grote schaal afgeslacht. Overal in Adams huis liggen kleine onthoofde plastic muizen. Je schrikt je een ongeluk als je er op eentje gaat staan terwijl je het niet verwacht.

'Natuurlijk. Ik ga wel met je mee', zei hij, en we gingen gebroederlijk op weg naar de plaatselijke supermarkt met een restaurant eraan vast.

Na vijf minuten winkelen hoorde ik een bekende stem.

'Cassia!'

Tot mijn verbazing kwamen kleine Betty en paranoïde Paula door het gangpad naar ons toe.

'Hallo, wat leuk jullie te zien. Jullie zien er fantastisch uit!'

Adam keek Betty en Paula al net zo onderzoekend aan als ze

hem opnamen. Ik zag hun antenne omhooggaan en ronddraaien. Paula drukte ook haar merktas dichter tegen haar borst aan. Ze mochten dan wel miljonairs zijn, maar een sappige roddel is iets wat je niet altijd met geld kunt kopen.

'Adam, dit zijn mijn vriendinnen en collega's van Parker Bennett. Misschien herinner je ze nog wel uit het hoofdkantoor van de loterij – Paula en Betty.' Ik voelde hem even verstijven en zich toen in zulke verblindende charme ontspannen dat zelfs ik de hitte voelde.

Betty en Paula ontdooiden onmiddellijk toen hij hun de hand drukte en met tegenzin los leek te laten.

Zo, die is goed. Mijn vraag is … waarom? Wat maakt Betty en Paula zo interessant behalve het feit dat ze miljonair zijn? Ik zag ze bezwijken voor zijn charme. Betty's wimpers knipperden zo snel dat het me verbaasde dat ze niet wegvloog.

Adam zou nu wel aan het geld gewend moeten zijn. Hij heeft mij tenslotte. Hoewel ik dat van mij natuurlijk niet uitgeef.

Jaloers, Cassia?

Ik wierp een blik op Adam. Hij *is* een adembenemende man. Hij is ruig, intimiderend, grappig, mysterieus en knapper dan goed voor hem is, naar mijn bescheiden mening.

Ik wendde me tot Betty. 'Hoe gaat het met je … echt, bedoel ik?'

Ik verwachtte ieder mogelijk antwoord, maar geen tranen.

Betty wreef over haar ogen terwijl Paula niets anders wist te doen dan haar op de schouder kloppen. Ten slotte hervond ze genoeg van haar zelfbeheersing om weer te kunnen praten.

'Het spijt me. Ik heb wat problemen met mijn kinderen.'

'Ik hoop dat er niemand ziek is?' Betty heeft drie kinderen die op de middelbare school zitten of al studeren.

'Ik had er geen idee van dat het feit dat ik dat geld gewonnen heb, hen zo zou beïnvloeden. Het kwam niet eens in me op dat het een probleem voor hen zou kunnen zijn.'

Zoals het een probleem voor mij was, vroeg ik me af.

'Ze zijn veranderd', zei Betty. 'We waren nooit rijk toen ze jong waren, maar we waren ook niet arm. De kinderen leken er geen problemen mee te hebben af en toe iets tweedehands te dragen of een tweedehandse auto te moeten delen. En nu ...'

Paula maakte haar verhaal af. 'Ze heeft problemen met hun geruzie en geschreeuw. Iedereen is bang dat Betty een van de kinderen meer geld geeft dan de anderen. Ik zei tegen haar dat ze het net zoals ik moest doen', ging Paula verder. 'Weet je nog dat ik dat testament heb geschreven? Nou, ik heb alle luiwammesen er meteen uit geschrapt. Je zou mijn schoonzoon nu eens moeten zien! Hij ruimt op en heeft een baan. Hij heeft de televisie opgegeven en is met fitness begonnen. En hij is zo beleefd als een koorknaap.'

'Hoe komt dat?'

'Hij wil weer bij me in de gunst komen, natuurlijk. Ik heb het geld van mijn dochter nu zo goed vastgezet dat hij er met een kettingzaag nog niet bij zou kunnen.' Paula glimlachte stijfjes, zelfvoldaan. 'Ik laat hem een paar jaar naar mijn pijpen dansen, en hopelijk, omdat mijn dochter van die nietsnut houdt, leert hij zo goede manieren. Misschien *wil* ik hem op zekere dag zelfs wel geld geven.' Ze lachte wreed. 'En tot die tijd hoef ik hem niet op de bank te zien liggen met één hand in een zak chips en de andere op de afstandsbediening.'

Adam, van wie ik bijna vergeten was dat hij naast me stond, mengde zich met een vraag in het gesprek. 'Dus het geld is niet echt een zegen voor je familie geweest?'

'Ik kan nu met zekerheid zeggen dat je met geld geen geluk kunt kopen.' Betty zuchtte. 'Maar ik had nooit gedacht dat geld mijn kinderen zo hebberig zou maken.'

'Waarom geef je het niet weg?', vroeg ik, hoewel ik heel goed wist wat voor reactie ik zou krijgen. 'Er zijn een heleboel goede doelen waaraan je het geld zou kunnen besteden.'

De beide vrouwen keken me aan alsof ik een kleurpotlood zonder doos was. 'Weggeven?', echoden ze tegelijk.

'Als het jullie en jullie familie zo veel ellende bezorgt ...'

'Niet *zo* veel ellende', protesteerde Paula.

'We luchten gewoon ons hart, Cassia. Dat weet je. Jij bent een van de weinige mensen met wie we tegenwoordig kunnen praten die het begrijpt ...' Ze keek me verlegen aan. 'Ik vond je gestoord dat je niet blij was toen je dat deel van het geld won, maar ik begin het nu te begrijpen. Het is niet zo gemakkelijk als ik dacht.'

'Maar we komen er wel uit', voegde Paula er snel aan toe. 'Maak je dus geen zorgen over ons.'

'Mag ik wel voor jullie bidden?'

Paula keek twijfelend omhoog, alsof God aan het plafond boven haar hing. 'Dat kan geen kwaad, denk ik.' Toen keek ze me argwanend aan. 'Maar niet hier, in het openbaar.'

'Thuis dan.' Ik nam Paula's rechter- en Betty's linkerhand in mijn handen. 'En als jullie je hart nog eens willen luchten, dan ben ik er, oké?'

Adam zei geen woord totdat we al halverwege de terugweg waren.

'Dus jij gelooft dat Paula en Betty voor hun behoeften op God zouden moeten vertrouwen, en het geld dat ze hebben, ten goede zouden moeten laten komen van anderen door het te delen met degenen die het het hardst nodig hebben?'

Eindelijk begreep iemand me.

'Waarom is dat dan geen goed advies voor jou? Waarom denk je dat jij zo anders bent dan anderen, Cassia? Voeg de daad bij het woord. Jij hebt het geld gekregen. Het is jouw verantwoordelijkheid, of je het leuk vindt of niet.'

'Ik ben zelf ook tot die conclusie gekomen', gaf ik toe, en ik vertelde hem over mijn gesprek met dominee Osgood. Ik had gedacht dat hij enthousiast zou reageren, maar hij knikte alleen maar met een bedachtzame uitdrukking op zijn gezicht.

'Adam?'

'Hmm?' Hij had zich vandaag niet geschoren, en de donkere schaduw van de stoppels op zijn gebruinde huid gaven hem een duistere, mystieke aanblik. Zijn wimpers, zo dik en zwart dat ik vrouwen ken die er een kies voor zouden ruilen, gingen heen en weer boven zijn hoge jukbeenderen en schermden zijn ogen af. Soms leek hij zo gevoelig en afwezig dat ik het gevoel kreeg dat deze man, ondanks alle tijd die ik met hem had doorgebracht, een volslagen vreemde was.

'Heb je een telefoonboek in je auto? Of kunnen we ergens stoppen waar een telefoonboek is?'

Hij keek me behoedzaam aan. 'Ik heb de Gouden Gids achterin liggen. Ik bel veel vanuit de auto.'

Ik vond het boek, draaide me weer om en liet me terug in mijn stoel zakken. 'Je hebt daar telefoonboeken, atlassen en wat eruitziet als een geografische bibliotheek. Wat doe je eigenlijk met die spullen? Zijn we in de buurt van ...' Ik legde mijn vinger bij de regel in het midden van de pagina en las het adres van mijn oma's appartementencomplex op. Ik kom er op mijn eigen manier, die niets te maken heeft met straatnamen. Ik ga rechtsaf bij McDonald's, linksaf bij Kentucky Fried Chicken en dan weer links bij Dairy Queen. Het is de fastfoodketentechniek.

Adam had tegen me gezegd dat hij 'even geen werk had' en dat hij schreef, maar ik had niet verder aangedrongen. Steeds wanneer ik besloot het te proberen, kreeg hij een gekrenkte blik in zijn ogen, die me zei dat hij er niet over wilde praten. Ik wil het ook niet steeds over Ken hebben, dus dat begrijp ik. Er zijn plaatsen waar iemand gewoon niet zomaar heen wil. Ik vraag me af of Adam ontslagen is door zijn laatste werkgever. Iedere keer wanneer hij er zelfs maar op zinspeelt, ziet hij eruit alsof hij in tranen wil uitbarsten.

'Nog andere persoonlijke boodschappen voordat de chauffeur weer in een witte rat, en de Hummer in een pompoen verandert?', vroeg Adam.

'Wil je mijn zus en mijn oma ontmoeten? Jane helpt oma iets te bakken.'

Soms sta ik versteld van mezelf. Waar ben ik mee bezig? Ik heb me er juist voor gehoed te veel over mijn knappe buurman te praten. Ik weet dat Jane en oma, als ze lucht krijgen van een nieuwe man in mijn leven, me nooit meer met rust zullen laten. Maar misschien zal oma wel ophouden te vragen wanneer ik voor het laatst in de wasserette geweest ben. Ze denkt nog steeds dat dat de beste plaats is om een afspraakje te versieren. Alsof ik ooit zou uitgaan met een vent die te gierig of arm is om zelf een wasmachine en een droger aan te schaffen.

Vreemd genoeg begint Ken er steeds beter uit te zien. Geld heeft hem niet veranderd. Dat hebben zijn vrienden me verteld. Misschien is het speelgoed dat hij koopt, groter – Harleys in plaats van gewone motoren, en bestelwagens met verlengde cabines in plaats van de gewone modellen –, maar hij zou niet van ellende bezwijken als al zijn geld morgen weg zou zijn. Hij zou er met Boosters en al zijn vrienden over praten, herinneringen aan die goeie ouwe tijd ophalen en weer aan het werk gaan. Daar schuilt een les in, denk ik.

Misschien verzacht afwezigheid het hart wel ... Toen wierp ik een blik op Adam en maakte de rest van de zin in mijn hoofd af. *Of geeft het je een waardige tegenstander.*

Er verscheen een vreemde uitdrukking op Adams gezicht – schuldgevoel, spijt, schaamte – voordat hij knikte. 'Natuurlijk. Waarom niet?'

Ik kan hem niet echt doorgronden. De mensen in mijn leven zijn altijd rechtdoorzee geweest. De mysterieuze man is voor mij altijd beperkt gebleven tot fictie en fantasie. Voor het eerst in mijn leven voel ik me aangetrokken tot een raadsel. Soms spreekt hij in de verleden tijd over christendom in zijn leven, maar dat is niet voldoende. Het idee Adam weer met het geloof in contact te brengen verwarmt mijn ziel. Als God hem eenmaal stevig in de greep van zijn genade heeft, misschien ...

Geen wonder dat Ken er zo op tegen was dat ik naar de stad ging. Ken, recht door zee als hij is, wilde niet dat ik de competitie zou ontmoeten.

Hoofdstuk
17

De geur van gebakken koekjes kwam me al tegemoet toen we uit de lift stapten. Havermout met rozijnen. Chocolade chip. Bitterkoekjes. En bananenbrood. Jammie.

We volgden onze neuzen naar de deur van oma's appartement. Ik klopte een keer aan en liep toen naar binnen.

'Hoi, Cassia, kom je ons helpen? We gaan hierna aan de stroopkoekjes beginnen, en jij maakt het beste glazuur ... O, hallo ...' Janes stem veranderde in enkele seconden van een drilsergeant in die van een gastvrouw van een restaurant, en daarna in die van een verliefde puber. Ik heb gemerkt dat Adam dat altijd heeft bij vrouwen.

Ik had hen nog maar nauwelijks aan elkaar voorgesteld, toen Jane Adam al meenam naar de keuken en oma een plaat met versgebakken lekkernijen uit de oven haalde. Voordat ik zelf ook maar fatsoenlijk begroet was, had hij al een glas melk in zijn hand.

Het is één ding als Jane of oma mijn buren ontmoeten wanneer ze bij mij op bezoek komen. Het is iets heel anders als ik iemand meeneem naar een familiebijeenkomst.

Ik wist precies wat ze dachten.

Jane: Zozo, er moet wel iets serieus gaande zijn. Het is een spetter.

Oma: Het is een knappe jongeman. Ik vraag me af of ze hem in de wasserette ontmoet heeft.

Jane: Weet Ken hiervan?

Oma: Ik vraag me af of zijn grootouders nog leven.

Jane: Weet hij van Cassia's geld? En zo ja, hoe weten we dan of we hem kunnen vertrouwen?

Oma: Hij heeft van die eerlijke ogen. Zo'n prachtige kleur. Ik vraag me af of hij de Heer kent? Cassia zou niet geïnteresseerd zijn in een ongelovige.

Jane: Ik vertrouw hem niet. Hij zit zonder twijfel achter het geld van mijn zus aan.

Oma: Ik ben zo blij dat ze een nieuwe vriend heeft.

Jane: Wat denkt ze in vredesnaam?

Oma: Ik zal ervoor bidden.

Jane sloeg hem met haviksogen gade. Adam was een veldmuis van twijfelachtige komaf, en ze zou vast niets liever willen dan een duikvlucht maken om zijn kop van zijn romp te trekken. Maar oma glimlachte blij en bedacht hoe fijn het was dat haar kleine Cassia niet meer alleen was in de stad.

Gelukkig bevind ik me ergens tussen onvervalst wantrouwen en beminnelijke vriendelijkheid in, en vind ik de hele scène nogal vermakelijk. Ik zag aan Adams gezicht dat hij wist dat hij een licht ontvlambare situatie in gelopen was, maar hij wist niet precies wat hij ervan moest denken.

'Adam,' zei Jane zo nonchalant mogelijk, 'vertel me eens iets over jezelf. Ik wil graag *alles* over je weten.'

'O ja, graag', zei oma verheugd. 'We vinden het enig Cassia's vrienden te ontmoeten.'

Wacht eens even.

Jane drong meestal niet zo aan, en oma was geen naïef oud dametje. Ze speelden privédetective. Ze hadden op de juiste gelegenheid gewacht om meer over mijn buurman te weten te komen, en ik had hem hun op een presenteerblaadje gebracht.

Het kostte me moeite niet in lachen uit te barsten.

Mijn arme familie. Ze waren zo ongerust over me geweest, over de manier waarop ik op het geld reageerde, en nu omdat ze

niet wilden dat ik gekwetst werd door iemand die op mijn bankrekening uit was in plaats van op mijn hart. Maar dit! Ik grijnsde
breed naar hen en stak, tot Adams verbazing, mijn arm door de
zijne en gaf hem een bemoedigend kneepje. Hij keek geschrokken op me neer, en toen vormde zich langzaam een brede grijns
op zijn gezicht. Ik lachte naar hem terug.

Laten ze daar maar een tijdje over nadenken.

Tegen de tijd dat ik Jane en oma over onze ontmoeting met Betty
en Paula verteld had, hadden ze hun ondervragingen gestaakt. Ik
ben bang dat mijn zus en mijn oma voor mij zijn gaan leven. Janes
man Dave is vaak drie of vier dagen van huis voor zijn werk, hetgeen Jane genoeg tijd biedt om haar neus in mijn zaken te steken.
En ik zag dat ze Adam meteen aardig vonden.

'Dit zijn mijn man en ik toen we trouwden. Is hij niet knap?'
Oma hield Adam gevangen op de bank. Hij had een opengesla-
gen fotoalbum op schoot, en ze vermaakte hem met verhalen. Ze
zagen er volmaakt tevreden uit samen.

'Nu zie ik van wie Cassia die glimlach heeft', zei Adam. 'Kijk
eens naar die grijns.'

Hun zwarte en witte haardossen bogen zich over de oude
zwartwitfoto's heen.

'O, lieve help, dat is ons eerste huis. Het kon wel een verf-
beurtje gebruiken, hè? We waren allang blij dat we een dak boven
ons hoofd hadden. Dat waren nog eens goede tijden.'

'Goede tijden?', echode Adam. 'Toen u zich niet eens een blik
verf kon veroorloven?'

'Het maakt niet uit hoe de buitenkant van het huis eruitziet,
als het vanbinnen maar gelukkig is. En wij waren heel gelukkig.'

'Dus u had geen moeite met slechte tijden?'

'2 Korintiërs 4:17, weet je.'

Hij keek haar vragend aan, maar zei niets. Hij moet inmiddels wel
gewend raken aan onze bijbelse uitdrukkingen.

'*Deze lijdensweg van ons is tenslotte maar van korte duur. Maar deze
korte tijd van afzien zal resulteren in Gods rijke zegen op ons voor eeuwig!*'

Oma wierp me een ondeugende glimlach toe. 'Eerlijk gezegd,

toen ik er vroeger aan dacht dat ik meer zou kunnen krijgen dan ik aankon, verwachtte ik wel dat het problemen zou kunnen opleveren. Maar totdat dit met Cassia gebeurde, heb ik nooit gedacht dat *te veel* geld een probleem zou zijn.'

'*Gods wegen zijn wonderbaar*', mompelde ik. Die zin is inmiddels mijn nieuwe mantra geworden. Iedere keer wanneer ik de laatste tijd een hoek om sla, is er iets nieuws wat ik niet verwacht.

Oma Mattie stuurt ons naar huis met trommels vol koekjes, een tas oude tijdschriften en een paar nieuwe theedoeken, gemaakt van meelzakken, waarop ze hanen geborduurd heeft. Toen we bij haar appartement vandaan liepen, stak ze haar duim naar me op.

Waar heeft ze dat geleerd?

Vooral de tijdschriften verrasten Adam.

'Waar zijn die voor?'

'Om te lezen.'

'Maar ze zijn allemaal oud.'

'Natuurlijk zijn ze oud. Ik ben de derde op de lijst.'

'Huh?'

'Dat doen we al jaren in mijn familie. Iemand koopt tijdschriften die hij of zij leuk vindt en vertelt iedereen dat ze ze krijgen. Jane leest bijvoorbeeld graag *Good Housekeeping*. Ze koopt het en leest het, onderstreept de interessante stukken en geeft het tijdschrift dan aan Mattie. Daarna leest Mattie het, reageert op Janes commentaar en voegt er zelf een aantal opmerkingen aan toe. Daarna geeft ze het aan mij.'

'En jij leest het?'

'Natuurlijk. Op die manier levert dat tijdschrift echt zijn geld op. Het was een idee van opa.'

'Zelfs als het nieuws twee of drie maanden oud is?'

'Als het nieuws is, is het nieuws. Als het oud is, is het geschiedenis. Maar ik leer er evengoed van. En bovendien kan ik Janes en Matties commentaar lezen, zodat ik ook nog eens weet hoe zij over het onderwerp denken.'

Zoals wel vaker blijkt te gebeuren met Adam en mij, leek hij verbijsterd over mijn gewoonten.

'En als ze er nog steeds goed uitzien, geef ik ze daarna aan Matties vriendinnen in het verzorgingstehuis.'

Hij hief zijn handen. 'Cassia, ik heb steeds gedacht dat je een uitzondering was. Nu denk ik dat jij en je hele familie abnormaal zijn.'

'We besparen graag geld, weet je wel? Voor ons is het een spelletje. Maar we zijn ook niet gek. Ik heb wel een pensioen, hoor.'

We reden zwijgend terug naar huis. Adam leek langzaam maar onverbiddelijk weg te zinken in een moeras van somberheid.

Soms heeft hij een duisternis over zich heen die aan wanhoop grenst. Ik weet niet wat het is of waar het vandaan komt, maar ik zie het de laatste tijd steeds vaker. Het is alsof er een tumor in hem groeit, die hem overneemt en uitschakelt. Wanneer hij zo'n bui heeft, word ik er sterk aan herinnerd dat Adam Cavanaugh, hoeveel tijd ik ook met hem doorbreng, in veel opzichten nog steeds een vreemde voor me is.

Hoofdstuk
18

Vrijdagavond keek Adam van achter het raam Cassia's steeds kleiner wordende figuur na. Winslow, die blij was dat hij mee uit mocht, trok zo hard aan de riem dat haar lange, slanke benen het uitgelaten dier maar met moeite konden bijhouden. Hoewel Adam haar niet kon horen, ging hij ervan uit dat Cassia lachte. Hij had voortdurend aan haar gedacht in de vijf weken sinds ze de loterij gewonnen had, en hij kreeg iedere dag een beetje meer een hekel aan zichzelf.

Als snoep van een klein kind afpakken. De krukken onder een oude vrouw op straat vandaan schoppen. Iemand in de rug schieten. Een verzorgingstehuis beroven. Zout in het suikerpotje stoppen. Kinderachtig, egoïstisch, verachtelijk, laag, gluiperig, onbetrouwbaar, achterbaks, sluw, afschuwelijk, weerzinwekkend, afstotend, gemeen ...

Adam had nog nooit een woordenboek nodig gehad, en dat was nu ook niet het geval. Rat, schoft, profiteur ...

'Nou, ik ben ook blij jou te zien', zei Terrance Becker terwijl hij in de grote, leren bank in Adams appartement neerplofte met een kop sterke, zwarte koffie die naar cichorei smaakte. Hij nam een slok en rilde. 'Ik snap niet hoe je deze sterke troep kunt drinken. Hoe kun je 's nachts slapen met al die cafeïne in je lichaam?'

'Oefening baart kunst', zei Adam nors. 'Wakker blijven heeft me af en toe mijn leven gered.'

Terrance wist dat Adam dat letterlijk bedoelde, en hij knikte. Hij keek Adam onderzoekend aan terwijl zijn cliënt nietszeggend uit het raam staarde en niet eens merkte dat Pepto zijn nagels probeerde te scherpen aan zijn broekspijpen. 'Vind je het niet erg dat dat beest zijn klauwen zo in je zet?'

Adam keek omlaag, zag Pepto aan zijn broek hangen en schudde hem ervan af. De kat zei iets ongepasts in kattentaal en beende weg, waarschijnlijk om als wraakactie een gordijn in de slaapkamer te gaan vernielen.

'Waarom vreet je je zo op, man? Ik heb je nog nooit zo gezien.' Toen klaarde Terrance op. 'Het is natuurlijk een aangename verandering ten opzichte van die ontmoedigde, verslagen houding die je had toen je uit het vliegtuig vanuit Burundi stapte.'

'Heel grappig.'

'Het is de bedoeling dat je aan een leuk verhaal werkt, weet je wel? Suiker voor de geest? Gemakkelijk leesvoer voor je hongerige publiek, toch? Wat is er misgegaan?'

'Niets. Alles. O, ik weet het ook niet.' Adam veegde zijn haar van zijn voorhoofd en onthulde het profiel dat vrouwen meestal deed sidderen.

Terrance, die daar blind voor was, vervolgde: 'Wat is het nou? Alles of niets?'

'Het onderzoek gaat uitstekend. Cassia heeft me in vertrouwen genomen en beschouwt me als een vriend. Ze ziet me als haar klankbord in de strijd die ze over het geld voert. En ze heeft me zelfs aan een stel andere winnaars voorgesteld, dus ik heb hun verhalen ook.'

'En?'

'En haar familie en zij zijn de meest citerenswaardige mensen die ik ooit ontmoet heb. Ik kan wel een miljoen kanten op met de dingen die ze zeggen – dat God Cassia test met te veel geld, dat de buitenkant van een huis geen verf nodig heeft als er geluk in woont, dat gedeelte over die oude tijdschriften. Over die familie alleen al zou ik een boek kunnen schrijven.'

'Maar dat is toch geweldig?' Terrance ging rechtop zitten.

'Het is allemaal een leugen, dat is het probleem. Ze vertrouwt me. Ze gelooft dat ik haar geheimen voor me houd. En het ergste is dat ze denkt dat ik haar vriend ben.'

'Nou, ben je dat dan niet? Steeds wanneer je over haar praat, zie ik je ogen oplichten. Dat licht heb ik lang niet meer gezien, trouwens. Toen je uit dat vliegtuig vanuit Burundi stapte, dacht ik dat het voorgoed verdwenen was.'

'Ik ben haar vriend. Tenminste, dat wil ik zijn. Ze is als de lente na een lange winter. Ze is grappig, slim, eigenaardig ... en ze heeft een ziel die ...' Adam zocht naar het juiste woord. 'Een ziel die licht geeft.'

Terrance trok een wenkbrauw op maar reageerde niet.

'En azen op informatie van haar met de bedoeling haar persoonlijke gedachten overal in de media te verspreiden maakt me gewoon misselijk.' Adam sprak ieder woord zo krachtig uit dat het pijn leek te doen. Hij liet zich in de kattenklauwstoel tegenover Terrance vallen. 'Ik had haar in het begin al moeten vertellen wat ik van plan was. Dan had ze ja of nee kunnen zeggen. Als ik er nu nog over begin, wordt ze woedend.' Hij keek Terrance veelbetekenend aan. 'Roodharige, met scherpe nagels, je snapt me wel.'

'Je hebt dus last van schuldgevoel.'

'Ik ben mijn hele leven al rechtlijnig. Ik zeg wat ik denk. Nu snap ik waarom. Bedrog druist tegen mijn hele wezen in.'

'Stop er dan mee.'

Adam keek abrupt op. 'Wat?'

'Stoppen. Ermee ophouden. Een einde aan het toneelspel maken.'

Adam keek zijn agent onderzoekend aan. 'Meen je dat?'

Terrance keek hem recht aan.

'Je hebt geen idee hoe vaak ik dat al heb willen doen.'

'Waarom heb je het dan niet gedaan?'

Terwijl Adam daarover nadacht, zakte hij dieper in de stoel weg. 'Ik stond met geheven hand voor Cassia's deur om aan te kloppen. Ik was er zo dicht bij.' Hij maakte een handgebaar om Terrance te laten zien hoe hij gestaan had.

'Waarom ben je gestopt?'

'Omdat er een koerier het gebouw in kwam lopen.'

'Ik heb nog nooit meegemaakt dat jij je door iemand liet tegenhouden. Waarom wel door hem?'

'Omdat hij me dit bezorgde.' Adam haalde een envelop van manillapapier tevoorschijn waaraan je kon zien dat hij een lange tocht afgelegd had. Adams adres en de afzender waren erop geschreven met kleine lettertjes die vreemd oogden op de grote envelop. Hij gaf hem zonder verdere uitleg aan Terrance.

Terrance maakte hem open, haalde er een stapeltje foto's op het formaat 20 bij 25 uit en hield zijn adem in.

'Frankie heeft me die gestuurd', zei Adam, doelend op zijn fotograaf in Burundi. 'Hij zei tegen me dat hij van sommige niet wilde dat ze gepubliceerd werden, maar hij stuurde ze me omdat hij wist dat ik het zou begrijpen.'

Frankie Watcher was al net zo goed in zijn werk als Adam in het zijne. De foto's waren, hoewel ze zonder twijfel uit series afkomstig waren, duidelijk en gedetailleerd, de invalshoeken en lichtval perfect. Dat was misschien wat de foto's zo afschuwelijk maakte.

Een moeder huilend bij het dode lichaam van een kind dat zowel drie als tien jaar oud geweest zou kunnen zijn. Als kinderen ondervoed waren, wist je dat nooit zeker. Een vader die met zijn blote handen een ondiep graf groef voor het kleine lichaampje dat in de modder naast hem lag. En Adam, voorovergebogen en huilend, die een graatmagere baby in zijn armen hield.

Terrance haalde diep adem en liet de foto's zakken. 'Ik wist niet ... Ik dacht dat ik het wist, maar ... Is dit wat je daar gezien hebt?'

'Uitgehongerde kinderen zijn erg rustig. Wist je dat? Ze hebben geen energie om te vechten. Je houdt hen vast in de wetenschap dat de dood snel zal intreden, maar toch ben je verbaasd wanneer je beseft dat ze overleden zijn zonder dat je het gemerkt hebt. Terrance, ik heb tientallen mensen – vooral kinderen – zien sterven.' Hij kon de pijn niet eens onder woorden brengen – van uitslag, open wonden, blindheid tot bloed dat niet stolt – die sommige van deze mensen moesten hebben gehad.

Adam stond op en liep als een getergde tijger door de kamer. 'Daarom ben ik met dit verhaal doorgegaan en heb ik ondertussen een hekel aan mezelf. Ik heb onderzocht wat het kost een kind in leven te houden, Terrance. Als ik hier de rest van mijn leven voor zou werken en alles wat ik verdiende, aan de hulpverleners daar zou geven, kon ik nog steeds niet alles doen wat er gedaan moet worden. Maar ik moet het evengoed proberen. Ik heb het idee dat ik met het geld dat ik verdien met mijn verhalen over Burundi en over dit loterijverhaal, in ieder geval *iets* kan doen.' Hij keek zijn agent aan totdat die zijn blik afwendde. 'Maar ik heb het gevoel dat ik mijn ziel verkoop om het voor elkaar te krijgen.'

Terrance werd bleek. 'Zo bedoelde ik het niet, Adam ... Ik weet niet wat ik zeggen moet.'

'Hoe dan ook, ik ga eraan onderdoor.' Adam kreeg een harde blik in zijn ogen. 'Het enige wat me gaande houdt, is de wetenschap dat Cassia wel over mijn bedrog heen komt. De kinderen zijn een zaak van leven en dood.'

'En jouw vriendschap met Cassia?'

'Die kan mijn bedrog nooit overleven. Dat weet ik. Ze is zo ontzettend loyaal, eerlijk en oprecht. Ze is een christen, Terrance. Ze weigert de waarheid te verdraaien.'

'Worden christenen niet ook geacht vergevensgezind te zijn? De andere wang toekeren en zo?'

Het was vreemd, dacht Adam. Terrance en hij hadden nooit over het geloof gepraat toen Adam nog echt dacht dat hij in God geloofde. Nu hij dat na Burundi niet meer zo zeker wist, kwam het ter sprake.

'Ja, dat is waar.' Hij zou willen dat hij net als Cassia de Bijbel met hoofdstuk en vers kon citeren, maar hij moest genoegen nemen met: 'Het staat ergens in de Bijbel.' Er kwam een heel oude herinnering in hem naar boven, een herinnering aan zijn moeder midden in hun felgele keuken. Er waren avocadogroene versieringen, waar ze zo trots op was, en het aanrechtblad had een bijpassende groene kleur. Hij herinnerde zich bloemen uit hun tuin op tafel in een melkglas dat als vaas diende, en zelfs de geur van de braadschotel in de oven. Het leek levensecht.

'Heb je vijanden lief, Adam', zei ze. '*Doe goed voor degenen die je haten. Bid voor het geluk van degenen die jou vervloeken. Vraag Gods zegen voor degenen die jou pijn doen. Als iemand je op je wang slaat, laat hem ook op de andere slaan! Als iemand je jas wil hebben, geef hem dan ook je shirt. Geef wat je hebt aan iemand die erom vraagt …*' En toen vervaagde de herinnering. Zijn moeder was christen, en ze was al net zo mooi en liefdevol als Cassia.

Hij zuchtte. 'Maar zelfs christenen hebben hun grenzen, toch?'

'Daar heb je gelijk in, vriend.' Terrance stond op en sloeg zijn arm om Adams schouder. 'Luister, ik wil dat je weet dat ik begrijp wat je doormaakt. Doe desnoods een algemeen stuk over loterij-winnaars, en we zullen echt proberen iets met het materiaal over Burundi te doen. Daar kunnen we waarschijnlijk ook wel een hoofdstuk voor een boek mee vullen. Misschien kun je je boodschap op die manier verspreiden. Wat dit betreft, zul je je hart moeten volgen.'

Mijn ziel wordt verscheurd. Hoewel hij ervoor gezorgd had dat Cassia de diepte van zijn gevoelens voor haar niet kende, had ze een plekje in zijn hart veroverd. Hij had zijn eigen gebroken hart veroorzaakt door van het begin af aan tegen haar te liegen. Maar wat hij in Burundi gezien had, was belangrijker dan alleen hijzelf en Cassia. Adam staarde Terrance na toen die het gebouw verliet. Hij herinnerde zich het laatste deel van wat zijn moeder die dag tegen hem gezegd had. *Behandel anderen zoals je wilt dat ze jou behandelen.*

Wilde hij zo behandeld worden? Voorgelogen, bedrogen, gebruikt? Zijn hoofd bonsde. Hij gooide zijn eigen normen en waarden overboord, dat wist hij. Maar het was voor een goed doel, het beste dat hij kon bedenken. Maakte dat het in orde? Cassia's lieve gezicht kwam in zijn gedachten. Wat hij deed, had tot gevolg dat hun relatie binnenkort voorbij zou zijn, dat hij er nooit achter zou komen of de gevoelens die hij voor haar gekregen had, zich ooit tot iets permanents zouden ontwikkelen.

Dit was een beslissing die hij misschien de rest van zijn leven zou betreuren, maar hij had tenminste een leven. Wat het hem persoonlijk ook kostte, hij moest deze kinderen een kans geven. Vermoeid liep hij terug naar zijn computer.

Honger heeft vele gezichten. Ze manifesteert zich ook op vele manieren. Kinderen die één bepaald eiwitarm voedingsmiddel krijgen, lijden vaak aan kwashiorkor, een ziekte waarvan de symptomen onder meer een vergrote lever, oedeem, zwelling en een groeistoornis zijn. Een gebrek aan niacine veroorzaakt pellagra en de daarbij horende diarree, uitslag en huidirritatie, terwijl een gebrek aan vitamine B1 beriberi en hartfalen of hersen- en zenuwziekte veroorzaakt. Een gebrek aan de vitaminen en mineralen die veel Amerikanen via hun glas jus d'orange 's morgens automatisch binnenkrijgen, resulteert in scheurbuik, bloedingen, tandvleesziekten, stuipen, koorts, lage bloeddruk of de dood. Ondervoeding kan resulteren in blindheid, rachitis, bloedarmoede, krimping van vitale organen, achterlijkheid en nog meer onbeschrijflijk lijden. Is dit de kwelling die we veel kinderen op deze wereld willen laten ondergaan?

De gevoelens van hulpeloosheid die gepaard gaan met deze grote problematiek, lijden vaak tot een houding van wanhoop, maar er is goed nieuws. Kinderen kunnen op opmerkelijke wijze ernstige uithongering te boven komen. Een weeshuis in Bujumbura, Burundi, kan nog honderd kinderen opnemen voor nog geen zeventig dollar per kind per maand.

Zeventig dollar per maand – iets meer dan twee dollar per dag, een kopje koffie onderweg naar het werk, een frisdrank en een chocoladereep in de pauze, geld dat verspild wordt door die kortingsbon voor dat restaurant niet uit de krant te knippen – het verschil tussen leven en dood?

Het wordt tijd dat we wakker worden en beseffen dat één persoon er iets toe kan doen.

Hoofdstuk
19

'Ben je gelukkig, Cassia?' Cricket zat op mijn bank van een schoteltje met Matties gemberkoekjes te eten.

Het is dinsdagavond, en Cricket is net terug uit haar laatste
kuuroord. Haar wenkbrauwen zijn netjes geëpileerd, en ze heeft
een manicure en een pedicure gehad. Afgezien daarvan ziet ze er
nog precies hetzelfde uit als toen ze wegging. Dit kuuroord had
blijkbaar ook niet het wondermiddel waarnaar ze op zoek was –
het middeltje dat een leuke, kleine vrouw verandert in een oog-
verblindend mooi, één meter tachtig lang model. Wat kuuroorden
betreft, is de jacht in ieder geval bijna net zo leuk als het vinden
van de pot met goud aan het eind van de regenboog.

Ze heeft een melksnor op haar bovenlip en een verbijsterde
uitdrukking op haar aantrekkelijke gezicht. 'Echt gelukkig?'

'Natuurlijk. Jij niet dan?' Ik ging op de bank naast haar zitten.
'Waarom vraag je dat?'

'Omdat ik, als je *echt* gelukkig bent, denk dat je dan de enige
bent.'

'Wat is er aan de hand, Cricket? Heb je slecht nieuws gekregen?'

'Nee, dat niet. Ik verwachtte gewoon iets toen we de loterij
wonnen. Iets ... meer.'

'Wat dacht je dat er gebeuren zou?'

Cricket slaakte een dramatische, Cricket-achtige zucht. 'Ik verwachtte dat het leuker zou zijn. Ik was altijd blut, doordat ik zo van winkelen houd.'

Cricket vertelde me niets nieuws.

'En winkelen is niet zo leuk meer!'

'Echt?' Dat verbaasde me. 'Waarom?'

'Het was altijd een avontuur, een jacht op de beste koopjes, de meest afgeprijsde artikelen, de meeste schoenen voor het minste geld. Nu is het als op fotosafari gaan waarbij de dieren om de jeep heen gaan staan en wachten totdat ik foto's van ze neem.'

Ik zal haar wel nietszeggend aangekeken hebben.

'Niet de spanning van het avontuur meer! Niet meer het gevaar van toegeven aan iets duurs wat ik me eigenlijk helemaal niet kan veroorloven! Want', zei Cricket nors, 'ik kan me alles veroorloven. Ik dacht altijd dat dingen kopen me gelukkig maakte. Nu besef ik dat de zoektocht leuk was, niet het kopen. Als ik nu een jurk van een dure ontwerper wil, ga ik er een kopen. Dat is toch niet leuk meer?'

'Toen je ervoor moest werken, was het leuker?'

'Ja.' Ze keek me smekend aan. 'Word ik gek?'

'Niet echt. Misschien krijg je je gezonde verstand juist terug.' Ik trok mijn benen onder me en maakte het me gemakkelijk.

'Hoe bedoel je?'

'Als ik voor iets werk – kleren, kunst voor mijn woonkamer, mijn opleiding – zie ik de waarde ervan. Ik weet dat deze trui bijvoorbeeld me een halve dag werken bij Parker Bennett gekost heeft. Maar met alle geld in de wereld waardeer je dingen anders wanneer je alles kunt kopen wat je wilt. Het plezier is weg. Je werkt niet meer naar een doel toe. Je vergeet het verschil tussen wat je wilt en wat je nodig hebt.'

Cricket liet haar hoofd hangen. 'Dat klopt. Ik voel me bekocht omdat ik alles al heb.'

'Wat is er met je?' Jane keek me over haar leesbril aan toen ik de volgende middag haar huis kwam binnenstormen. Ze zat aan haar eettafel met allerlei kranten, grafieken en investeringsbrochures voor zich. Ik had mijn zwager buiten al begroet – of zoals ik hem liefdevol noem, mijn *plager*, we weten allebei dat Jane de grootste plager is –, waar hij de heg stond te knippen.

Ik keek somber naar de kranten, in de wetenschap dat overal artikelen over mij en mijn geld in stonden. Het enige wat me op de been hield, was een ergerlijk en scherp vers dat zich in mijn hoofd had vastgezet – 1 Korintiërs 9:17. *Als ik het uit eigen beweging zou doen, zou ik recht op betaling hebben. Maar ik doe het niet uit vrije wil; deze opdracht is mij toevertrouwd.*

Ik heb geen keuze. Ik kan niet achteloos geld weggeven, ook al zou ik dat het liefst willen. Hoezeer ik me er ook tegen verzet heb, ik moet er zorgvuldig mee omgaan. Helaas is het enige rolmodel in de categorie miljonairs dat ik gevonden heb, afgezien van Ken, afkomstig uit een strip. En oom Dagobert heeft het nooit over dit soort problemen.

Maar nu ik het heb en er verantwoordelijk voor ben, snap ik de boodschap. Die wordt trouwens iedere ochtend door de postbode gebracht.

'Kijk hier eens naar.' Ik deed de tas open die ik meegenomen had en gooide de inhoud ervan op de laatste lege plek op tafel. Er waren investeringsbrochures en bedelbrieven van liefdadigheidsorganisatie Red de walvissen (een goed idee) tot Red de gevlekte vijfbenige bijtende aap (waarschijnlijk niet zo'n goed idee). Er waren brochures van alle denkbare cruiseschepen, makelaars die me huizen in het zuiden van Amerika en joerten in Nepal wilden verkopen. Mij werd de weldadige gelegenheid geboden lid te worden van de ouderenbelangenorganistie en de vereniging van hoogbegaafden. Als ik uitgenodigd zou zijn door een groep die NOIDLOVG heette – afkorting van 'nieuwe ongelukkige individuen die lijden onder vervelende geldaftroggelaars –, zou ik meteen getekend hebben.

Ik word nog steeds gepaaid door onbekende nieuwe vrienden en familieleden. Iemand in Schotland heeft mijn rode haar gezien, de naam Carr nagetrokken en ontdekt dat we verre familie uit de clan Carr zijn. Nu vraagt de hele clan me om geld, zodat ze allemaal naar de Verenigde Staten kunnen komen om 'fortuinlijke nicht Cassia' op te zoeken. Vreemd genoeg is de naam van de afzender op de envelop ene Howie Earl Crispin, die volgens de poststempel in Yuma, Arizona, woont. Het is verbazingwekkend hoe ver een clan kan reizen. Bovendien komen mijn voorouders uit Wales en Ierland.

'Hoe komen al die mensen aan mijn naam?'

'Kranten, internet, adreslijsten, praten met buren en misschien zelfs een paar detectives.'

'Dat meen je niet.' Er liep een rilling over mijn rug.

'Ik heb de detectives er alleen maar bij genoemd om je bang te maken', zei Jane met een gemene grijns. 'Ga zitten. Ik heb gepraat met investeringsdeskundigen die ik ken en met de mensen van mijn bank. Ik denk dat we een manier ontdekt hebben om dit geld nog efficiënter voor je te laten werken en het tegelijkertijd veilig te stellen. Dan kun je rustig de tijd nemen om te besluiten wat je ermee gaat doen.'

'Nog efficiënter te laten werken? Zijn mijn miljoenen op zichzelf dan niet aardig efficiënt?'

Jane keek me met getergd geduld aan. 'Cassia, als je ooit van plan bent stichtingen in het leven te roepen of als filantroop aan het werk te gaan, vermeerdert het geld zichzelf, waardoor je kunt blijven doorgaan met het financieren ervan.'

Ik sloot mijn ogen en dacht terug aan het ontmoedigende gesprek dat ik twee dagen geleden met dominee Osgood gevoerd had.

'Ik heb je aanbod van giften aan de goede doelen die onze kerk ondersteunt, voorgelegd aan het bestuur en ...' Hij had bezorgd geklonken, en voordat ik nog een woord uit zijn mond had gehoord, zonk de moed me al in de schoenen. 'Het is niet dat ze niet willen. Het is gewoon zo dat sommige leden van het bestuur het geen prettig idee vinden geld dat verkregen is door *gokken*, uit te delen via onze kerk. Ze vragen zich af wat voor soort indruk dat moet wekken.'

'Maar ik heb niet gegokt om het te krijgen!', jammerde ik. 'Ik dacht dat ik geld gaf voor een cadeautje voor een baby!'

'Dat weet ik, en dat weet het bestuur. Maar toch ...'

Ook al had ik niets verkeerd gedaan, het bestuur wilde het geld niet aannemen, omdat dat goedkeuring zou kunnen suggereren van de manier waarop het verkregen was.

'Goede doelen en hulporganisaties, dom gansje', onderbrak Jane mijn gepeins.

'Bedoel je dat ik de rest van mijn leven hiermee blijf zitten? Zal ik nooit meer arm zijn?' Mijn nachtmerries werden werkelijkheid.

'Doe eens even rustig, zus! Houd op met dat gejank en ga aan het werk. Je hebt dit geld met een bedoeling gekregen. Jij,' benadrukte ze, 'en niet iemand anders. Ik heb de afgelopen twee weken contact gezocht met twee grote zendingsorganisaties, en beide hadden moeite met het accepteren van geld dat met gokken gewonnen was en wezen het af. Het wordt nu dus tijd om actie te ondernemen met het oog op de fiscale aspecten.' Jane bekeek me met iets wat wel iets weg had van medeleven. 'Houd je dus op met je ertegen te verzetten en doe je mee?'

Dat betekent niet dat ik het prettig moet vinden.

'Er moeten organisaties zijn die wel ...'

'Maar dit gaat niet om *hen*. Wat wil God dat *jij* doet?'

'Hoi, Pepto. Is je baas thuis?' De grote kat lag in de deuropening te wachten, neem ik aan, op de koerier. Pepto houdt niet van mislukkingen, en tot nu toe heeft die koerier hem nog genegeerd. Er is niets waar een kat een grotere hekel aan heeft dan genegeerd worden.

Pepto ziet dat als zijn taak op deze wereld. Katten zijn degenen die gereserveerd en afstandelijk horen te zijn. Hoe durft iemand met maar twee benen het gras onder zijn poten vandaan te maaien? De koerier is zeker een zware dobber voor Pepto, maar tot zijn grote tevredenheid heeft de postbode tegenwoordig kattensnoepjes in zijn zak om Pepto rustig te houden.

'Hij is de baas. Ik ben slechts de kok en de beheerder van de vuilnisbak, wist je dat niet?' Adam was op zijn laptop aan het werk, maar hij sloeg het document waaraan hij gewerkt had, snel op en sloot hem af toen ik binnenkwam. 'Hoe gaat het?'

'Ik heb me overgegeven.'

'Hoe bedoel je?' Zoals gewoonlijk droeg Adam een zacht, comfortabel uitziend shirt en een verwassen spijkerbroek. Zijn shirt was lichtblauw en van boven open, waardoor een mooi bosje donker borsthaar te zien was. Hij had geen schoenen aan, en ik zag dat zelfs zijn voeten goedgevormd waren. Had die man dan helemaal geen onaantrekkelijkheden?

'Gecapituleerd. De witte vlag gehesen.' Ik plofte op zijn bank neer. 'God heeft me voor mijn kop geslagen met mijn oma.'

'Dat zal wel pijn gedaan hebben.'

'Niet letterlijk, natuurlijk.'

'Wat een opluchting. Ik maakte me al zorgen om oma.' Hij glimlachte toegeeflijk, en ik voelde me meteen beter. Het is zo natuurlijk en makkelijk mijn hart bij Adam uit te storten. Hij lijkt me nooit te serieus te nemen, iets wat ik prettig vind. Ik voel me door hem niet onder druk gezet, zoals door Ken. Hoewel Ken natuurlijk staat te popelen om met me te trouwen, en Adam helemaal geen ideeën in die richting heeft.

'Mijn zus heeft een team van financiële genieën samengesteld om het geld te beheren.' Ik zag dat Adam iets rechter ging zitten, alsof hij geïnteresseerd was.

'O? Ik dacht dat je dominee je hielp het weg te geven.'

Ik vertelde hem waar dat op uitgelopen was. 'Dus het is nog steeds mijn eigen verantwoordelijkheid. En het geld is niet alleen veilig, het levert ook nog rente op over de oorspronkelijke som, waardoor de rente steeds hoger wordt. Het doet me denken aan een sneeuwbal die van een heuvel rolt en een lawine veroorzaakt.'

'Je bent met een flinke sneeuwbal begonnen. En dan?'

'Wachten totdat er deuren opengaan. God aan de andere kant zien wenken. Loslaten, zogezegd. Geen getob meer. In plaats daarvan vraag ik me af aan wie Jezus het zou gegeven – weduwen, gevangenen ...' Ik keek naar zijn laptop. 'Wat ben je aan het doen? Je bent altijd met dat ding bezig.'

'Gewoon een klus die ik aangenomen heb. Het wordt een hele

serie artikelen', zei Adam vaag voordat hij opsprong. 'Ik heb trouwens Godiva-ijs gekocht. Wil je?'

Zwak en uitgehongerd als ik was, pakte ik het lokaas met beide handen aan. Jammie.

Mijn antwoordapparaat knipperde toen ik in mijn appartement terugkwam. Ik pak de telefoon nog maar zelden op, tenzij ik de naam op de nummermelder herken. Dit was er eentje die ik al een paar dagen niet meer gezien had. Randy. Ik toetste zijn nummer en wachtte totdat hij opnam.

'Hallo, met Randy. Wat kan ik voor u doen?'

'Dat weet ik niet. Je had me gebeld.'

'Cassia?' Zijn stem was meteen vrolijker. 'Hoe is het met je? Ik mis je op het werk. Heb je nog een nieuwe auto gekocht?'

'Nog niet.'

'Echt? Ik dacht ... Met al dat geld en zo ... Nou ja, het is mijn zaak ook niet.' Hij schraapte zijn keel en veranderde van onderwerp. 'Ik vroeg me af of je zin had om een bakje koffie te gaan drinken met een oude collega.'

Ik heb er een hekel aan achterdochtig te zijn – en eenzaam – en dus ging ik op mijn gevoel af. 'Wat had je in gedachten?'

'Een cafeetje ergens? Morgen na het werk? Dan kom ik je wel halen. Ik wil niet verantwoordelijk zijn voor de laatste ademtocht voordat die auto het begeeft.'

Nadat we opgehangen hadden, zat ik op de bank Winslow te aaien en dacht ik aan de mensen in mijn leven van wie ik zeker weet dat ik hen kan vertrouwen.

Mattie en Jane, natuurlijk, mijn ouders – maar die zijn ver weg. De andere winnaars, denk ik, die niet meer geld nodig hebben – behalve die arme Bob, die het nu waarschijnlijk nog erger vindt dan ik dat we gewonnen hebben. Dan is er Ken nog, die zijn eigen geld heeft en niet in materiële zaken geïnteresseerd is tenzij er een plaatje van een jachthond in gegraveerd is.

En Adam. Het is zo gemakkelijk Adam te vertrouwen. Hij eist nooit iets van me, maar hij is er altijd voor me wanneer ik hem nodig heb. Het is soms bijna alsof hij mijn gedachten kan lezen.

Af en toe gedraagt hij zich een beetje vreemd wanneer ik over het geld praat, maar wie zou dat niet doen? Hij is ook erg beschermend ten opzichte van Winslow, die door Pepto in de haren gevlogen zou worden als de kat ooit de kans zou krijgen, ondanks een gewichtsverschil van vijftig kilo. Op dit moment is dat het wel. Ik moet voorzichtig zijn. Nu ik Gods opdracht aanvaard heb – hoewel nog steeds met tegenzin –, moet ik alles doen wat ik kan om zijn wil te doen. Dat houdt ook in dat ik geen bedriegers in mijn leven moet binnenlaten die me misschien in de verkeerde richting sturen.

Hoofdstuk
20

Randy zat in het café op de hoek, twee blokken van mijn appartement vandaan, op me te wachten. Ik zag hem door het raam en bleef net voordat hij mij zou kunnen zien, stilstaan om hem te bestuderen.

Hij is net zo lang als Ken, maar daar eindigt de gelijkenis ook mee. Ken is brutaal, Randy verlegen. Ken is arrogant en zelfverzekerd, Randy is vaak aarzelend en onzeker. Ik ben blij dat zowel Ken als Randy mijn gevoelens omtrent seksuele intimiteit kent en respecteert. Ken weet dat ik maagd ben en accepteert het als, zoals hij dat noemt, onderdeel van mijn 'charme'. Hij heeft waardering voor mijn standpunten en ik geloof echt dat hij me daardoor nog leuker vindt. Ondanks zijn jongensachtige uitstraling is Ken een man van principes en geloof.

Randy's vriendelijkheid trok me in de eerste dagen bij Parker Bennett al aan, en toen ik eenmaal ontdekte dat hij christen was, maakte dat onze relatie nog beter. In andere tijden en op een andere plaats hadden Randy en ik misschien wel …

Het soort man dat ik in mijn leven wil, is stabiel, standvastig en moedig, alles bij elkaar. Iemand die, hoewel hij in staat is onrechtvaardigheden in het juiste perspectief te zien, problemen kan zien en oplossen. Iemand die niet zomaar door omstandigheden van gedachten verandert.

Ik keek opnieuw naar Randy en voelde een verlangen in mijn borst. Lieve Randy ... en Adam.

Maar ik ben me erg bewust van het feit dat het belangrijk is geen 'ongelijk span' te vormen. Opa zei soms spottend dat het trouwen van een christen met een niet-christen hetzelfde is als het aan elkaar vastmaken van een koe en een bonenstaak en dan hopen dat ze in dezelfde richting trekken.

Het is ontmoedigend er op die manier aan te denken, maar ik ben een optimist en weiger de moed op te geven. Dat Adam zijn geloof even kwijt is, betekent nog niet dat hij het nooit zal terugvinden. Het zou zo opwindend en bevredigend zijn betrokken te mogen zijn bij zijn terugkeer naar de Heer.

Maar op dit moment toont Adam nog niet veel interesse. Ik schudde mezelf als een natte hond en liep naar de deur van het café, van mezelf walgend omdat ik als een verliefde puber aan mijn buurman dacht.

'Kalverliefde', mompelde ik terwijl ik naar Randy toeliep. 'Gewoon kalverliefde.'

Het drong pas later tot me door dat ik dat bij Winslow ook gehad had, en dat die mijn leven en hart volledig heeft overgenomen.

Randy sprong zo snel overeind dat zijn stoel achterover viel en bijna op de grond belandde. Hij probeerde hem te pakken en tegelijkertijd mij te begroeten.

'Hoi, hoe is het?'

'Zo goed als je kunt verwachten van een arm rijk meisje.' Terwijl ik tegenover hem ging zitten, duwde hij een koekje mijn kant op dat het formaat van een frisbee had en bedekt was met stukjes chocolade en noten.

'Ik hoop dat we dit kunnen delen.'

'Zoals je wilt. Wat wil je drinken?'

Randy haalde de drankjes en liep er onhandig mee te balanceren. Daarna probeerden we allebei te bedenken wat we moesten zeggen. Hoewel ik me bij Randy op mijn gemak voel, ken ik hem niet echt. Er stroomde een zweempje argwaan door mijn zenuwstelsel, en ik bluste het met een slok cappuccino. Ik kan niet de rest van mijn leven paranoïde zijn. Dan ben ik net als Paula, en dat werkt gewoon niet.

Cricket heeft me over Paula's huidige obsessies verteld. Paula had besloten dat als er zoiets geweldigs met haar kon gebeuren, het tegenovergestelde ook waar zou kunnen zijn.

'Ze wacht op een ramp', had Cricket tegen me gezegd. 'Als er de ene dag iets geweldigs en totaal onverwachts kan gebeuren, hoe zit het dan met de volgende? Ze is helemaal op van de zenuwen, Cassia. Paula heeft de wereld al nooit vertrouwd, en nu is het allemaal nog onzekerder. Ze wacht nu op de verschrikkelijke gebeurtenis die het allemaal weer in evenwicht brengt. Ik denk dat ze nog zenuwachtiger is dan ooit.'

Nee, Paula was niet wie ik wilde zijn.

'Cassia.' Randy draaide zenuwachtig aan zijn koffiekopje. 'Ik wil iets tegen je zeggen en ik wil niet dat je het verkeerd opvat.' Hij aarzelde. 'Hoewel ik niet zeker weet of je het wel goed kunt opvatten.'

Ik hield mijn hoofd schuin en luisterde.

'Hoezeer ik ook geprobeerd heb het niet te doen, ik blijf maar aan je denken. Ik ben geen vooruitstrevende vent. Als ik iemand ontmoet die ik echt leuk vind, duurt het een tijdje voordat ik de moed gevonden heb om dat hardop te zeggen. Nou, ik vind jou leuk. Heel erg leuk. Dat wist ik al op de eerste dag dat je bij Parker Bennett kwam, en jij ook, denk ik.' Hij bloosde totdat zijn huid donkerder was dan de wortels van zijn zandkleurige haar. 'Ik wil je nog steeds beter leren kennen.'

Hij keek me bedroefd aan. 'Maar nu weet ik dat jij, wat ik ook doe of zeg, je zult afvragen of ik de waarheid spreek of gewoon op je geld uit ben. Maar ik wil nog wel dit zeggen, Cassia. Ik vind je *echt* leuk. Misschien houd ik zelfs wel van je.'

O, wat maakt dat geld toch een puinhoop van mijn leven.

'O, eh ... tja ...' Ik ben verbaal altijd heel sterk onder dit soort omstandigheden.

'Ik wilde het gewoon tegen je zeggen, Cassia. Je hoeft niet te reageren. Ik verwacht niets van je.' Zijn haar viel over zijn oog, en ik had de neiging het van zijn voorhoofd te strijken.

Zijn huid was warm, en hij keek me aan, geschrokken door mijn aanraking.

'Je hebt gelijk, Randy. Het is niet meer hetzelfde als toen ik me niets anders dan touw, plakband en kauwgom kon veroorloven om mijn auto bij elkaar te houden. Ik heb nog steeds dezelfde auto, maar al het andere is veranderd. God heeft me hiertoe geroepen, Randy. Hij maakt de dienst uit, en ik laat Hem dat graag doen. En daarmee bedoel ik niet alleen het geld, maar ook persoonlijke dingen. Relaties. De toekomst. Alles.'

'Ik ben een meester in slechte timing.' Hij zag er zo wanhopig uit dat het bijna komisch was. Ken was nooit neerslachtig, en hoewel ik zeker weet dat Adam het soms erg zwaar heeft, is dat niet zo duidelijk op zijn gezicht af te lezen. Randy's gedachten en emoties zijn van zijn voorhoofd tot aan zijn tenen te zien.

Ik legde mijn hand op zijn arm. 'Je bent mijn vriend.'

'Dat is een begin.'

Binnenkort zal ik een draaideur in mijn appartement moeten maken voor al die mannen die komen en gaan in mijn leven. Ken wil met me trouwen, Randy wil een relatie met me, en hoewel ik het pas sinds kort wil toegeven, zelfs tegenover mezelf, denk ik dat ik verliefd ben geworden op Adam. En dat is de slechtste keuze van allemaal, aangezien we niet hetzelfde geloof hebben. Het is voor mij overvloed of hongersnood op de mannenafdeling.

'Wat betekent 'vrienden' eigenlijk precies?', vroeg Stella de volgende dag. Toen ze me eenmaal uitgehoord had over Randy, begon ze me over Adam te ondervragen. Cricket, die niet het vermogen heeft in een ijskoningin te veranderen, leek blij voor me. Het is plezierig bij deze niet ziels- maar geldverwanten te zijn. We komen om de paar dagen bij elkaar om te lunchen en ons ei kwijt te kunnen. Het is goed te horen hoe mijn vrienden het maken.

'Gewoon vrienden. Koffie en een goed gesprek. Af en toe samen een film kijken. Een video huren en popcorn maken ...'

'Wacht eens. Bij *jou* thuis?'

'Dat lijkt me wel. Waar kijk je anders een video?' Ik keek haar onderzoekend aan. 'Waarom?'

'Dat klinkt me een beetje te vriendelijk in de oren.' Stella roerde in haar ijsthee en gooide nog een zakje caloriearme zoetstof in het brouwsel. Ze droeg een lichtblauwe trui van kasjmier en een witte broek. Aan haar voeten droeg ze sandalen van Manolo Blahnik of Jimmy Choo, die haar perfect gelakte teennagels onthulden. De nagels hadden dezelfde blauwe kleur als haar trui en hadden allemaal een klein wit motiefje. Er was op een of andere manier een minuscule blauwe parel aan de nagel van haar grote teen bevestigd. Ze droeg ook diamanten oorbellen die te groot leken om echt te zijn, maar dat desondanks wel waren – diamanten die zo groot waren dat ze in het juiste licht een kampvuur konden ontsteken.

'Stella, je hebt mannen nooit vertrouwd. Vertel me niet dat het nog erger geworden is.'

Ze haalde een kaartje uit haar tas en gaf dat aan mij.

Discreet en accuraat
Helen Cross, privédetective
Bereikbaar op 888-555-1212

Ik staarde naar het visitekaartje totdat Cricket het uit mijn hand trok en hijgde: 'Je laat mannen toch niet echt schaduwen voordat je met ze uitgaat, hè?'

Stella trok koel een wenkbrauw op.

Die beweging met die wenkbrauw is iets waar ik jaloers op ben. Toen ik jonger was, heb ik vaak geprobeerd dat ook te doen, maar ik zag er alleen maar uit alsof ik aan ernstige, ongeneeslijke tics leed.

'Doe jij dat dan niet?'

Het gezicht van de arme Cricket vertrok. Toen Stella telefoon kreeg en wegliep, wendde Cricket zich tot mij en zei: 'Ik weet dat ze waarschijnlijk gelijk heeft, maar ik geniet van de aandacht die ik van mannen krijg. Wat ik ook met mezelf doe, ik zal er nooit zo goed uitzien als Stella wanneer ze net onder de douche vandaan komt. De gelegenheden die zich voordoen, kan ik maar beter aangrijpen.'

'Het enige wat verbeterd moet worden, is je zelfvertrouwen. Je ziet er geweldig uit, Cricket.' Ik meende het. Haar donkere, krullende haar, wipneusje en de extra pondjes die ze zelf 'babyvet' noemt, maken haar zo snoezig en aantrekkelijk als een mens maar zijn kan.

Cricket boog zich vertrouwelijk nog dichter naar me toe. 'Hoe zit het eigenlijk bij jou? Met mannen, bedoel ik. En intimiteit?' Ze werd zo rood dat het was alsof haar wangen met rood krijt bewerkt waren. 'Doen jullie bijvoorbeeld ...' Ze hief met een hulpeloos gebaar haar handen, alsof ze de woorden niet kon vinden.

'Of we kussen, knuffelen, vrijen, bedoel je?' Ik glimlachte vriendelijk naar haar, in de hoop haar ongemak weg te nemen. 'Ik ben nog maagd, Cricket.'

De wangen waarvan ik dacht dat ze niet meer roder konden worden, werden dat wel. 'Je hoeft me niet te vertellen ...'

'Dat wil ik wel. Jij bent niet de enige die zich afvraagt hoe wij, christenen, dat doen.'

'Dus ...' drong ze aan.

'Ik zit – net als alle christenen – op dezelfde manier in elkaar als ieder ander, Cricket. We hebben net zo goed onze verlangens. Niet intiem zijn is een keuze die christenen maken. Niemand 'dwingt' ons. We bewaren intimiteit voor het huwelijk, omdat we dat willen.' Mijn vriendin keek zo verbaasd dat ik wilde glimlachen. 'En dat willen we omdat God dat voor ons wil.'

'En Hij wil het voor jou, omdat ...' Cricket leek enorm geïnteresseerd.

'Omdat Hij ons geschapen heeft. Hij heeft ons op aarde gezet en ons het vermogen gegeven lief te hebben. En Hij heeft ons een volgorde gegeven om het meeste uit die liefde te halen. Het huwelijk en intimiteit zijn de twee ultieme stappen in zijn goddelijke volgorde.'

'Ik snap niet precies wat je bedoelt', gaf Cricket toe.

'Gewoon dat intimiteit het hoogtepunt zou moeten zijn van de volgorde van ontmoeten, elkaar leren kennen, verliefd worden en trouwen. Hij heeft gelijk, hoor. Hoeveel stellen zijn niet intiem voordat ze elkaar goed genoeg hebben leren kennen, waarna de relatie stukloopt? Hoeveel mensen onderwaarderen niet een van de meest liefdevolle daden die een stel samen kan hebben?'

'Als je het zo stelt ...', mijmerde Cricket.

'Bovendien is het, zoals mijn oma Mattie zegt, 'een geschenk dat je maar éénmaal kunt weggeven'.'

Cricket grinnikte. 'Nu snap ik het.' Ze zweeg even en fronste haar wenkbrauwen. 'Dat klinkt logisch.'

Nu haar nieuwsgierigheid bevredigd was, ging Cricket verder waar we met het andere gesprek gebleven waren. 'Eerlijk gezegd denk ik dat Stella een beetje te ver gaat met dat beveiligingsgedoe. Thelma en jij zien het wel goed, eigenlijk', concludeerde Cricket.

'En dat is?'

'Thelma heeft een nieuwe koel-vriescombinatie gekocht, een busje en een loopband. Ze zegt dat ze die loopband niet eens wilde kopen, maar ze voelt zich verplicht gezond te blijven en lang genoeg te leven om ervan te genieten dat haar kleinkinderen nu kunnen studeren. De rest bewaart ze als appeltje voor de dorst.'

Ze moet wel *heel* dorstig worden om al dat geld op te maken. Ik had visioenen van haar in de woestijn, met haar persoonlijke oase.

Cricket keek op om te zien of Stella al terugkwam, en fluisterde toen: 'Wat ga je doen met de mannen in je leven, Cassia? Ik wil niet de rest van mijn leven wantrouwend en achterdochtig zijn.'

'Ken, in Simms, heeft al al het geld dat hij nodig heeft. Adam, mijn buurman, lijkt totaal niet geïnteresseerd in mijn geld. En Randy en ik zijn gewoon vrienden. Bovendien ben ik van plan het weg te geven zodra ik weet hoe dat moet. Tot nu toe is het niet alleen moeilijk geweest er de goede plek voor te vinden, maar het vermenigvuldigt zich ook nog eens. Ik word er gek van!'

'Nou,' zei Cricket terwijl ze een handje pinda's uit het schaaltje op tafel pakte, 'we zijn een lekker stel met z'n drieën. Die idiote loterij heeft een heel rijke versie van de Three Stooges van ons gemaakt.'

Toen Stella terug was, gingen we verder met het eten van onze lunch. Stella bestelde de groenteschotel, zonder dressing. Cricket bestelde een salade en een kopje bouillon. Ik bestelde een grote cheeseburger, frietjes, een beker warme chocolademelk, gefrituurde champignons als voorgerecht en een stuk taart als toetje.

'Ik heb weleens iemand horen zeggen dat iemand niet te rijk of te dun kan zijn, maar daar ben ik het niet mee eens', zei ik tegen hen toen ze me aanstaarden. 'Ik ben al te rijk. En het heeft ook geen zin af te vallen.'

We waren bijna klaar met eten toen Stella zich in haar laatste radijsje verslikte. Haar ogen werden groot en ze staarde naar de deur van het restaurant. 'Is dat wie ik denk dat het is?'

'Wie?', riepen Cricket en ik in koor.

'Is die ongelofelijke, adembenemende man die nu naar ons toe komt, de man die met je meekwam naar het hoofdkantoor van de loterij?'

'Dat is een man met wie ik graag uit zou gaan, geschaduwd of niet', zei Cricket.

Ik draaide me om en keek naar het droombeeld van mannelijkheid waarvoor mijn vriendinnen smolten en zag Adam door de zaak lopen.

Hij kwam bij ons en legde een hand op mijn schouder. 'Ik heb Winslow net opgehaald. Hij ruikt naar een parfumerie en ziet eruit als een zwaarlijvige poedel met blauwe strikken in zijn haar. Je moet een andere trimsalon zoeken, Cassia. Winslow en ik hebben het erover gehad. Hij begint aan zijn mannelijkheid te twijfelen. Ben je klaar om te gaan?'

Adam, die Winslow had meegenomen voor een knipbeurt en een bad, trok er een stoel bij en ging er achterstevoren op zitten. Ik voelde meer dan ik zag hoe Stella veranderde van haar normaal zo koele houding in een bedachtzame, preutse, maar serieuze jager. Mannenjager. Ik heb op de middelbare school een meisje gekend dat van een normaal mens in een enorme flirt kon veranderen wanneer er iemand van het andere geslacht verscheen. Zij knipperde ook met haar wimpers en toonde een glimlach die zo straalde dat die een schip door de mist heen zou kunnen leiden. Het fascineerde me toen al, en dat deed het nu nog.

Adam had echter geen aandacht voor Stella's flirtpoging.

Hij krijgt het op een bepaalde manier voor elkaar mensen op afstand te houden als hij dat wil. Als hij zich op zijn gemak voelt, laat hij zijn grappige, charmante en zelfs speelse kant zien. Dan gebeurt er iets – alsof hij ineens aan iets denkt, zich iets herinnert, of iets slechts tot hem doordringt –, en dan verdwijnt hij, slechts een schaduw van zichzelf achterlatend. Wanneer dat gebeurt, wordt hij afstandelijk en zwijgzaam, alsof er iets in hem breekt. Adam kan met de snelheid van het licht een muur rondom zichzelf opbouwen. Stella maakte geen enkele kans.

Maar Adam was er weer helemaal toen we terugliepen naar het gebouw – ik was degene die een beetje in de war was. En zonder dat ik precies wist hoe het gebeurde, regelden we dat Adam die avond rond vijven naar mijn appartement zou komen voor een avondmaaltijd met burgers, salade en de zelfgemaakte taart die mijn oma en zus gisteren kwamen brengen.

'Hoeveel schalen heb je nodig om een burger te maken?', vroeg Adam na het eten, met een handdoek in zijn hand kijkend naar de groeiende stapel schone vaat.

'Te veel. Laten we gaan zitten en een film kijken.'

Adam ging aan de ene kant van de bank zitten, en ik aan de andere. Toen begon Winslow, jaloers vanwege 'zijn' plekje op de bank – waar ik nu zat –, me met zijn neus weg te duwen. Toen hij het voor elkaar gekregen had mij in het midden te zetten, sprong hij ernaast, waardoor we allemaal als sardientjes in een erg klein blikje opeengepakt zaten.

Terwijl de film draaide, gaapte Winslow en rekte hij zich uit, hetgeen me nog dichter tegen Adam aan duwde, totdat ik uiteindelijk tegen hem aan kroop. Ik was zo ontspannen dat ik wegdommelde toen ik hoorde dat Adam de dvd-speler uitzette en begon te zappen. Het laatste wat ik besefte voordat ik in slaap viel, was dat hij mij teder over mijn haar streelde.

Ik werd langzaam wakker en voelde dat mijn voet sliep, hoorde dat Winslow snurkte en merkte dat Adams hand zachtjes met mijn haar speelde.

Ik keek hem slaapdronken aan.

'Doornroosje wordt wakker.'

'Hoe lang heb ik geslapen?'

'Niet lang. Misschien een uurtje.'

Ik probeerde rechtop te gaan zitten, maar hij hield me tegen zich aan gedrukt.

'Dat hoeft niet. Ik zit prima zo.'

'Ik plet je.'

'Als Tinkelbel en Kapitein Haak. Ik voel je nauwelijks.' Hij drukte zijn arm nog steviger om mijn schouder.

Ik had waarschijnlijk moeten opspringen, maar ik sliep nog half en ik genoot van het warme, sterke gevoel van zijn borst tegen mijn schouder.

We bleven zo zitten tijdens het nieuws van tien uur, Leno, een herhaling van *Star Trek* en de geluiden van drie buren op de gang. Uiteindelijk, omstreeks middernacht, wurmde ik mezelf weer los en kwam ik overeind. 'Ik kan Winslow maar beter even uitlaten.'

Adam kwam ook overeind en keek naar de hond die buiten bewustzijn aan mijn voeten lag te snurken. 'Ja, hij ziet eruit alsof hij nodig moet. Of wil je me gewoon weg hebben?'

'Natuurlijk niet! Het was een heerlijke avond, precies zoals ik graag wil. Geen lawaaierige restaurants of mensenmassa's. Lekker knus. Net als ik.'

'Dat ben je zeker.'

En voordat ik goed en wel besefte wat hij in gedachten had, nam Adam mijn gezicht in zijn handen.

Ik deed een stap naar achteren en struikelde bijna over Winslow. 'Ik kan niet ... Ik mag niet ...'

'Kussen op een eerste afspraakje?' Hij zag er geamuseerd uit. 'Sorry, Cassia. Ik weet hoe serieus je de waarschuwingen in de Bijbel neemt over een relatie met een man als ik.' Hij streelde met zijn knokkels over mijn wang. Hij glimlachte treurig en draaide zich om om weg te gaan.

Mijn vingertoppen bleven rusten op de huid die hij net had aangeraakt, en ik zuchtte.

Een man als ik. Wie is precies een man als Adam? Een gelovige die zijn geloof is kwijtgeraakt? Een zoekende die het zal terugvinden? Misschien moet ik van dat proces deel uitmaken! Of ik ooit een relatie met hem zal krijgen of niet, is onbelangrijk in vergelijking met nieuw geloof voor hem ... En toch hoopte ik onwillekeurig dat het eerste op het laatste zou volgen. Vanavond had me laten zien hoezeer ik me bij Adam op mijn gemak voelde, als er maar geen grenzen waren om te voorkomen dat onze band zich verdiepte.

Hoofdstuk
21

'Ik kan het niet meer, Terrance.' Adam ijsbeerde over het zachte tapijt dat op de vloer van het kantoor van zijn agent lag.

Alleen voor Adam zou Terrance zijn vrije zaterdagochtend opofferen.

Op het eerste gezicht zag het kantoor eruit als dat van een succesvolle directeur, maar achter die met houten panelen beklede muren bevonden zich kamerhoge boekenplanken met meer manuscripten en boeken dan in sommige kleine bibliotheken, allemaal netjes geordend. Terrance was al net zo nauwgezet en voorzichtig als Adam avontuurlijk was. Ze hadden hun relatie de afgelopen tien jaar goed gehouden door elkaars persoonlijkheden in evenwicht te houden. Terrance was een van de weinigen die Adams passie en toewijding volkomen kenden.

Hoewel Adam nu sporen in het pasgelegde roomkleurige tapijt maakte, liet Terrance hem begaan.

'Ik kan geen dag langer meer tegen haar liegen. Iedere keer wanneer ze me een nieuwe gedachte over haar ervaringen na het winnen van de loterij toevertrouwt, voelt het als een mes in mijn hart. Misleiding is nooit mijn stijl geweest, en ik wil het niet langer, zelfs niet voor een goed verhaal.'

'Heb je genoeg om het te schrijven?'

Adam keek zijn agent aan. 'Ja. Ik heb al een begin gemaakt, maar jij krijgt het niet in handen. Ze zou me nooit meer vertrouwen. En dat is wat zo'n pijn doet. Ik heb mijn leven lang geprobeerd betrouwbaar te zijn, en nu ...'

Terrance leunde achterover in zijn leren stoel en sloeg zijn armen over elkaar. 'Wanneer ben je eigenlijk gaan beseffen dat je verliefd op haar bent?'

Adam struikelde bijna over een niet-aanwezige bobbel in het tapijt. 'Verliefd op haar? Doe normaal, Terrance. Ik houd zaken en privé altijd strikt gescheiden. Werk is werk en, nou ja, al het andere is ... al het andere', maakte hij zijn zin zwakjes af.

'Ben je daarom zo zakelijk met je ervaring in Burundi omgegaan?'

'Kom op, Terry, je weet dat je daar een hart van steen voor moet hebben.'

'En jouw hart is nauwelijks van steen.' Terry glimlachte op een veelbetekenende manier die Adam altijd gek maakte. 'Jouw hart is zo zacht en sentimenteel als maar mogelijk is.'

'En dat is ons geheimpje.' Adam streek met zijn vingers door zijn haar. 'Het zou mijn reputatie ruïneren als bekend werd dat ik eigenlijk een mens ben.'

'Het zou zeker verschrikkelijk zijn als de mensen wisten dat je geen robot bent die in zijn slaap bekroonde artikelen kan schrijven over ebola, de economie in derdewereldlanden en de vernietigende werking van terrorisme. Je hebt veel over mensenrechten geschreven, bent er wanhopig over geweest, maar hebt het nooit laten merken. Maar bedenk dit eens, Adam. Je bent bezig met een verhaal over een vrouw die de loterij gewonnen heeft en het geld niet eens wil. Vergelijk dat met je eerdere verhalen, dan weet je dat het al deze emoties niet waard is ... tenzij je verliefd bent.'

Adam liet zich in een leren stoel zaken. 'Ik weet het niet. Misschien heb je wel gelijk.'

Terrance trok zijn wenkbrauwen hoog op, alsof hij niet verwacht had dat Adam zo snel tot een bekentenis zou komen.

'Ik denk dat het dat rode haar is ... of die sproetjes ... of dat idiote beeld dat ze van de wereld heeft. Misschien is het wel de manier waarop ze net blijft doen alsof dat geld er niet is en nog steeds voor de lol ieder dubbeltje omdraait. Ze voelt zich prettiger in kleren van vijftig dollar uit de uitverkoop dan enig topmodel zich voelt in een jurk van duizenden dollars.'

Terrance knikte bemoedigend.

'Het is alsof de wereld, iedere dag wanneer ze haar ogen opendoet, gloednieuw is. Ze is God zo dankbaar en zo blij dat ze leeft. En die grote, domme hond ... die is stapelgek op haar. Ze praat gewoon tegen hem, en hij luistert. Ik kan me niet eens voorstellen hoe geweldig ze zou zijn met kinderen.' Adam gromde even. 'Zelfs *Pepto* luistert naar haar!'

Terrance leek het uitstekend te begrijpen. 'Je bent dus *echt* verliefd op haar.'

'Hoe heb ik dat kunnen laten gebeuren?', brieste Adam, hoewel hij het al wist. Het was zo geleidelijk gebeurd dat hij verliefd was voordat hij het doorhad. Die bizarre mengeling van die bloemen, die rare salade die eruitzag als een moeras, maar verrukkelijk smaakte, het feit dat Pepto haar vertrouwde – nee, aanbad – haar goedheid, dat wilde rode haar, haar wonderlijke gewoonte de Bijbel te citeren alsof iedereen het hele boek uit zijn hoofd kende ...

Hij was van het begin af aan al reddeloos verloren geweest, besefte hij nu. Hij had alleen nooit doorgehad hoe diep zijn gevoelens gingen.

Pas op het moment dat hij haar bijna gekust had, had hij het zeker geweten. Ze rook naar suikerspinnen, verse zeep, een lentebriesje en perziken. Hij was zo gek op haar. Adam voelde zich als een vis op het droge. Bij deze zou het geen kwestie van vangen en teruggooien zijn.

'Je hebt je beroemde Cavanaugh-wapenrusting laten vallen. Je dacht eens niet aan tijd of emotionele verplichtingen die je van de energie beroven die je voor je werk nodig hebt. Je zei toch tegen me dat je zou stoppen met schrijven? Je liep naar binnen, maar liet je schild buiten.' In de ogen van Terrance verschenen pretlichtjes. 'En je bent geraakt. Paf. Een pijl van Cupido heeft je recht in je hart geraakt.'

'Houd op, Terry. Hier heb ik niets aan. Ik kan me niet voorstellen dat ik dit heb laten gebeuren. Nu *geef* ik om haar. Ik breek haar hart als ik haar vertel wat ik van plan was.'

'Waarom zou je het haar dan vertellen?'

Adam keek naar Terrance met een gekwelde blik in zijn ogen. 'Jij kent haar niet zoals ik haar ken. Ik kan het haar niet *niet* vertellen, ook al zal het haar kapotmaken. Ze heeft me vertrouwd in een tijd waarin ze niet veel mensen in haar leven toeliet. Ze is bang in een bepaalde richting geduwd te worden door mensen die beter van haar willen worden of willen dat ze hun specifieke goede doelen financiert.' Hij streek met zijn vingers door zijn haar totdat het in donkere pieken omhoog bleef staan. 'Ze is juist bang voor mensen als ik.'

'Waarom heeft ze die poen niet allang weggegeven? Waar wacht ze nog op?'

'God. Ze wacht totdat Hij haar laat zien wat ze ermee moet doen. Totdat ze denkt dat Hij haar een teken gegeven heeft, wacht ze af.'

'En Hij zegt niets?'

'Blijkbaar nog niet, maar ze heeft geduld. Ze is ervan overtuigd dat er een hemelse bestemming is voor dat geld, en dat het haar taak is die uit te zoeken.'

'Als je het verhaal opgeeft, kun je niet doen wat je wilt in Burundi', merkte Terrance op. 'Het is niet alsof je niet iets goeds probeert te doen. Misschien kan zij je wel ...'

'Terrance, het beste waarop ik kan hopen wanneer ik haar de waarheid verteld heb, is dat we nog met elkaar zullen praten. Cassia zal het me vergeven, maar het zal moeilijker te vergeten zijn. Ze zegt dat dingen 'zo ver als het oosten is van het westen' bij God vandaan zijn.'

Terrance keek nog vragender.

'Psalm 103:12. *Zo ver als het oosten is van het westen, zo ver heeft hij onze zonden van ons verwijderd.* God vergeeft zonden niet alleen, maar daarna, als je om vergeving gevraagd hebt, vergeet Hij ze ook.'

Plotseling slaakte Adam een kreet die door de kamer echode en waardoor Terry opsprong.

Adam sloeg zijn handen voor zijn ogen en kreunde. 'Het is nog erger dan ik dacht, Terry. Nu smijt *ik* zelfs met bijbelverzen en verwacht ik dat jij het begrijpt!'

Hoofdstuk

22

'Wat is er met jou aan de hand?' Ik pakte voorzichtig een rijpe zwarte kers van de schaal die mijn zus voor me neerzette. 'Je ziet eruit alsof de hond je huiswerk opgegeten heeft.'

Jane keek of Mattie nog steeds met Dave in de keuken bezig was. Ze waren samen bezig met een verrassingsdessert voor het diner. 'Ik moet met je praten. Ik heb het voor me uitgeschoven, maar het kan niet langer wachten.'

'Praat maar.' Ik keek mijn zus vriendelijk aan. Ik zie de hele week alles al door een enorme roze bril, omdat ik bijna duizelig ben van geluk. Ik zweef op wolkjes van hoop en bid en plan hoe het zal zijn als Adam ziet wat hij mist in zijn leven. Ik ben er zo mee bezig welke rol God wil dat ik speel in het terugbrengen van Adam in de familie – de familie van God – dat het een groot deel van mijn stille tijd in beslag neemt.

Het is logisch. Adam weet wat het geloof in God is en heeft het in zijn eigen familie gezien. En hij geeft om me, dat weet ik. Ik denk de hele week al na over 'ze leefden nog lang en gelukkig', nadat God Adam aanraakt en hem laat zien wat hij mist, dus zelfs Janes bezorgde blik en hangende mond doen me weinig.

Ik kan er niets aan doen dat Jane niet degene is die verliefd is. Ik giechelde bijna, maar dat zou haar nog meer van streek maken.

Het is eindelijk mijn beurt op het romantische vlak. Ik had er geen idee van hoe geweldig dat kon zijn.

'Je zweeft hier rond als een rubber eendje in een bad, je niet bewust van het feit dat je ieder moment naar de afvoer gezogen kunt worden.'

'O, wat eng.' Ik pakte nog een kers en knabbelde eraan. 'Vreselijk als dat gebeurt.'

'Zus! Word wakker!'

Ze zag eruit als een donderwolk en ik wilde de regen niet over me heen krijgen. 'Jane, ik heb er geen zin in.'

'Nou, dan *maak* je maar zin. Dit is belangrijk.'

'Ik word er moe van, zus. Zeg eens, wat is er zo belangrijk dat je me niet eens van mijn geluk kunt laten genieten?'

Even zag mijn zus er gekwetst en bang uit.

'Jane, is alles goed met je?'

Blijkbaar niet. Ze zag eruit alsof ze ieder moment in tranen kon uitbarsten. Toen jammerde ze: 'Nee, het gaat niet goed met me, en met jou ook niet!'

Mijn roze mist loste op. 'Je laat me schrikken. Wat is er aan de hand? Heeft het iets met pappa en mamma te maken? Het gaat toch wel goed met hen, hè? Misschien moet ik bellen ...'

Voordat ik kon opspringen, greep Jane me beet. 'Er is niets met pappa en mamma aan de hand. Er is met niemand iets aan de hand ... zo ongeveer. Met iedereen behalve Adam Cavanaugh, tenminste. Ik moet je iets vertellen, Cassia.'

Mijn hart bonsde zo hard in mijn borst dat het zeer deed.

'Stella kwam gisteren naar me toe. Het is een slimme, schrandere vrouw, Cassia, en achterdochtiger dan de meesten.'

'Dat is geen nieuws, Jane. Ik denk dat mooie vrouwen zoals zij wel argwanend moeten zijn. Ik zou het niet weten.'

'Omdat jij niet mooi bent? Cassia, je bent prachtig en je weet het niet eens!'

'Dank je wel, denk ik. Maar wat heeft dat met Stella te maken?'

Jane stak haar hand in haar zak, haalde er een visitekaartje uit en gaf dat aan mij.

Discreet en accuraat
Helen Cross, privédetective
Bereikbaar op 888-555-1212

'Dus?' Ik gaf het kaartje terug.

'Je kent die naam dus?'

'Natuurlijk. Stella heeft me over haar verteld. Het zijn kennissen, vriendinnen zelfs. Stella zegt dat ze mevrouw Cross vaak gebruikt sinds ze de loterij gewonnen heeft. Ze laat alles onderzoeken, van liefdadigheidsinstellingen tot potentiële vriendjes. Belachelijk, hè?'

'Misschien is dat wel slimmer dan je denkt.'

'Mensen bespioneren? Vast niet.' Op fluistertoon ging ik verder: 'Ik ben bang dat Stella nogal een hoge pet van zichzelf op heeft, en dat geld heeft het alleen maar erger gemaakt. Ik houd van haar ...'

'Cassia, Stella had een naar voorgevoel over je buurman.'

'En over Randy en over ieder ander tweebenig wezen op aarde.' Ik zei niet dat Stella met Adam geflirt had en genegeerd was. Geen wonder dat ze achterdochtig was. Dat was haar waarschijnlijk nog nooit overkomen.

'Dus ze heeft mevrouw Cross gevraagd Adam eens na te trekken.'

Er liep een rilling over mijn rug. Mijn maag draaide zich om, en ik kreeg een bittere smaak in mijn mond. 'Ze heeft Adam bespioneerd?'

'Ze noemde het 'onderzoeken'.'

'Dat is gewoon spioneren!' Ik denk dat ik nog nooit zo boos en verontwaardigd ben geweest. Ik liep naar mijn jas en mijn tas. 'Ik moet met Stella praten.'

'Ze had gelijk, Cassia. Ik denk dat je vriend Adam niet helemaal eerlijk is.'

'Hoe bedoel je?' Ik ging weer zitten. Ik moest wel. Mijn benen begaven het.

'Weet je wat Adam Cavanaugh voor werk doet?'

'Vaag. Hij reist voor zijn werk en is schrijver of redacteur. Ik heb niet naar details gevraagd.' Ik droomde weer weg en dacht aan alle niet-serieuze dingen waarom we gelachen hadden. 'We hebben zo veel andere dingen te bespreken ...'

'Hij is journalist.' Jane sloeg een tijdschrift open en duwde dat mijn kant op. Daar stond Adam, met een sportjasje over zijn shirt en gebleekte spijkerbroek, lachend en handenschuddend met een belangrijk uitziende man.

Adam Cavanaugh, journalist en winnaar van de Pulitzer-prijs, ontmoet het hoofd van de jury, door wie hij geprezen werd vanwege zijn fantastische werk over humanitaire inspanningen. Cavanaugh zei, toen hem gevraagd werd hoelang hij zijn keiharde en emotioneel uitputtende werktempo nog zou voortzetten: 'Binnenkort vind ik wel een minder heftig verhaal om te schrijven, maar tot die tijd heb ik het gevoel dat dit de plaats is waar ik moet zijn en waar ik het meeste goed kan doen.' Cavanaugh, die hierna naar Burundi gaat, zal met het Rode Kruis en enkele humanitaire instanties in het gebied rondtrekken.

Journalist? Net als de vele verslaggevers die me belaagd hadden sinds de loterijwinnaars bekendgemaakt waren? Ze waren allemaal teruggekomen toen Bobs gokblunders aan het licht gekomen waren – ongetwijfeld in de hoop dat een van de andere loterijwinnaars net zo'n sappig verhaal had en snel weer arm zou zijn. Was Adam net als de anderen die zich in allerlei bochten wrongen om mijn 'verhaal' te krijgen?

'Je bent toch niet te dicht bij hem in de buurt gekomen, hè, zus? Ik weet dat jullie buren zijn, maar je kent hem nog niet zo lang ...'

Ik had het gevoel alsof mijn lichaam ontplofte, terwijl mijn hart en gevoelens als stof uiteenvielen. Ik had hem vertrouwd. Ik was bereid geweest van hem te houden. Ik had me nog nooit zo gekwetst en verraden gevoeld.

Geen wonder dat hij zo attent geweest was en zo goed naar me had geluisterd. Dit was de reden waarom hij zo bezorgd, geduldig en vriendelijk was geweest. Ik dacht dat ik de media vermeed, terwijl ik die al die tijd om me heen gehad had!

Onwillekeurig ging mijn hand naar de plek op mijn gezicht waar Adam me aangeraakt had. Hoe kon iemand die zo liefdevol en teder leek, zo ... onoprecht zijn?

Op dat moment wist ik dat ik nooit eerder verliefd geweest was voordat ik Adam had leren kennen. En hoe wist ik dat? Omdat ik nog nooit eerder zo gebroken geweest was.

En toen deed ik wat mijn normale reactie op zo'n schok is, ik viel flauw.

Ik maakte Jane enorm aan het schrikken. Toen ik bijkwam, hoorde ik de paniek in haar stem, en ik wenste dat ik langer bewusteloos gebleven was. Ook al wist ik dat het beter was nu te ontdekken dat Adam een leugenaar en een hypocriet was dan later, nam ik het zowel Jane als Stella kwalijk dat ze zich met mijn leven bemoeid hadden. Ik hield mijn ogen gesloten en bleef heel stil liggen, omdat ik haar nog niet wilde aankijken.

Toen haastte mijn oma zich de kamer in en zwaaide met iets, waarschijnlijk een handdoek, in mijn gezicht. Ondertussen vertelde Jane wat er zojuist gebeurd was.

Slim als hij is, kondigde Dave aan dat hij een wandeling met Winslow ging maken. Een lange wandeling.

Het kostte me al mijn kracht niet te lachen toen Mattie zei: 'Jane, je hebt je hier al net zo mee bemoeid als Stella. Als Stella het zo belangrijk vond dat je zus deze dingen wist, waarom heeft ze het Cassia dan niet zelf verteld?'

'Ik heb het niet uit nieuwsgierigheid gedaan, oma. Ik houd van Cassia. Ik wil niet dat ze gekwetst wordt.'

'Maar ze is nu toch gekwetst.'

'Stella kwam bij me en vroeg zich af wat ze moest doen. Ik dacht dat het misschien beter was als ze het van mij hoorde ...' Jane huilde bijna, en hoewel ik wist dat het niet goed was, had ik er geen behoefte aan haar te redden, en dus bleef ik volkomen stil liggen.

'U wilt toch ook niet dat ze omgaat met iemand die haar probeert te misleiden?' Jane klonk oprecht en een beetje verontwaardigd.

De stem van mijn oma was geduldig en lankmoedig. 'Cassia is een slimme en voorzichtige meid. Als die man niet is wat hij zegt, zou ze daar zelf wel achter zijn gekomen. Het is haar leven – laat haar dat zelf leiden en ervan leren.'

'Maar ze is gek op hem! Dat konden we niet aanzien ...'

'We?'

'Oma! U probeert toch niet te zeggen dat ik haar gewoon verliefd had moeten laten worden en haar had moeten laten kwetsen?' Jane wendde zich van me af en richtte haar aandacht op onze oma.

'Ik weet nog dat je ook bang was dat ze verliefd zou worden op Ken, en al zijn 'onvolkomenheden' niet zou zien.'

'Daar heb ik me buiten gehouden ... meestal. We hoeven het niet altijd met vallen en opstaan te leren, toch?'

'Soms is dat de *enige* manier waarop we leren, schat. Bovendien staat Cassia altijd in contact met de Heer. Denk je niet dat zij het ook over Adam gehad hebben?'

'Ja, maar ...'

'Er is bij God geen 'ja, maar', Jane. Houd op met dat staren naar mij en breng je zus bij. Je moet je verontschuldigingen aanbieden.'

Ondanks Matties kleine preek was mijn zus lang niet zo berouwvol als ik gewild had, maar ik begon stijf te worden van het liggen op de grond. Ik maakte een hele show van het langzaam bijkomen – met knipperende ogen, gekreun en alles. Ik zou me er schuldiger over gevoeld hebben als mijn zus – zodra ze wist dat ik geen hersenbeschadiging of iets dergelijks opgelopen had – er niet meteen weer over doorgegaan was.

'Je zult Stella en mij op een dag dankbaar zijn, Cassia. Ze geeft om je. *Ik* geef om je.'

'En daarom mag je je met mijn leven bemoeien?'

'Ik ben je zus. Dat is mijn taak.' Ze sloeg haar armen over elkaar en haar kin ging omhoog, hetgeen me deed denken aan Pepi, een kleine bulterriër die we als kinderen gehad hadden. Als hij dapper probeerde te zijn, legde hij zijn kop op zijn schouder, gromde en kefte. En als we het niet meer grappig vonden, pakte een van ons hem op, kriebelde hem onder zijn kin en deed iets geks met hem, zoals hem rondrijden in onze poppenwagen. Maar ik was nog niet klaar om Jane op te tillen en onder haar kin te kriebelen.

'Dit is iets tussen Adam en mij', hield ik vol.

'Waarom heeft hij je dan niet verteld dat hij journalist is?'

'Hij heeft iets gezegd over schrijven, maar ik ben er nooit dieper op ingegaan.'

'Je wilde het gewoon niet weten, hè?'

'Hoe weet je trouwens dat hij een verhaal over mij aan het schrijven is?'

Maar ik wist wel beter. Waarom zou hij anders zo geïnteresseerd geweest zijn in mijn gedachten, mijn vrienden en mijn familie? Hij zou wel gek zijn als hij van een sukkel als ik geen profijt zou proberen te trekken.

De medelijdende blik van mijn zus was meer dan ik aankon.

'We wilden je niet kwetsen.'

Ik wist dat ze ervan overtuigd was dat ze het goede gedaan had. Ze is ook onverbeterlijk.

'Wat ga je nu doen?', wilde ze weten.

'Jouw rommel opruimen, bedoel je?'

'Het is niet *mijn* rommel als Adam Cavanaugh degene is die die rommel gemaakt heeft.'

Voelde ik me maar zo kalm als ik klonk. Ik had het gevoel alsof ik moest overgeven. Waarom had Adam dit gedaan? Hij heeft duidelijk prijzen en geld genoeg om van te leven. Dit deed pijn en was gewoon gemeen. Ik dacht dat we vrienden waren ... en meer.

'Je gaat hem hier toch wel mee confronteren? Hem om een uitleg vragen?', hield Jane vol.

Ik zuchtte. Hoe, vroeg ik me af, kon zelfs iemand die verbaal zo sterk was als Adam Cavanaugh, dit uitleggen?

Toen ik na het eten thuiskwam, voelde ik me gebruikt. Hoewel Mattie geprobeerd had om me op te vrolijken, had het niet gewerkt. Als ik de loterij niet gewonnen had, zou Adam me dan ook maar aangekeken hebben? Waarschijnlijk niet. Overal om me heen hielden mensen hun handje op – voor mijn geld, mijn bekendheid, mijn verhaal.

Ik vroeg me af hoe God zich voelde. Mensen vroegen Hem altijd dingen, probeerden het met Hem op een akkoordje te gooien en wilden succes, gezondheid en rijkdom. Hij moest zich wel een hemelse pinautomaat voelen, waar mensen kwamen om te halen, halen, halen en nooit iets terug te geven. Ik kon met hem meevoelen.

Hoofdstuk
23

Een van de meer intrigerende aspecten van dit miljoenendilemma is dat Carr, belijdend christen, opgevoed is met het geloof dat gokken niet aanvaardbaar is.
Hoewel gokken niet specifiek verboden is of veel genoemd wordt in de Bijbel – behalve het feit dat de Romeinen het lot wierpen om Jezus' gewaad na de kruisiging – gelooft Carr dat het voor haar niet gepast is iets te doen wat haar een ongeschikt rolmodel voor anderen zou kunnen maken …

Adam gooide het artikel waaraan hij werkte op tafel terwijl Terrance toekeek.

'Ik stop ermee.'

'Waar stop je precies mee?'

'Met het schrijven van dit artikel over de loterijwinnaars. Met Cassia bedriegen. Met een hypocriet zijn. Misschien zelfs wel met journalistiek.' Hij pakte het papier op en gooide het in de prullenbak.

'Je levenswerk?', vroeg Terrance ad rem.

'Als het moet. Terry, ik heb altijd zo ethisch en oprecht mogelijk geleefd. Ik heb ervoor gekozen over mensenrechten te schrijven omdat ik op die manier iets goeds kon doen voor de wereld door anderen te laten weten hoeveel nood er is en hen tot actie aan te zetten. Dit verhaal achter Cassia's rug om schrijven voelt zo verkeerd. Ik loop in drijfzand en trek haar met me mee. We zullen beiden stikken in deze leugen.'

'Maar nu is er een contract voor een boek ...' Terrance' mond klapte dicht toen Adam hem aankeek.

'Een contract voor een boek?'

'Ik heb het er gisteren tijdens de lunch met een uitgever over gehad. Het was niet mijn bedoeling jou ter sprake te brengen, maar het gebeurde gewoon ... Hij vindt het een geweldig idee. Zei dat er een aantal boeken in omloop zijn, waarvan sommige een paar jaar oud, over loterijwinnaars, maar geen boeken over iemand die alles probeert weg te geven. Hij zou graag willen dat je onderzoek doet naar alle grote loterijwinnaars in de afgelopen vijf jaar of zo om te zien hoe het die mensen nu vergaat. Hij zei dat je reputatie als schrijver het een heleboel geloofwaardigheid zal verschaffen en ...'

'Ik dacht dat jij degene was die zei dat ik ermee kon stoppen.'

Terrance bloosde en leek zich een beetje te schamen. 'Ik wist nog niet dat we een contract konden sluiten voor een boek, toen ik dat zei.'

'We sluiten helemaal niks. Dit hele project zorgt voor corruptie bij alle betrokkenen.' Adam zweeg even. 'Behalve bij Cassia, die op bovennatuurlijke wijze beschermd lijkt te worden tegen hebzucht.'

'Het maakt me bang als je dat soort dingen zegt, Adam. Ik weet dat ze heel religieus en zo is, maar jij lijkt het aardig over te nemen.'

Adam fronste, en zijn ogen flitsten. 'Er is een tijd geweest in mijn leven dat ik ook religieus was', zei hij tegen de agent.

'Meen je dat?' Terrance boog zich naar voren.

'Je hoeft niet zo verbaasd te kijken. Je weet dat ik opgegroeid ben bij een christelijke oma die ervoor gezorgd heeft dat mijn broers en ik wisten waar de Bijbel over ging. We werden naar christelijke scholen gestuurd. Mijn familie ging 's zondags altijd naar de kerk. Oma liet geen gelegenheid voorbijgaan om te praten over christen zijn en de kracht van gebed. Ik heb Christus zelfs aangenomen.'

'Wat is er dan gebeurd?'

Adam legde zijn hoofd in zijn handen en streek met zijn vingers door zijn donkere haar. Hij had het de laatste tijd langer laten groeien aan de zijkanten. Cassia vond dat mooier.

'Te veel horrorverhalen. Oorlogen, hongersnood, epidemieën, onschuldige vrouwen en kinderen die kapotgemaakt worden door conflicten waaraan ze helemaal niets kunnen doen. Ik begon die verhalen te schrijven omdat ik dacht daarmee in de wereld besef te kunnen kweken. In plaats daarvan raakte ik mijn eigen geloof kwijt. Hoe kan een liefdevolle God deze dingen laten gebeuren? Mijn oma zei dat God niet de oorzaak van het kwaad was, dat dat de zonde was, maar ik heb me altijd afgevraagd waarom Hij het niet gewoon kon *tegenhouden*. Ik was ervan overtuigd dat ik nooit meer zou geloven toen ik uit Burundi thuiskwam.'

'En toen dook Cassia op', concludeerde Terry.

'Inderdaad. Die citeerde al die bijbelverzen en vergat dat niemand van buiten haar familie hele filosofische gedachten kon overbrengen door alleen maar een hoofdstuk en een vers te noemen', zei Adam zachtjes. Het had hem gek gemaakt en hij had het heerlijk gevonden. Ze was grappig en slim, en ze vond het nooit erg dat ze zichzelf keer op keer nader moest verklaren.

Hij was ook gevallen voor haar ingewikkelde logica, die zich in allerlei bochten wrong om toch haar doel te bereiken. Hij bewonderde haar en was jaloers op haar onwankelbare vertrouwen in Gods zorg en op haar vastberadenheid te doen wat Hij wilde dat ze zou doen. Dat liet ze door niemand anders beïnvloeden.

'Ik had al lang niet meer zulk geloof gezien, waarschijnlijk niet meer sinds mijn eigen oma overleed. Ik begon te denken dat geloof en religie niet meer dan een schertsvertoning waren.' Adam zuchtte. 'Maar er zit geen bedrog bij Cassia. Geen enkel.'

'Dus je stopt er gewoon mee?', vroeg Terrance ongelovig.

'Ja. En ik moet het Cassia vertellen.'

'Moet dat echt?'

'Als we verder willen als vrienden ...'

'Of meer?', wilde Terry weten.

'Het is te groot om tussen ons in te staan.' Adam staarde naar een onzichtbaar punt op de muur. 'Misschien kunnen we er ... als we ons wat tijd gunnen en een beetje afstand nemen ... ooit zelfs nog om lachen.'

'Juist. Lachen.' Terrance keek hem vol medelijden aan. 'Je hebt het zwaar te pakken, hè, maat? De ongebonden, stoïcijnse Adam Cavanaugh heeft de vrouw gevonden die hem kan temmen.'

Toen Terrance weg was, probeerde Adam zich bezig te houden met het lezen van de stapel post die hij die ochtend ontvangen had, maar hij kon zijn aandacht er niet bij houden. Alles deed hem aan Cassia denken. Cruiseschepen, hypotheken, creditcards, levensverzekeringen – hij was nergens in geïnteresseerd als hij het niet met Cassia kon delen. Dat besef was verwoestend. Adam had al jaren geleden besloten dat hij zich nooit aan iemand zou binden.

Maar Cassia zou niet geïnteresseerd zijn in een relatie met een man die niet tot een huwelijk zou kunnen leiden.

Niets verliep zoals hij gepland had.

Adam was zo bezig met het overpeinzen van de kwestie dat hij automatisch opendeed toen er op de deur geklopt werd, zonder te kijken wie het was.

Ze was, zo ontdekte hij al snel, zo kwaad dat hij zou zweren dat hij rook uit haar oren zag komen. Cassia Carr was op oorlogspad en kwam recht op hem af, klaar om de aanval in te zetten.

'Jij ... jij ...' Ze zag eruit als een lieflijke rode vrouwtjesparelhoen die haar nest beschermde. Het was duidelijk dat ze geen scheldwoorden voor hem kon bedenken – of die in ieder geval niet over haar lippen kon krijgen.

'Jij ... schoft! Rover! Dief! Hoe durf je rond te sluipen onder het mom dat je mijn vriend bent terwijl je alleen maar op zoek bent naar details over mijn leven om die voor je verhalen te gebruiken! Je bent gewoon een laaghartige, stelende ...'

'Bandiet?', vulde Adam somber aan.

'Ja en ...'

'Oplichter?'

De woede en de teleurstelling op haar gezicht doorboorden zijn hart. Hij had iets van haar gekregen wat zo persoonlijk was – haar vriendschap, haar vertrouwen en de intieme momenten die ze niet met zomaar iemand deelde. Ze had hem zelfs mee laten gaan naar het hoofdkantoor van de loterij om het geld op te halen. Ze had hem het verhaal op een presenteerblaadje aangereikt.

'Naïeve trut', mompelde ze. 'Boerentrien die ik ben. Vertrouw iedereen maar die je ontmoet. Het is nog een wonder dat ik mijn deur niet iedere nacht heb opengelaten met een briefje met 'Pak maar' op de keukentafel.'

'Het is allemaal mijn fout, Cassia. Niet die van jou. Het was niet de bedoeling dat dit zo zou lopen ...' Hij streek met zijn handen door zijn haar, in de wetenschap dat niets wat hij kon doen of zeggen, haar nu zou kunnen kalmeren ... en misschien wel nooit meer.

Hoofdstuk

24

Het is nu al twee dagen geleden, en ik huil nog steeds tranen met tuiten. Als ik nog meer huil, droog ik uit.

Jane, die mijn gedachten lijkt te kunnen lezen, gaf me een liter water en nog een doos tissues.

'Hoe heeft hij dit kunnen doen?', vroeg ik voor de honderdste keer, nog steeds in de verwachting dat Mattie en Jane er antwoord op zouden weten. Voor de honderdste keer keken ze me hulpeloos aan, alsof hun gevraagd werd de theorie achter de kwantumfysica uit te leggen.

Mannen en kwantumfysica zijn niet eens zo verschillend, denk ik. Beide zijn onbegrijpelijk, problematisch en niet te volgen voor een gewoon mens als ik. Ik weet zeker dat ik vaker over de kwantumfysica nagedacht heb dan dat ik halsoverkop verliefd geworden ben op een schurk als Adam.

Winslow, die er een hekel aan heeft dat ik huil, ziet eruit alsof hij ieder moment een zenuwinzinking kan krijgen. Hij heeft de tranen van mijn wangen gelikt totdat die rood en ruw waren. Zijn roze tong hangt uit zijn bek op een manier die suggereert dat hij zo uitgeput is dat hij die niet meer kan oprollen in zijn openstaande bek. Ook Jane heeft gehuild. Haar neus lijkt op die van Pipo de Clown. Mattie is de enige die geen traan gelaten heeft, maar ze hiel haar ogen dichtgeknepen, haar lippen in beweging en haar handen gevouwen.

We hebben ieder excuus voor Adam overwogen en er niet één gevonden dat zijn verraad kan verzachten. Daarna zijn we – Jane eigenlijk – op alle mannelijke wezens gaan schelden.

'Het zijn allemaal beesten', mopperde ze.

'Doe eens aardig. Je mag geen nare dingen zeggen over beesten. Beesten hebben goede eigenschappen. Ze hoeven hun benen niet te scheren.'

'Barbaren.'

'Ze kunnen vierenzeventig verschillende dingen doen met een zakmes en een lucifer.'

'Onbeschaafd ... lomp ...'

'Ze kunnen een jaar lang hetzelfde paar schoenen dragen zonder dat iemand denkt dat ze geen gevoel voor mode hebben.'

'Aan wiens kant sta jij eigenlijk?'

'Je kunt maar beter iets eten, schat', zei oma. 'Je hebt al bijna twee dagen geen hap gegeten.'

'Ik kan het gewoon niet, Mattie. Mijn maag draait iedere keer om wanneer ik denk aan de leugens die Adam tegen me verkondigd heeft', zei ik tegen haar.

'Toast en thee', besloot Mattie, mij negerend. Ze heeft ons na bijna ieder jeugdtrauma toast met thee gegeven. 'En een beetje chocola.'

Ik voelde een zweempje leven in mijn smaakpapillen. 'Misschien een slokje thee dan ...' *En een grote bak toffeesaus met een lepel.*

'Prijs de Heer', zei Mattie. 'Ik denk dat je eroverheen begint te komen.'

"Eroverheen' is het goede woord niet', zei ik, nippend aan de flink gezoete thee die ze me aangereikt had.

Ik ben normaal gesproken nooit boos, maar volgens mijn familie ben ik, als ik het kookpunt wel bereik, nogal een bezienswaardigheid. Gelukkig voor mij heeft mijn opa, die geleerd had zijn eigen boosheid onder controle te houden, me twee dingen geleerd over woede. In de eerste plaats is het een goede drijfveer.

Ten tweede is boos zijn een ellendige manier van leven. Ik heb al vroeg geleerd dat afstand nemen en boven het conflict gaan staan de beste manier is om iets op te lossen.

Oma nam het woord. 'Hier komt iets goeds uit voort, wacht maar af.'

'Maar wat dan?', jammerde ik.

'Dat moet je aan God vragen.' Ze glimlachte raadselachtig naar me.

De enige keren dat ik over de voordelen van een lekker ruim bed denk, is wanneer Winslow bij me slaapt. Ik heb de fout gemaakt hem in mijn bed toe te laten toen hij nog een puppy was en zijn zielige gejank midden in de nacht mijn medelijden wekte en me zwak maakte. Sindsdien probeer ik hem die gewoonte af te leren.

Sinds het debacle met Cavanaugh heeft Winslow ontdekt dat ik, als hij zijn enorme kop op de rand van het bed legt en me door zijn sliertige pony aankijkt, uiteindelijk wel zeg: 'Nou, kom dan maar. Het is al goed.'

Hij klimt op het bed – geen gemakkelijke opgave – en legt zijn kop op het kussen naast me, valt meteen in slaap en begint te snurken. 's Nachts woelt hij in zijn dromen. Ik vraag me af wie of wat hij achternazit. Pepto waarschijnlijk, die hem fascineert, hoewel ze elkaar nog moeten ontmoeten. Winslow kent Pepto's geur goed en leeft iedere keer dat hij die ruikt, helemaal op. Ik zou hem moeten vertellen dat de droom soms gewoon beter is dan de werkelijkheid. Dat heb ik met Adam in ieder geval ontdekt.

De telefoon ging toen we net indommelden. Ik wilde hem eerst laten rinkelen, maar mijn nieuwsgierigheid wint het meestal van mijn gezonde verstand, dus ik nam op.

'Cassia?'

Even herkende ik de stem niet. Die was laag, plechtig en mannelijk. 'Ken?'

'Hoe gaat het met je, schat? Ik heb over die schoft in jullie gebouw gehoord.'

Ik sloot mijn ogen en smoorde een kreun. *O, nee. Jane, kletskous die je bent!* 'Ken ...'

'Ik ben er morgenochtend.'

'Ken, je hoeft niet te ...'

'Natuurlijk wel. Ik wil niet dat er iemand met je solt, Cassia. Wil je dat ik hem voor je neersla?' Hij leek op te vrolijken bij dat idee. 'Ik zou zijn gezicht kunnen verbouwen, er een paar tanden uit kunnen meppen, zijn neus een andere kant op laten wijzen ...'

'O, houd op. Dat is niet nodig.'

'Ik kom gewoon. Je hoeft dus niet met me in discussie te gaan. Ik zei toch dat dat gebouw een slechte plek voor je was, schat. Maar nee, je wilde niet naar me luisteren - je moest het zelf ontdekken ...'

'Slaap lekker, Ken.' Ik legde de hoorn rustig terug op de haak en slaakte een diepe zucht. Hij hoefde absoluut niet naar de stad te komen om me te troosten. Toch, dacht ik toen ik in slaap viel, was het heel erg lief ...

Winslow gromde zo hard dat ik zijn lichaam voelde trillen. Ik ging rechtop in bed zitten en luisterde. Niets.

Het was zes uur 's morgens, drie uur vroeger dan het tijdstip waarop ik van plan was op te staan. Winslow gleed luidruchtig van het bed af en liep blaffend naar de voordeur. Ik trok een spijkerbroek aan en een trui over het shirt dat ik in bed droeg, en volgde hem.

Ik hoorde buiten een schrapend geluid, alsof iemand op de grond gevallen was en probeerde overeind te krabbelen. Toen hoorde ik het bekende klopje op de deur, en mijn hart begon te bonzen. Niet Adam!

'Schat, ben je daar?'

Ken. Ik deed de deur open en liet hem binnen.

'Hoi, lieverd.'

Voordat ik besefte wat er gebeurde, had Ken me beetgepakt en zwaaide hij me in het rond. Ik hapte naar adem en klemde me stevig vast.

Hij gaf me een klapzoen die me eraan deed denken dat zijn bijnaam op de middelbare school Stofzuiger was, volgens de geruchten, vanwege de zuigkracht.

'Hoe laat ben je hier aangekomen?', wist ik uit te brengen toen hij me weer had neergezet.

'Ik ben meteen weggegaan nadat ik je gesproken had. Ik wilde je niet wakker maken toen ik hier aankwam, en dus heb ik voor je deur geslapen.'

'Op de grond?'

'Natuurlijk. Ik zou alles voor je doen.' Hij keek om zich heen. 'Dit is niet het Ritz, hè? Maar wel knus. Hé, beest, kom eens hier.' Winslow, die ongeduldig had staan wachten op zijn beurt om aandacht te krijgen, kwispelde zo hard dat zijn oren meetrilden.

Ken liet zich op een knie zakken, kriebelde hem achter zijn oren en fluisterde hem op z'n honds toe. Niet veel later likte Winslow hem in zijn gezicht, zuchtte blij en liet zich met een bons op de grond vallen.

'Dit was echt niet nodig, hoor. Ik red me wel.'

Hij keek naar mijn ongekamde haar, slaperige ogen en bleke huid vol sproeten. 'Je ziet er niet zo goed uit. Je bent natuurlijk beeldschoon, maar je ziet er niet goed uit.' Hij keek om zich heen. 'Heb je nog koffie in deze tent of moeten we die gaan halen?'

'Er is een café in de straat waar ze bosbessenkoffie verkopen die zelfs nog lekkerder is dan die van Mattie. En ik wil een sterke espresso met melk.'

Ken grijnsde, en zijn witte tanden schitterden in zijn gebruinde gezicht. 'Zo ken ik mijn Cassia. Ik houd wel van een vrouw die niet aan de lijn doet.'

Ken zegt vaak dat ik een beetje te mager ben naar zijn smaak, 'als een halve kip, half vlees en half veren.' Lees: er zit niet genoeg vlees op mijn botten, en ik kakel te veel.

Ik trek wel romantische mannen aan.

Het was druk in het café, maar het voelde goed uit mijn appartement te zijn en afleiding te hebben van de neerslachtigheid waarin ik ben ondergedompeld. Ken deed mijn stemming ook geen kwaad. Hij was bezorgder dan ik hem ooit had gezien, en bracht me met chocolade omhulde lepeltjes om mijn koffie mee te roeren, met chocolade omhulde koffieboontjes en een blikje pepermuntjes voor na de koffie. Hij bleef maar naar de toonbank lopen voor nieuwe koffie en taart en behandelde me als een tere bloem. Ik heb nooit geweten dat hij dat in zich had.

'Blijf nou eens zitten', zei ik uiteindelijk. 'Ik zit in de put, ik ben niet op sterven na dood.'

'Wat zou ik die gast graag te grazen nemen.' Hij balde dreigend zijn vuisten. Toen knipperde hij langzaam en er verscheen een behoedzame uitdrukking op zijn gezicht. 'Is er nog iets wat ik over die vent zou moeten weten?'

Zoals of ik verliefd op hem was?

Ken is niet achterlijk, maar het had geen zin een onbeantwoorde verliefdheid toe te geven.

'Het is gewoon een man van wie ik dacht dat het een vriend en een goede buur was. Ik heb blijkbaar niet zoveel mensenkennis als ik dacht. Het komt wel goed met me, Ken. En je weet heel goed dat ik niet wil dat je iemand neerslaat. Exodus 21:12.' *Wie een ander zodanig slaat dat deze sterft, moet ter dood gebracht worden.*

'Ik zal hem heus niet vermoorden, hoor!'

Ik moest even glimlachen. Ken begon de beknopte manier van spreken van mijn familie tenminste te begrijpen. Hij is een stille christen, op zijn eigen manier. Hij gelooft nog niet zo lang in Christus en luistert altijd om wat hij 'de dingen van God' noemt, op een rijtje te zetten. Hij is gefascineerd door het bijbelse taalgebruik van mijn familie, en ik moest glimlachen omdat hij, hoewel het een taal is die hij niet spreekt, toch geleerd heeft die te begrijpen.

'Nou, ik wil niet dat je zo praat. Het is ook een beetje mijn eigen schuld. Ik had voorzichtiger moeten zijn.'

Voorzichtiger met verliefd worden. Wat een vreemd concept. Wie *plant* verliefd worden nou? Niemand zegt ooit: 'Vandaag ga ik verliefd worden. Ik heb tijd om verliefd te worden op die barkeeper als het niet meer dan een uur kost.'

'Oké, ik sta voor je klaar, schat. Zeg het maar.'

Ik voelde een golf van waardering en affectie door me heen stromen. In geval van nood staat Ken echt voor me klaar. Misschien heb ik hem wel onderschat.

'Mijn vriendin Cricket heeft wat mensen uitgenodigd om samen te koken. Ga je mee?' Ik wiebelde met mijn tenen terwijl we op bankjes in de kunstgalerie zaten te kijken naar een belangrijk modern kunstwerk dat Ken 'wormensporen' genoemd had. Ik was blij dat ik mijn schoenen voor het eerst even uit had sinds we die ochtend mijn appartement verlaten hadden.

We waren naar de beeldentuin geweest, naar de dierentuin en het wetenschapsmuseum, en het was nog steeds geen vier uur 's middags. Ken is een efficiënte toerist. Hij kijkt om zich heen, gaat naar datgene wat hem interesseert en loopt verder. Hij nam de tijd in de dierentuin, maar hield het maar een paar minuten vol in de beeldentuin.

'Wat is Cricket nou voor een naam?'

'Een rijke. Ze is een van de mensen die de loterij gewonnen hebben.'

Ken haalde zijn schouders op. 'We kunnen net zo goed gaan, tenzij je liever ergens anders eet.'

Ik merkte dat ik in ieder geval weer zin in eten had.

Crickets huis is een eerbetoon aan alle vrouwelijke dingen, van de zachte pasteltinten van het pleisterwerk tot aan de overvloed aan bloempotten overal. Haar eerste aankoop na de loterij, haar huis, is als een grote speeltuin voor Cricket, die koopt, verplaatst, terugbrengt en steeds weer nieuw meubilair koopt. Aan de manier waarop Ken zachtjes floot, maakte ik op dat hij het gebouw zelf bewonderde, zo niet het zachtroze en turkoois interieur.

Cricket deed open in een strorok en een bloemenkrans om haar nek. Ik hoorde hoelamuziek en gelach op de achtergrond. 'Je bent toch gekomen!' Ze sloeg haar armen om me heen en knuffelde me. In mijn oor fluisterde ze: 'Stella heeft me verteld wat er gebeurd is.'

Toen verschoof haar blik naar Ken. 'Maar je bent er goed bovenop gekomen, geloof ik. Waar vind je die knappe mannen toch?'

Ik wierp een blik op Ken, die een blad met voorgerechten bestudeerde. Hij pakte een spies met stukjes kip en ananas, draaide zich toen om en toonde me zijn charmante grijns.

Cricket legde haar hand op haar borst. 'Rustig, mijn hart', mompelde ze terwijl ze wegliep met een dansende strorok.

Al mijn geldmaatjes – hoe moet ik ze anders noemen? – waren er, afgezien van Bob. Bob vermijdt grote groepen mensen op dit moment. Waarschijnlijk een wijs besluit.

Thelma zat in een rolstoel bij het zwembad, haar been in het gips.

Ik stelde haar aan Ken voor en vroeg: 'Wat is er met jou gebeurd?'

Thelma gebruikte de wandelstok die op haar schoot lag om op haar gips te tikken. 'Zoiets geks. Ik was op weg naar de kelder om dozen in te pakken voor de Veteranen van Buitenlandse Oorlogen, en toen heb ik me verstapt. Zomaar ineens een gebroken been.'

'Wat vervelend voor je', zei Ken meelevend.

Thelma keek hem stralend aan. 'Het geeft niet. Eerlijk gezegd denk ik dat ik geluk heb dat ik niet ernstiger gewond geraakt ben.' Ze tikte opnieuw op haar gips. 'Ja, meneer, dit moet mijn geluksdag geweest zijn.'

'Het is maar hoe je het bekijkt, hè?', merkte Ken op toen we bij Thelma vandaan liepen. 'Of je geluk hebt of niet, bedoel ik.'

Er smolt iets in mijn hart. Ik heb nooit geweten dat hij zo introspectief kon zijn – ik moest me schamen. 'Hoe zie jij die dingen, Ken?'

Hij bleef staan en keek me recht aan. 'Dat ik, wat er ook gebeurt, het geluk heb dat ik jou ken, Cassia. Jij bent' – hij grijnsde – 'een onmetelijke schat voor me.'

'Ken, je bent een dichter!' Ik pakte zijn handen, en we schoten allebei in de lach.

En ik wilde hem niet loslaten. Ken mij blijkbaar ook niet. We liepen hand in hand naar de grote barbecue, waar iemand die door Cricket ingehuurd was, vlees stond te roosteren.

Het was niet zo dat Ken en ik niet eerder waren uitgegaan of hand in hand gelopen hadden of om persoonlijke grapjes hadden gelachen, maar deze keer was het anders. Deze keer wilde ik echt dat het opnieuw zou gebeuren – en snel.

Ego Ed was niet zo spraakzaam als gewoonlijk. Hij had een duur toupet op zijn hoofd en een trieste uitdrukking op zijn gezicht. Terwijl Ken hard op weg was een overwinning met croquet op het grasveld te behalen, ging ik naast Ed bij het zwembad zitten.

'Je bent stil vandaag.'

'Ik heb gewoon niet veel te zeggen.'

'Cricket vertelde me dat je dochter binnenkort gaat trouwen. Gefeliciteerd. Je zult er wel trots op zijn dat je haar mag weggeven.'

Tot mijn verbazing snoof Ed luidruchtig. 'Ha! Het huwelijk is afgeblazen.'

'O, dat spijt me. Ik wist niet ...'

'Het geeft niet. Misschien is het wel goed erover te praten.' Hij keek me onderzoekend aan. 'Ik heb altijd al gevonden dat het met jou makkelijk praten is, omdat je niet oordeelt. Snap je wat ik bedoel?'

'Ik denk het wel.'

'Nou, mijn dochter hield echt van die man – en ze dacht dat hij ook van haar hield. Toen won ik de loterij. Ze waren op zoek naar een huis om te kopen, iets met een tuin en een paar extra slaapkamers voor de kinderen die ze hoopten te krijgen ... en toen begon hij ineens langs allemaal dure huizen te rijden en zei hij dat hij die zo mooi vond. Hij besloot dat het 'gaaf' zou zijn naast een beroemde atleet te wonen en probeerde erachter te komen waar bekende sporters woonden.' Ed fronste. 'En dat van het salaris van een vrachtwagenchauffeur! En hij besloot dat hij een trouwring wilde met een diamant erin. Een diamant van een karaat!'

O nee ...

'Niet veel later begon mijn dochter rekeningen te krijgen van dingen die ze nooit gekocht had – een maatpak, vliegtuigtickets naar Rome, een Bentley ... Toen ze hem erop aansprak, zei hij tegen haar dat hij haar het beste wilde geven – en, o, of ze vóór de tiende van de maand cheques wilde uitschrijven voor de rekeningen.'

Ed streek met zijn vingers door zijn haar, en ik voelde zijn frustratie. 'Het kan me niet schelen dat mensen bedelen of geld van me willen lenen. Dat kan ik zelf wel af. Maar mijn dochter ...' Hij keek op, en ik zag de pijn in zijn ogen. 'Ze heeft hem natuurlijk de bons gegeven, en sindsdien zitten we met de naweeën. Ze huilt en wil niet eten. Hij belt honderd keer per dag – wat een puinhoop! Ik sta van mezelf te kijken dat ik het zeg, maar soms vraag ik me af of we niet beter af waren geweest zonder al dat geld. Een miljoen zou leuk zijn, maar dit ...'

Ken en ik spraken over wat Ed verteld had toen we terugreden naar mijn huis.

'Dat feestje was een bewijs dat je geluk niet kunt kopen', merkte Ken op toen hij een scherpe KHS-bocht maakte in de straat die naar mijn huis leidde.

Ken heeft me geleerd wat een KHS-bocht is. Die maak je door een bocht zo scherp te nemen dat de passagier, als hij of zij niet goed in de gordel zit, naar de chauffeur toe glijdt. Hij noemt het een 'Kom hier, schat', en zei dat het veel effectiever was toen nog niet iedereen zich zo van het belang van gordels bewust was.

'Er werd niet veel gelachen.'

'Feestjes in Simms zijn anders', hield ik hem voor. 'Iedereen kent iedereen heel goed.'

'Als deze mensen elkaar niet zo goed kennen, waarom gaan ze dan bij elkaar zitten?'

'We hebben tegenwoordig een heleboel gemeen.'

Hij keek me medelijdend aan. 'Je moet hetzelfde als ik doen, schat – ervoor zorgen dat mensen vergeten dat je rijk bent en gewoon van je houden vanwege je charmante persoonlijkheid.'

Ik had niet verwacht somber achter te blijven toen Ken wegging, maar ik had een nieuwe kant van hem gezien. De tedere, grappige, meelevende kant. En toen hij wegreed naar Simms, had ik tranen in mijn ogen.

Ik ben gestoord. Dat moet wel. Ik blijf zout in mijn eigen wonden strooien.

Ik ben drie dagen nadat Ken vertrokken is, niet op internet
geweest. Ik zei tegen mezelf dat het niet uitmaakte wat Adams be-
roep was, dat ik al veel te veel over hem wist. Ik zei ook tegen
mezelf dat ik alleen maar opgelucht was dat zijn slijmerige to-
neelstukje ontmaskerd was voordat het allemaal nog verder gegaan zou zijn. Waarom, vroeg ik mezelf logischerwijs af, zou ik
een charlatan missen die mijn hart bijna gebroken had?

Ik ben ook een leugenaar.

Mijn hart *bijna* gebroken had?

Adam Cavanaugh *had* het gebroken. Ik zie voor me hoe het in
allerlei stukjes over mijn ingewanden verspreid ligt, stukjes die in
mijn galblaas prikken en in mijn blindedarm, deeltjes die mijn
maag doorboren en me allemaal ziek maken.

Oké, oké, ik ben geen dokter. Maar ik heb nog wel steeds last
van een misselijkheid die steeds weer oplaait wanneer iets me aan
Adam herinnert. Helaas doet *alles* me aan Adam denken.

Zelfs Winslow raakt een gevoelige snaar bij me. Hij zit voortdurend bij de voordeur te wachten totdat Adam komt. En dat gebeurt natuurlijk niet. Soms jankt Winslow, gaat hij liggen en legt

hij zijn kop op zijn poten alsof hij huilt. En dat zorgt er natuurlijk voor dat ik ook wil gaan huilen.

Laat het los, domoor!

Ik heb ook een selectief gehoor. Ik luister niet meer naar mijn eigen goede advies.

Ik zocht Adam op internet op en scrolde over de pagina, verbaasd over het aantal treffers dat tevoorschijn kwam.

Cavanaugh genomineerd voor tweede Pulitzer-prijs, deze keer over kinderen van de oorlog in Irak. Serie van Cavanaugh over vaderschap en federale gevangenen wekt nationale interesse. Gebalanceerde en accurate verslaggeving zijn Adam Cavanaughs sterke punten. En er was een lijst met prijzen die Adam gewonnen had, van universitaire prijzen tot nationaal eerbetoon voor journalistiek, onderzoek en verslaggeving, uitmuntendheid en zelfs ethiek.

Daar keek ik nog een keer naar.

Hij had een belangrijk artikel over foetaal alcoholsyndroom geschreven, en een dramatisch verhaal over corruptie in landen waar overheden voedselvoorraden in de havens lieten verrotten zonder ze te verspreiden. Zijn fascinerende serie interviews met gevangenen die van hun kinderen gescheiden waren, had voor nieuw onderzoek naar het onderwerp gezorgd.

Gebiologeerd bleef ik zoeken totdat ik een aantal artikelen vond die Adam geschreven had. Een aantal ervan ging over kinderen.

Een klopje op de deur bracht me terug in het heden, en ik voelde een zwaarmoedigheid als een deken over me heen vallen. Adam kon zijn onderwerpen met zijn woorden leven inblazen, waardoor het bijna onmogelijk was niets te geven om wat er met hen gebeurde. Helaas was het niet goed afgelopen met velen die hij later nog eens had opgezocht.

Winslow stond te wachten totdat ik de deur opendeed, in de vergeefse hoop dat Adam aan de andere kant zou staan. Ik keek door het spionnetje, en een enorm boeket staarde terug. *Nog meer bloemen?* Ik deed de deur open.

'Hoi, Cassia.' De bezorger drukte me een gigantisch boeket in handen en grijnsde. 'Heb je er nog ruimte voor?'

Het is nogal bijzonder dat de bloemenbezorger en ik elkaar bij de voornaam noemen, maar hij is hier de afgelopen dagen vaker geweest dan mijn eigen zus.

'Nog een klein beetje. Er kunnen nog een paar boeketten in bad staan. En als je met bamboe aankomt, kan ik dat waarschijnlijk wel kwijt in mijn kast.' Op fluistertoon sprak ik verder: 'Als hij belt om nog meer te bestellen, breng ze dan maar naar bejaardentehuizen, oké?'

'Dat kan ik niet doen. Ik moet ze hier afleveren. Maar het is wel een goed idee. Heb je ruimte in je eigen auto om ze te vervoeren?'

Ik rolde met mijn ogen. Mijn auto was een heel ander verhaal. 'Het gaat wel lukken. Dank je wel.'

Meneer Boeket staarde me aan en schudde zijn hoofd. 'Ik weet niet wat je gedaan hebt om dit te verdienen, maar afgezien van kerken, eetzalen en hotels heb ik deze week meer bloemen bij jou gebracht dan op enig ander adres, en het is pas woensdag.'

'Gewoon geluk, denk ik.' Ik glimlachte vrolijk en deed de deur dicht.

Hier moet een einde aan komen. Mijn appartement is vol. Ken heeft bloemen, snoep en zelfs zingende telegrammen gestuurd. Als ik er een favoriet uit zou moeten kiezen, zou het die vent van honderdvijftig kilo in dat Fred Flintstonekostuum zijn die een goede imitatie van 'Love Me Tender' van Elvis deed.

Ken heeft zijn draai gevonden – voor mij zorgen, mij beschermen, voor mij vechten, me overladen met geschenken en zijn best doen om mijn superheld te zijn. Adams bedrog heeft de weg voor Ken vrijgemaakt om over een paar hoge gebouwen te springen en me te komen redden. Hij is er goed in. Van de andere kant, een stuk of vijftien boeketten bloemen zou al meer dan genoeg geweest zijn.

Ik zette het boeket in het bad, pakte een granolareep van het aanrecht en liep terug naar de computer om Adams artikelen af te drukken. Toen ik klaar was, spreidde ik ze op mijn salontafel uit om ze te bestuderen.

Nu weet ik meer over Adam dan al die tijd dat we naast elkaar hebben gewoond. Het meeste wat ik ontdekt heb, stemt echter niet overeen met zijn grove schending van mijn privésfeer. In artikelen over hem komen woorden als 'moreel', 'principieel' en 'eerlijk' steeds naar voren, evenals 'neutraal', 'onbevooroordeeld', 'onpartijdig' en 'objectief'. 'Cavanaugh raakt je in je hart', stond in een artikel. In een ander was geschreven: 'Als het over kinderen gaat en door de journalist Adam Cavanaugh geschreven is, moet het gelezen worden.'

Ik ging achterover zitten en staarde naar Winslow, die de papieren al net zo zorgvuldig bestudeerde als ik, in de hoop dat ik kruimels op de artikelen zou laten vallen. Kinderen en *dieren*, bedacht ik. Er was bij Adam iets wat verband leek te houden met het kwetsbare, het weerloze en het niet-geliefde. Pepto vormde daarvan het bewijs.

Artikelen die niet op een of andere manier naar kinderen verwezen, waren zeldzaam. Natuurlijk, hij had verslag gedaan van oorlogen, hongersnoden, corruptie en slechtheid, maar het onderliggende thema vormden steeds kinderen en de manier waarop die beïnvloed werden door de onzinnige wereld van de volwassenen rondom hen.

Maar als hij zo nobel en betrouwbaar is, waarom heeft hij me dan verraden?

Het is een vraag waarop ik geen antwoord heb. Het is ook de vraag die mijn hart verscheurd heeft.

Ik moet op de bank in slaap gevallen zijn, want toen ik wakker werd, lag ik tussen de kussens. Winslow hield de wacht en lag als een groot, dik tapijt voor de bank. Ik heb de laatste tijd niet veel geslapen, dus ik denk dat ik blij zou moeten zijn met de rust, maar mijn hele lichaam voelde aan alsof ik door een sapcentrifuge gehaald was. Ik kreunde en testte de voet die onder me in slaap gevallen was. Ik had het gevoel dat er met honderden naalden in geprikt werd en het deed zeer als ik met mijn tenen wiebelde.

Ik had echter niet veel tijd om mezelf te vertroetelen, want er bonsde iemand op mijn deur.

'Wat is dit, het Centraal Station?', zei ik tegen niemand in het bijzonder toen ik naar de deur hinkte. Het was mijn huisbaas.

'Hallo', begroette ik hem. Hij had een witte envelop in zijn hand. 'Heb je iets voor me, of is het alweer tijd voor de huur?'

'Meneer Cavanaugh van beneden vroeg me je dit te geven na zijn vertrek.' Hij duwde de brief in mijn handen en draaide zich om.

'Wacht! Wanneer is hij weggegaan?'

'Een minuutje geleden. Hij zei dat ik moest wachten met hem aan je geven, maar ik heb geen tijd voor die onzin. Het sanitair in appartement twaalf zorgt weer voor problemen.'

Ik draaide me om, rende door mijn kamer en kwam abrupt tot stilstand voor het raam. Ik zag dat Adam zijn laptoptas in zijn Hummer zette. Hij gooide het portier dicht, draaide met zijn schouders alsof hij de spanning wilde verlichten en keek omhoog in de richting van mijn appartement.

Instinctief deed ik een stap naar achteren. Hij zag me niet. Toen liep hij om de wagen heen, sprong op de bestuurdersstoel en reed weg.

Ik keek hem na, blij dat hij wegging en verdrietig omdat hij weg was. Langzaam maakte ik de brief open.

Cassia,
Ik weet dat je je in je appartement verstopt. Ik hoor je op alle uren van de nacht schoonmaken. Ik wilde je alleen laten weten dat ik wegga voor een opdracht en dat je weer naar buiten kunt komen.
Het spijt me van alles.
Adam

Dat was het? Geen verklaring? Niets? En hoe weet hij eigenlijk dat ik schoonmaak?

'Jane? Cassia hier. Ik heb een vraag voor je.'

'Roept u maar.'

Ik hoorde getik op Janes rekenmachine op de achtergrond. Jane is altijd met allerlei dingen tegelijk bezig. Ze breit terwijl ze met haar man ergens op bezoek gaat, betaalt rekeningen terwijl ze televisie kijkt en telt getallen op of speelt solitaire op de computer terwijl ze met mij praat.

'Ik wil weten hoeveel rente ik gekregen heb op het loterijgeld.' Ik heb het nu al tweeënhalve maand, en het wordt waarschijnlijk tijd om het te vragen.

Er klonk een verblufte stilte aan de andere kant van de lijn. 'Jij? Rente? Alsof je er iets van wilt uitgeven?'

'Doe maar niet zo blij. Zie het als een lening van mijn rekening. Mijn auto heeft de geest gegeven in de garage en het begint te stinken.'

'Misschien kun je hem laten maken en hem gebruiken totdat ik een nieuwe vind?' Ze klonk alsof ze hoopte dat dat niet mogelijk was.

'Niet meer. Dat heeft Randy gezegd. Iets groots en belangrijks lijkt onder de auto vandaan te zijn gevallen.'

'Je uitlaat bijvoorbeeld?'

'Hij zei iets over de versnellingsbak.'

'O, nee.'

'Dus ik moet een nieuwe auto kopen ... een *oude* nieuwe auto dus, iets om mee op mijn bestemmingen te kunnen komen. Ik zal mezelf terugbetalen zodra ik dat kan. Hoeveel denk je dat ik me kan veroorloven?'

'Wat dacht je van een garage vol?'

Ik negeerde haar. 'Niet ouder dan uit 2000, denk ik. En ik zou graag vier deuren hebben vanwege Winslow.'

'Wat dacht je van een SUV?'

'Veel ruimte, maar ook erg duur.'

'O, doe eens gek, Cassia.' En ze noemde het bedrag dat ik aan rente gekregen had sinds de dag dat ik de loterij gewonnen had.

'Lieve help.'

Het voelde vreemd toen ik de volgende dag het appartementencomplex binnenkwam en langs Adams appartement liep zonder me ofwel te haasten om hem te vermijden of te blijven staan voor een praatje. Ik had niet beseft hoezeer dat deel was gaan uitmaken van mijn dagelijks leven, totdat het weg was. Ik voelde een golf van verwarring en eenzaamheid over me heen spoelen toen ik daar stond, hulpeloos naar de deur starend.

Toen hoorde ik een bons uit het appartement komen. Een bons, gerinkel, gesis en gemiauw. Was Pepto nog steeds binnen? Adam zou Pepto toch niet aan zijn lot overlaten als hij voor langere tijd wegging? Ik dacht het niet. Hoewel, ik weet het niet meer.

Ik besloot de volgende ochtend naar Pepto te gaan luisteren om er zeker van te zijn dat hij niet net zo wreed achtergelaten was als ik en ging boven naar bed.

Hoofdstuk

26

'Meen je dat? Wil je echt dat ik je help een auto uit te zoeken?'
Randy klonk als een kind op zijn verjaardag.

'Zo opwindend is het niet', verzekerde ik hem. Het is eigenlijk een wanhoopsdaad van mij. Ik heb iets nodig om me af te leiden van Adams afwezigheid. Adam is pas twee dagen weg, en ik
voel nu al een enorm gat in mijn leven.

'Voor jou is het misschien niet opwindend, maar voor mij wel.'

Het gaat niet alleen om de auto. Randy is minder overduide-
lijk geweest dan Ken over verkering – Matties woord – met mij,
maar als hij net zo'n succesvolle zakenman als Ken was geweest,
zou ik waarschijnlijk twee keer zoveel bloemen in mijn appartement hebben staan.

'Zal ik je komen halen? Wanneer we klaar zijn bij de dealer,
kunnen we misschien ergens iets gaan eten.'

Dat riekte naar een 'afspraakje', maar ik besteedde er geen aandacht aan. Ik moet mijn achterdocht toch eens laten varen, en
Randy heeft me niet bedrogen ... tot nu toe.

'Ik wacht buiten op je.'

Het voelt goed ergens heen te moeten. Ik schep niet veel plezier in het kluizenaarschap, maar het is tegenwoordig wel makkelijker. Als ik iemand tegenkom die me herkent, moet ik hetzelfde

gesprek voeren dat ik al honderden keren gevoerd heb. 'Nee, ik heb nog niet besloten wat ik met het geld ga doen ... Nee, ik ben niet van plan het te houden ... Nee, ik ben niet gek geworden ... Nog een fijne dag ...'

Ik pakte een zonnebril voordat ik naar buiten liep, in de hoop onherkenbaar te zijn.

Onder aan de trap bleef ik bij Adams voordeur staan. Het was stil in het appartement. Had ik het me verbeeld dat ik Pepto binnen hoorde? Nu kwam er geen enkel geluid achter de deur vandaan.

Randy was er snel, duidelijk blij met de gang van zaken. Hij sprong uit de auto, rende naar me toe en hield galant de deur voor me open.

'Dit is geweldig, Cassia. Dank je dat je me om hulp hebt gevraagd.'

'Je roept al zo lang dat ik een nieuwe auto nodig heb. Hoe zou ik er een kunnen uitkiezen zonder jou?' Ik stapte in en zag een kaart op het dashboard liggen. Er stonden cirkels op bij, naar ik vermoedde, de vestigingen van autodealers.

Ik draaide me om om mijn gordel te pakken, en toen ik over mijn rechterschouder keek, zag ik beweging achter het raam van Adams lege appartement. Ik keek nog eens goed en toen viel mijn mond open. Pepto zat voor het raam naar me te kijken. Zijn gezicht stond boos en knorrig, zoals gewoonlijk.

Waarom had Adam de kat alleen gelaten? Helaas was dat mijn zaak niet meer.

Hoe langer ik in de stad woon, des te mysterieuzer wordt die. Aangezien veel van de autohandelaars die Randy uitgekozen had, zich in de voorsteden bevonden, reden we door Oak Street, Cherry Boulevard, Elm Lane en Pine Avenue. Wat ironisch – mensen hakken bomen om om ruimte te maken voor hun huizen en noemen vervolgens, als eerbetoon aan die bomen, die straten ernaar.

'Ik verveel me.'

Randy keek me aan alsof ik gek geworden was. 'Hoe kan dat nou? We zijn pas een uur aan het winkelen.'

'Er stond een leuke auto bij die eerste dealer waar we geweest zijn. Een rode.'

'Van welk merk en type?'

'Rood. Met vier wielen.'

Randy schudde verbijsterd zijn hoofd. 'Het kan je echt niets schelen, hè?'

'Alleen het belangrijkste – doet hij het, is hij veilig en is hij goedkoop? Verder maakt het me echt niets uit.'

Randy pakte mijn hand en trok me naar een andere rij auto's. Terwijl we liepen, ving ik vanuit mijn ooghoek een glimp van iets op – een Hummer, zoals die van Adam. Ik struikelde en was blij dat Randy er was om me op te vangen toen ik dreigde te vallen.

Na die vernederende consternatie die ik in de garage veroorzaakte, had ik te lang geaarzeld en liep ik het gevaar mezelf enorm voor schut te zetten door mijn tegenzin bij het kopen van een nieuwe auto. Toen ik eenmaal besloten had het gewoon maar te doen, duurde de aankoop van een auto helemaal niet meer zo lang.

'Het gaat tussen deze twee. Vind je rood of groen mooier?' Ik deed een stap naar achteren en bekeek de twee personenwagens waarmee ik een proefrit gemaakt had en die samen voor de dealer geparkeerd stonden.

'Het gaat niet om de kleur, het gaat om wat er onder de motorkap zit', zei Randy geduldig.

'Kies jij er dan maar een uit. Jij hebt eronder gekeken.'

Hij rolde met zijn ogen en begon de voor- en nadelen van beide auto's op zijn vingers op te sommen.

'Minder kilometers, schoner, versleten banden ...'

Nadat ik geduldig gewacht had totdat hij was uitgesproken, zei ik: 'Welke zou jij dus kopen?'

Vermoeid wees hij naar de linker auto.

'Mooi zo. Dan neem ik die.' Ik was blij met zijn keuze. Ik vond de rode toch mooier.

'Ik heb gereserveerd voor het diner', zei Randy nadat we de auto voor mijn huis afgeleverd hadden. Ik zou al tevreden geweest zijn met een boterham, maar Randy had iets bewerkelijks gepland.

In het restaurant renden meer obers om ons heen dan katten om een schoteltje melk. En genoeg tafelzilver om hersenchirurgie mee uit te voeren. 'Ik voel me net een prinses, Randy. Je had me niet naar zo'n chique tent hoeven mee te nemen.' Ik legde mijn hand op de zijne en kneep erin. 'Dank je wel.'

'Jij bedankt, Cassia, dat je mee wilde.' Hij glimlachte verlegen en boog zijn hoofd. 'Dat je me de kans geeft.'

'Houd daarmee op. Ik moet ervan blozen.' Ik stond op en haastte me naar het damestoilet voordat Randy kon zeggen wat ik verwachtte dat hij wilde gaan zeggen.

'Ik blijf maar denken dat ik straks wakker word en dat deze avond alleen maar een droom is geweest', zei hij toen ik terugkwam. De blik in zijn ogen werd zacht en warm. 'Ik vind het heerlijk bij je te zijn. Ik zou willen dat hier geen einde aan komt. Ik weet dat je nu op je hoede bent, maar dat kan niet eeuwig blijven duren, en ik zal op je wachten totdat je er eindelijk klaar voor bent.'

Hij moest iets in mijn ogen gezien hebben wat ik niet wilde tonen, want hij pakte mijn hand vast en zei: 'Maak je geen zorgen. Ik zal je nu niet onder druk zetten. Ik moest het gewoon zeggen, zodat je weet hoe ik me voel.'

Oké, geen druk, nee hoor – behalve een soort 'nog-lang-en-gelukkig'- belofte.

Ik voelde wrevel in me opborrelen. Dat geld verpest alles. Ik durf de mannen die om me geven, niet eens te vertrouwen.

En nog erger, ik geef om de man die ik niet vertrouw.

Op een kleine kermis die zich op de parkeerplaats van een van de winkelcentra bevond, won Randy een enorme roze flamingoknuffel voor me en een teddybeer die het formaat had van Rhode Island.

'Je hebt mijn kinderdroom laten uitkomen', zei ik terwijl ik over Mingo's – als in fla-mingo's – kop heen keek. 'Ik zou er alles voor overgehad hebben om deze vroeger in mijn slaapkamer te hebben gehad.'

'Ik ben blij dat je daar de kans niet toe hebt gekregen en dat je alles nog hebt.' Hij stopte de teddybeer in de kofferbak en zette Mingo op de achterbank.

'Ik heb het vanavond ontzettend naar mijn zin gehad, Randy. Dank je wel.'

'Nee, *jij* bedankt. Je hebt ook een van mijn dromen uit laten komen.'

Gelukkig kwamen we bij mijn huis aan, en hoefde ik niet te antwoorden. We hadden onze handen vol aan de vogel en de beer.

'Weet je zeker dat je niet wilt dat ik met je mee naar binnen loop?'

'Maak je geen zorgen. Ik red me wel. Ik heb een veiligheidskussen waartegen ik iedere avond boks. Wacht maar totdat ik binnen ben.'

Hij keek teleurgesteld. Ik wist dat Randy graag binnen wilde komen, maar daar maakte ik geen gewoonte van. Bovendien moest ik op onderzoek uit. Het zat me de hele avond al dwars. Waarom was Pepto nog steeds in Adams appartement? Ik zag dat er een zwak licht brandde – de kleine lamp die Adam op een van zijn boekenkasten had staan. Ik werd steeds nieuwsgieriger.

Ik sleepte de enorme knuffels naar boven en zette mijn twee nieuwe vriendjes naast de deur. Toen liep ik weer naar beneden en keek naar Adams deur. Pepto had er niet uitgezien alsof hij ondervoed was toen hij voor het raam zat, maar zelfs als hij te eten had, moest hij wel ontzettend eenzaam zijn ...

Wacht eens even. Ik maak me zorgen om Pepto. En hij houdt niet eens van mensen.

Maar hij vindt mij wel aardig. Misschien heeft hij me nodig.

Ik had mezelf moeten laten nakijken in plaats van als een inbreker naar Adams deur te sluipen en mijn oor tegen de deur te leggen. Er klonk geen gemiauw en geen geschraap in de kattenbak. Ik boog mezelf nog iets dichter naar de deur toe, totdat mijn oor ertegenaan lag.

En daardoor viel ik Adams appartement binnen toen de deur

onverwachts openging. Ik lag aan de voeten van een knappe, vaag bekend ogende man met donkerblond haar en betoverende blauwe ogen.

Dit was Adam niet, maar in lichamelijk opzicht was hij zeker van Adams kaliber. Hij droeg een karamelkleurige broek, een donkerblauw shirt met openstaande kraag en een crèmekleurige en blauwe stropdas die losjes om zijn nek geknoopt was. Hij had, zo merkte ik doordat ik zo dicht bij zijn voeten was, geen schoenen aan.

Ik vroeg me af waarom ik niet meteen door de grond kon zakken. Wat vernederend.

'Ik ... eh ... Sorry. Ik luisterde alleen maar naar Pepto. Ik zag hem voor het raam toen ik vandaag wegging, en de huisbaas zei dat Adam de stad uit was ...' Zo, wat een zwak excuus.

Toen kwam er een prachtige vrouw met donker haar en een vriendelijke glimlach uit wat volgens mij Adams slaapkamer is. Ze dee al lopend de ceintuur van haar badjas om haar middel. Haar haar zat in de war en ze had geen make-up op haar prachtige gezicht.

'Chase? Wat is er aan de hand?' Even keek ze me aan. Dan hervond ze haar kalmte en zei: 'Hallo, kunnen we iets voor je doen?'

'Laten we haar eerst maar eens overeind helpen', zei de man die Chase genoemd werd. Hij tilde me van de grond alsof ik een veertje was en zette me op mijn wankele benen. 'Alles in orde?'

'Prima. Behalve dat ik me geneer. Ik voel me een idioot.' Mijn wangen gloeiden. Als ik me schaam, word ik vuurrood. Geen mooi gezicht.

Hoewel ik het liefst uit het appartement was geslopen om er nooit meer terug te komen, herinnerde ik me mijn goede manieren. Ik stak mijn hand uit. 'Ik ben Cassia Carr. Ik woon hierboven. De huisbaas zei tegen me dat Adam weg was. Ik hoorde Pepto eerder vandaag en zag hem voor het raam zitten toen ik vanmiddag wegging. Ik wilde alleen maar zeker weten dat alles in orde was met hem.' Ik voelde mijn wangen nog harder gloeien. 'Het was niet mijn bedoeling, nou ja, zo binnen te komen vallen.'

'Ik ben Adams neef Chase Andrews.'

Daarom ziet hij er dus zo bekend uit. Familietrekken.

'En dit is mijn vrouw, Whitney. Het kantoor van mijn vrouw is niet ver hiervandaan, dus in plaats van Pepto uit zijn huis te halen, hebben we besloten hier bij hem te blijven.' Hij glimlachte naar zijn vrouw en keek haar aan alsof er geen andere vrouw op de wereld bestond. Ik voelde een zweempje jaloezie.

'Het is een soort minivakantie voor ons', voegde Whitney er opgewekt aan toe. 'Ik eet deze week iedere avond buiten de deur.'

Ik mocht haar meteen. Er was een gloed en een ... iets ... aan haar wat bijzonder aanvoelde.

Op dat moment kwam Pepto de slaapkamer uit, zag mij en sprong in mijn armen. We vielen allebei bijna om, maar ik wankelde tegen de muur aan en hij stak al zijn nagels in mijn shirt en huid en klemde zich stevig vast. Zodra ik mijn evenwicht hervonden had, begon ik hem te aaien en hij begon te spinnen als een bestelwagentje. Tot ieders verbazing likte hij me in mijn nek.

'Ik snap nu waarom je bezorgd om hem was. Jullie zijn goede vrienden', zei Chase vriendelijk. 'Hij is ook dol op Whitney. Voor een kat heeft Pepto een goede smaak, wat vrouwen betreft.'

'Wil je gaan zitten?', vroeg Whitney. 'Ik heb net thee gezet.' Zonder op mijn antwoord te wachten liep ze naar de keuken, zette een extra kopje op het dienblad en nam dat mee naar de woonkamer.

'Eigenlijk wilde ik niet ...' *Maar ik wil wel.*

Mijn eenzaamheid, mijn verlangen de spinnende Pepto nog even vast te houden en het impulsieve verlangen meer over Adams familie te weten te komen zorgden ervoor dat ik me in een stoel liet zakken.

De schemering van de kamer die vol boeken stond, verlicht door kaarsen en kleine lampjes die me nauwelijks opgevallen waren toen Adam hier was, was knus en uitnodigend. Bovendien voelde ik me getroost te midden van zijn persoonlijke eigendommen. Het was vaak net geweest alsof we elkaar al een eeuwigheid kenden, zo op ons gemak waren we wanneer we samen stonden te koken, over de dieren praatten of over wat ik met het loterijgeld moest doen.

Ah, het loterijgeld. Spreuken 23:5. *Zodra je op rijkdom af vliegt, is die al verdwenen. Hij krijgt vleugels, plotseling, en vliegt als een arend weg.*

Waar was die arend nu ik hem nodig had?

'Waar werk je, Cassia?', vroeg Whitney. Haar ogen straalden alsof ze verheugd zou zijn met ieder antwoord dat ik haar gaf.

'Ik ben werkloos op dit moment', waagde ik te zeggen. 'Er is iets tussengekomen, en ik ben nu niet in staat te werken.'

'Gaat het om je gezondheid?', vroeg Chase. 'Ik ben dokter. Ik zou je naar een van mijn collega's kunnen doorverwijzen. Ik ken de beste artsen in de stad.'

'Dank je wel, maar ik ben niet ziek, hoewel ik me soms behoorlijk belabberd voel hierdoor.' Ik keek naar hun vragende gezichten. 'Door mijn geld, bedoel ik.'

'Je kunt niet werken vanwege je geld?' Whitney keek nog steeds vragend.

'Een aantal collega's en ik hebben de loterij gewonnen. Misschien heb je er wel over gehoord.' *Dat heeft iedereen.*

'Ben je een van *hen*?' Whitney en Chase schoten allebei in de lach. 'Serieus?'

'Ik ben bang van wel – al zou ik willen van niet.'

'Je lijkt er niet erg blij mee', merkte Chase op.

Ik legde de omstandigheden uit, en dat gokken tegen mijn geloof indruiste.

'Christen zeker?' Whitney klakte verbijsterd met haar tong. Toen grijnsde ze en klaarde ze op. 'Welkom bij de club.'

'Jij ook? Dan snap je het!' Er ging een gevoel van opluchting door me heen.

'Chase en ik hebben het erover gehad, hè? Wat wij zouden doen met zo'n bedrag als we dat in de schoot geworpen kregen.'

'Ik heb geprobeerd ervan af te komen, maar dat is nog niet zo gemakkelijk. Ik heb gesproken met de voorganger van de kerk waar ik heen ga en met twee instanties voordat ik het idee begon te krijgen dat dit geld niet alleen voor mij een probleem is. Niemand wil de indruk wekken dat ze enige vorm van gokken goedkeuren – inclusief de loterij –, omdat het tot verslaving kan leiden of tot gevolg kan hebben dat mensen meer uitgeven dan ze hebben. Het gaat om het stellen van een voorbeeld. Dat begrijp ik.' Ik zweeg even en voegde er toen met een snik aan toe: 'Maar ik wil ook een voorbeeld zijn!'

Ik liet me ontmoedigd achterover in de stoel zakken. 'Ik zou willen dat Hij opschoot en zijn geld uitgaf.'

'Weet Adam hiervan?', vroeg Chase.

De haren in mijn nek gingen recht overeind staan. 'Ja ...'

'Hij is een geweldige filantroop – iemand die strijdt voor mensenrechten, kinderen en walvissen. Je zou er eens met hem over moeten praten.'

Dat weet ik.

'Maar ik moet praten met iemand die niet alleen mijn situatie kent, maar ook begrip heeft voor mijn geloof. Het is voor de meeste mensen nauwelijks te bevatten dat ik het geld niet als mijn eigendom beschouw.'

'Met een christen, bedoel je? Adam is ... was ... nou ja, ik denk dat we niet echt weten waar hij op dit moment staat. Adam en ik zijn in een christelijke familie opgegroeid. We dachten tijdens onze jeugd ongeveer hetzelfde over het geloof, maar ...' Chase fronste. 'Adam heeft tijdens zijn werk als journalist afschuwelijke dingen gezien en ervaren. Het heeft hem veranderd, hem zelfs aan het twijfelen gebracht of er wel een God *bestaat*. Na zijn laatste reis hebben we gemerkt dat hij anders praat en denkt. De dingen die hij ziet en ervaart, vreten aan zijn ziel.'

Was dat wat er aan de hand was? Was Adams ziel beschadigd? Had hij besloten mijn omstandigheden ten gunste van zichzelf te gebruiken omdat hij er niet langer in gelooft dat er goed en kwaad op deze wereld bestaan ... alleen maar kwaad? Het is net zo logisch als een kruiswoordpuzzel zonder omschrijvingen.

'Ik ken Adam nog niet zo erg lang', voegde Whitney eraan toe. Ze glimlachte verlegen naar haar man. 'Chase en ik zijn nog maar een paar maanden getrouwd. Maar ik weet wel dat hij een van de meest fatsoenlijke, eerlijke, betrouwbare en respectabele mannen is die ik ooit ontmoet heb. De familie van Chase is erg trots op wat Adam met zijn leven doet. Dat maakt de veranderingen die we bij hem zien, zo moeilijk.'

Moeilijk? Ze hadden geen idee van moeilijk. Hoe kon ik wat Adam me had aangedaan, rijmen met wat zijn familie en vrienden in hem zien?

Terwijl Pepto tegen mijn schouder lag te snurken, leunde ik achterover en luisterde ik naar Chase, die Whitney en mij vermaakte met verhalen over zijn en Adams jeugd.

Hoofdstuk
27

Geef ze een vinger en ze nemen je hele hand.

'Cassia, met Randy. Ik vroeg me af of je zin hebt om na het werk ergens iets te gaan eten.' Hij heeft me iedere avond gebeld sinds we de auto vijf dagen geleden gekocht hebben.

'Dank je wel, maar ik denk dat ik vanavond thuisblijf.'

'Wat is er aan de hand, Cassia?'

'O, niets.'

Er klonk een lange stilte aan de andere kant van de lijn. Toen Randy het woord weer nam, hoorde ik behoedzaamheid in zijn stem. 'Bedoelde je dat in vrouwentaal of in mannentaal?'

'Hoe bedoel je?' Nu was ik degene die verbaasd was.

'Wanneer een man 'O, niets' zegt, kun je dat letterlijk opvatten. Maar wanneer een vrouw 'O, niets' zegt, betekent dat meestal 'O, iets'.'

Ik ben doorzichtiger dan ik dacht. 'Je hebt een interessante opvatting over vrouwen.'

Randy zuchtte. 'Zussen. Drie, allemaal ouder. Ze dachten dat ik hun speelgoed was, dat mijn moeder mij speciaal voor hen gekregen had. Ze zeiden dat ze me een plezier deden door me 'af te richten' voor andere vrouwen. Ik heb geleerd te wachten en als laatste de badkamer te gebruiken, mijn scheermes te delen en geduldig in de auto te blijven wachten terwijl zij 'even' de winkel in renden. Er is me ook geleerd dat het heel belangrijk is dat ik mijn dessert altijd deel met de vrouw met wie ik eet, omdat er geen calorieën zitten in eten dat van het bord van iemand anders komt.'

'Je bent een droomvent, Randy. Iemand zou je moeten zien te strikken. Het verbaast me dat je nog tijd hebt om met mij om te gaan.'

'Ik *wil* met niemand anders omgaan, Cassia.'

Ik ben dol op Randy. Hij is lief, zachtaardig, gevoelig en attent. Als ik maar niet steeds aan Adam bleef denken ... Ook al is Adam weg, hij beheerst nog steeds mijn gedachten.

'Mijn leven is nu te ingewikkeld. Ik wil niemand anders opschepen met mijn dilemma.'

'Niet iedereen ziet jou als een probleemgeval, Cassia. Sommigen zouden zelfs kunnen zeggen dat je het *antwoord* op problemen hebt.'

'Het spijt me, Randy. Het was niet mijn bedoeling te klagen. Soms krijgen Gods kinderen niet alle details totdat het plan volledig uitgewerkt is.'

'Mag ik je dit weekend bellen?'

'Natuurlijk. Dank je.' Ik aarzelde. 'Sorry. Ik hoop dat ik je niet gekwetst heb.'

'Je bent uniek, Cassia. Ik kan er niets aan doen. Ik wil steeds naar je terug.'

We namen afscheid en ik ging achteroverzitten in de stoel om over het gesprek na te denken. Ik heb tijd nodig om alles op een rijtje te zetten. Eigenlijk zit niet alleen dat loterijgeld me dwars, maar ben ik ook nog steeds aan het verwerken wat ik allemaal over Adam gehoord heb van zijn neef en Whitney. Het klopt van geen kant. Het is alsof we het over twee verschillende mensen hebben – de nobele, eerlijke man van zijn woord, en de misleider, geldklopper en journalist zonder integriteit. Er is geen gemeenschappelijke factor, geen enkele manier om die twee samen te voegen en zo te bepalen wie Adam Cavanaugh eigenlijk is.

Alles voelt duister aan, alsof ik voortstrompel in een dikke mist en geen hand voor ogen kan zien.

Praat tegen me, Heer! Laat me iets zien. Kan me niet schelen wat.

En de eerste verzen van 1 Korintiërs 13 kwamen in mijn gedachten. Ik pakte mijn Bijbel en begon te lezen.

Al sprak ik de talen van alle mensen en die van de engelen – had ik de liefde niet, ik zou niet meer zijn dan een dreunende gong of een schelle cimbaal. Al had ik de gave om te profeteren en doorgrondde ik alle geheimen, al bezat ik alle kennis en had ik het geloof dat bergen kan verplaatsen – had ik de liefde niet, ik zou niets zijn. Al verkocht ik mijn bezittingen omdat ik voedsel aan de armen wilde geven, al gaf ik mijn lichaam prijs en kon ik daar trots op zijn – had ik de liefde niet, het zou mij niet baten.

Al verkocht ik mijn bezittingen omdat ik voedsel aan de armen wilde geven … had ik de liefde niet, het zou mij niet baten. Mijn geest wikkelde zich om dat vers heen en liet het niet meer los. Kennis, profetie en vrijgevigheid zijn niet genoeg zonder liefde. Niets wat ik kan geven, zal genoeg zijn als er geen liefde achter zit. Ik voelde de rillingen door mijn lichaam gaan.

God laat me echt werken voor mijn antwoorden, maar zijn aanwijzingen raken wel hun doel. Al gaf ik alles wat ik had – wat vrij veel is tegenwoordig –, aan de armen zonder dat uit liefde te doen, dan is dat niet genoeg. Ik moet de juiste instelling hebben.

Mijn geest werd een wervelwind van gedachten, stukjes advies en schriftgedeelten die ik verzameld had sinds die noodlottige dag waarop ik het geld won. God laat de aarde onder mijn voeten soms echt beven.

Natuurlijk ben ik van plan alles wat ik heb, aan de armen te geven. Maar geef ik het met een geest van liefde? Nauwelijks. Ik gedraag me de laatste tijd als een misbruikte, overbelaste huilebalk. Ik voelde me onderdrukt door een vervelende last die me stoort in het 'werk' dat ik voor God doe. Een gevoel van schaamte bekroop me.

Wat heb ik een ego! Het geld is het werk dat ik voor God

moet doen. Toegegeven, het zou fijn zijn te weten waar het heen moet, en geweldig dat ik er zo vrijgevig mee wil zijn. Maar de liefde is nergens te bekennen geweest – de liefde die ik tonen moet wanneer ik de giften schenk, de liefde die ik aanbied als een nederige afgezant van God.

Het voelt als een plons ijskoud water op mijn gevoelens te beseffen dat ik niet geprobeerd heb het geld weg te geven in de geest die God wilde. Ik heb geprobeerd het mensen toe te werpen als om een smet van mijn eigen handen af te krijgen. Ik dacht aan Maria uit Magdala, die kostbare parfum over de voeten van Jezus sprenkelde en het met haar haar afveegde. Oké, het parfum was duur, maar het ging niet alleen om het parfum, het ging om de manier waarop dat aangeboden werd – met liefde en dankbaarheid, niet mopperend en klagend.

Ik heb het verknald. Stomme Cassia die ik ben.

En voor het eerst in weken begon ik aan het einde van de tunnel licht te zien dat niet van een trein afkomstig was.

Adam keek uit over het water. Hij luisterde naar de futen en vroeg zich af hoe het zover had kunnen komen. Niet dat het vakantie-huisje van zijn familie niet plezierig was, of dat het hier niet mooi was. Er lagen schone lakens op het bed, schone handdoeken in de badkamer en de provisiekast puilde uit.

Het enige wat eraan mankeerde, was het gezelschap waarin hij zich bevond – hijzelf.

Hoeveel uur hij ook viste, hoeveel vogels hij telde of hoeveel kruiswoordpuzzels hij oploste, hij bleef maar aan Cassia denken.

Hij was naar het huisje gegaan om zijn gedachten op een rij-tje te zetten en plannen te maken, maar de stilte hier in de bos-sen was lawaaierig, en zijn hoofd zat vol met met Cassia's veront-waardigde woorden en gekwetste toon.

En het ergste van alles was, bedacht Adam, dat wanneer hij niet aan Cassia dacht, God hem lastigviel. Ze speelden tikkertje met hem, besloot hij, en om beurten eisten ze iets beters van hem. Cassia was een stem voor openhartigheid, terwijl God de fluiste-ring was die hem bleef herinneren aan hun vroegere relatie en Adams afwijzing van Hem.

'Laat me gewoon met rust!', zei Adam hardop. 'Ik ben niet die geweldige vent die jullie beiden willen dat ik ben!'

Ik wil je zoals je bent.

Adam tuurde naar de hemel. Hij had de boodschap zo duidelijk gehoord alsof die hardop uitgesproken was, maar hij wist dat hij diep uit hemzelf afkomstig was.

'Wie zou me willen hebben zoals ik er nu aan toe ben?', mopperde Adam. 'Opgebrand, boos, gefrustreerd en misbruik makend van mensen die me hun vriend noemen? U wilt me niet bij U in de buurt.'

Jawel. Ik ben gekomen voor mensen zoals jij.

Adam herinnerde zich een tijd waarin deze inwendige gesprekken met God natuurlijk en plezierig voor hem geweest waren – vóór Burundi. Nu was het in ieder geval niet plezierig meer.

'Hoe zit het met al die mensen die ik zag lijden en sterven? Waarom valt U mij lastig terwijl U levens kunt redden?'

Adam zweeg alsof hij op antwoord wachtte, een verdediging, een excuus van de Almachtige. Hij spande zich in, luisterde, voelde, keek, maar er gebeurde niets.

'Waar was U?', vroeg hij woedend. 'Als U echt God was, en niet mijn verbeelding, zou U me hebben laten weten dat U echt bestaat!'

Nog steeds niets.

'Dus U bestaat alleen in mijn verbeelding. Is dat zo?'

Nog meer stilte.

'Hoe kan ik zonder bewijs, zonder dat U die kinderen in Burundi helpt, weten dat U hier bent? Dat U wel bestaat?'

Adam gaf de vruchteloze dialoog op die hij met de lucht voerde. Toen keek hij op en zag hij een moederhert met twee kalfjes op maar een paar meter afstand van hem, hem nieuwsgierig aankijkend met glimmende zwarte oogjes en vriendelijke gezichten. Ze stonden perfect rechtop op hun dunne pootjes, en hun vachten glansden zo in het schemerlicht dat ze bijna niet-echt leken. Wat waren het toch wonderbaarlijke wezens.

Al sinds zijn jeugd was hij gek op de herten die in deze bossen leefden. Hij had zijn zakgeld gebruikt voor zoutstenen om vlak bij het huisje neer te leggen en hen te lokken. Herten behoorden tot Gods meest gracieuze schepselen, zei zijn moeder altijd.

Grappig, zijn familie had gezegd dat er dit jaar minder herten rondom het huisje waren dan andere jaren. Het was alsof dit trio speciaal voor hem verschenen was ...

Misschien had God hem wel een kleine herinnering gestuurd dat hij de leiding had ...

'Doe niet zo raar', zei Adam hardop. Maar waar had hij het over? Was het raar in een niet-bestaande God te geloven? Of speelde hij nog steeds dit vreemde spel van niet toegeven dat God overal was, alleen maar omdat hij weigerde te kijken?

Hoofdstuk
29

Ik drijf in de Bermudadriehoek van mannen en zink snel. Randy
... Ken ... Adam ... de drie hoeken van mijn driehoek. Randy be-
handelt me als een koningin. Kens volharding om mijn liefde te
winnen is erg vleiend. En Adam, de ongelukkigste keuze van allemaal, een niet-christen, is ervandoor met de buit, mijn hart, en
is verdwenen, weg, niet aan het front. Ik geef mijn hart niet zomaar aan iemand. Dat komt doordat ik, als ik het eenmaal weg-
geef, niet weet hoe ik het terug moet krijgen.

'Er draait een nieuwe film in de bioscoop,' zei Randy, 'en er
heeft net een nieuw Thais restaurant daar vlak bij zijn deuren geopend. Wat denk je ervan?'

'Ik denk dat mensen meer vlees en aardappelen zouden moeten eten. Wordt er tegenwoordig geen restaurant meer geopend
dat aardappelpuree met vlees op het menu heeft?' Ik voegde eraan
toe: 'Ik zou het heerlijk vinden vanavond uit te gaan. Dan heb ik
tenminste een excuus om me op te tutten.'

'Dan gaan we naar het theater en naar een restaurant.' Ik hoorde zijn blijdschap, ondanks het slechte bereik van zijn mobiele
telefoon. 'Ik zal uitzoeken waar we terecht kunnen en dan bel ik
je terug.' Hij aarzelde en voegde er toen verlegen aan toe: 'Dank
je wel, Cassia. Dit wordt geweldig.'

Ja, geweldig.

Ik heb medelijden met mezelf omdat een hufter me belazerd heeft en negeer een liefdevolle man die radslagen door het winkelcentrum zou maken als ik hem dat vroeg. Misschien is Randy wat God voor me wil. Het is duidelijk dat Adam het niet is. Wie ben ik om het geen kans te geven?

Oké, Cassia, het is afgelopen met dat zelfbeklag.

Aan het eind van onze avond samen liep ik vanuit Randy's auto met een gelukzalige glimlach het appartementencomplex binnen. Voor het eerst in dagen voelde ik me echt goed. Ik geniet ervan in de watten gelegd te worden, en dat kun je wel aan Randy overlaten.

Ik heb mijn haar los laten hangen vanavond. Randy zei dat ik op Nicole Kidman leek. Dat vond ik ook – als ze haar vinger in een stopcontact steekt. Ik zwaaide met mijn hoofd om de bos krullen uit mijn gezichtsveld te krijgen en zwaaide Randy gedag toen hij wegreed.

Ik stak de roos die ik van Randy gekregen had, tussen mijn tanden en zweefde als op wolkjes naar binnen. Ik ging voor stijlvol, geraffineerd en elegant terwijl ik liep, zoals Audrey Hepburn in *Breakfast at Tiffany's*, en weerstond de neiging mijn pumps uit te schoppen en ze in mijn handen mee te nemen. Optutten is leuk. Ik heb er al lang genoeg als een zwerver uitgezien. De gelegenheid om het opvallende, kleine zwarte jurkje te dragen dat ik van Jane voor mijn verjaardag gekregen heb, deed me beseffen dat ik me niet langer in mijn appartement kan verstoppen. Als ik filantroop wil zijn, wordt het hoog tijd om me ook zo te gedragen.

Ik ben een paar kilo afgevallen – zenuwen, denk ik – en zie er goed uit. Dat weet ik omdat ik een mooie vrouw stond te bewonderen in een raam van het theater en ineens besefte dat ik het zelf was. Misschien moet ik mijn haar vaker los laten hangen.

Neuriënd haal ik de post uit mijn brievenbus en begeef me dan naar de trap. Ik was al bijna langs Adams deur gelopen toen het me ineens opviel dat die op een kier stond.

Leuk. Whitney en Chase zijn terug.

Ik neuriede iets harder en klopte op de deur. 'Joehoe, iemand thuis? Ik heb de boeken gelezen die je me gegeven hebt, Whitney. Zal ik ze even halen?'

De deur zwaaide open en Adam verscheen in de deuropening. Ik dacht tenminste dat het Adam was.

Hij zag er afschuwelijk uit. Uitgeput, met bloeddoorlopen ogen, een stoppelbaard, vieze en gekreukte kleren en een frons die zo diep was dat de plooien als kloven over zijn voorhoofd liepen. Hij zag eruit – zou mijn oma waarschijnlijk zeggen – als een levend lijk.

We keken elkaar met open mond aan. Ik had nog nooit meegemaakt dat hij er zo slecht uitzag, en hij had waarschijnlijk nog nooit meegemaakt dat ik er zo goed uitzag.

Ik heb normaal gesproken geen make-up op, loop vaak op blote voeten, gekleed in een spijkerbroek en een T-shirt, met mijn haar meer getemd dan gekamd. Vanavond heb ik extra mijn best gedaan – oogpotlood, mascara, lippenstift, panty – en heb ik me tot in de puntjes verzorgd. Over twee vreemden gesproken die elkaar als schepen in het holst van de nacht tegenkomen.

Toen kwam, voordat een van ons iets deed of zei, Pepto op me af en begon rondjes te draaien om mijn enkels.

'Cassia, ik ...' Adam zocht naar woorden, maar ze kwamen niet. Hij zag eruit alsof hij ieder moment kon neerstorten en ter plekke in slaap zou vallen.

'Je was weg', zei ik ten overvloede.

'Je hebt mijn neef Chase ontmoet.'

Wat hij zei, was in ieder geval al net zo onbetekenend. 'Ja. Zijn vrouw en hij zijn heel aardig. Pepto mag hen graag.'

Adam keek naar de kat alsof het hem verbaasde hem daar te zien. 'Hij gaat een tijdje naar hen toe.'

'Ga je weer weg?' Ik hoorde de trilling in mijn stem en hoopte dat die hem niet opgevallen was. Het laatste wat ik wil, is dat hij denkt dat het me iets uitmaakt. Ik wil niet dat het me iets uitmaakt. Ik wil hem aankijken en niets voelen – geen boosheid, teleurstelling of verraad, en al helemaal geen aantrekkingskracht.

Werk eens mee, gevoelens.

Welke andere optie heb ik dan hem vergeten? Ik kan zeker niet om 2 Korintiërs 6:14 heen. *Loop niet in één en hetzelfde span met ongelovigen. Wat is de verwantschap tussen gerechtigheid en wetteloosheid? Wat heeft licht met duisternis te maken?*

'Dat vind je vast niet erg, gelet op ... alles.' Even keek hij me zo verdrietig aan dat ik vergat wat een bedrieger hij was. Hij bukte zich om Pepto op te tillen en streelde de kat afwezig. In de stilte die tussen ons in hing, klonk Pepto's gespin als een autorace.

'Ik weet dat het niets meer betekent na de manier waarop ik je vertrouwen beschaamd heb, maar het spijt me, ik had je moeten vertellen waarom ... wat me motiveerde om ...' Er flikkerde iets in zijn ogen. 'Maar dat doet er niet echt toe. Het was mijn beslissing je te misleiden en ik moet de verantwoordelijkheid voor mijn daden op me nemen.' Hij besloot dat hij al te veel gezegd had en legde zichzelf het zwijgen op. 'Je hebt er geen idee van hoezeer het me spijt.'

Nee? Je hebt er ook geen idee van hoezeer het mij spijt.

Hij draaide zich om, bleef toen staan en keek me nog één keer recht aan. 'Je ziet er vanavond beeldschoon uit, Cassia. Maar je bent eigenlijk altijd mooi, vanbinnen en vanbuiten.' En toen draaide hij zich om, trok de deur achter zich dicht en liet me met open mond in de hal achter.

Ik liep driftig in mijn appartement rond, woedend over onze uitermate onbevredigende ontmoeting, en sloeg zo kinderachtig als maar mogelijk was met de deuren, in de hoop dat als ik niet kon slapen, Adam dat ook niet zou kunnen. Ik weet niet wat ik verwacht had wanneer we elkaar weer zouden tegenkomen, maar in ieder geval niet deze anticlimax.

Ik denk dat ik blij zou moeten zijn. Adam zal er niet zijn om mijn ongemak te vergroten. Hij zal niet in de buurt zijn om me eraan te herinneren hoezeer ik hem vertrouwde en wat hij in ruil daarvoor gedaan heeft. Hij heeft zich verontschuldigd. En hij zag er verschrikkelijk uit – mager, somber en ellendig. Zelfs als ik wraakzuchtig geweest zou zijn – wat ik niet ben –, zou ik moeten vinden dat hij genoeg geleden had.

Wat *had* ik gewild? Dat hij op zijn knieën was gegaan? Wraak? Nee. Ik wilde duidelijkheid. Wie is Adam? De goede Adam is een menslievende, eerlijke, betrouwbare vent. Wie is dan deze slechte man die tegen me gelogen heeft, die me heeft gemanipuleerd en die zo onbetrouwbaar gebleken is? Ik snap het gewoon niet. Ik wil eigenlijk een *reden* voor wat er gebeurd is. Ik wil niet dat het alleen maar om het geld gaat. Ik wil horen dat Adam een goede reden voor zijn daden heeft gehad. Ik wil hem weer vertrouwen. Maar hij heeft niet eens geprobeerd zich te verdedigen. Zijn zwijgen maakte volkomen duidelijk dat hij geen excuus had.

Ik stond voor mijn open koelkast en monsterde de inhoud. Wortels, sla, geraspte kaas, sinaasappelsap en een restje lasagne. Soms ben ik iets te enthousiast, wat gezond eten betreft. Uiteindelijk zocht ik wanhopig in mijn keukenkastje en haalde ik een zak chocoladesnippers tevoorschijn. Ik zette een pot thee voor mezelf en at en dronk mijn verdriet weg bij een twee uur durende aflevering van *Lost in Space* op televisie.

Niet een van mijn beste momenten, ben ik bang.

Hoofdstuk
30

Ik kreunde en zou willen dat de maandagochtendzon die door mijn raam naar binnen scheen, een uit-schakelaar had. Wat onbeleefd nu net op te komen, terwijl ik eindelijk in slaap viel ...

Ik kwam overeind en keek op de klok. Kwart over tien!

'O, nee, Winslow. Waarom heb je me niet wakker gemaakt?'

De hond keek me verbaasd aan, alsof hij zich afvroeg waarom hij juist vandaag voor wekker had moeten spelen. Ik was tenslotte degene die de hele week al mopperde dat hij er om zes uur 's morgens uit moest. Ik pakte de dunne, katoenen ochtendjas van het voeteneinde van mijn bed en trok die aan terwijl ik me naar het raam haastte.

Ik deed de jaloezieën open, en de moed zonk me in de schoenen.

Adams Hummer stond voor de deur geparkeerd, en de motor draaide. De voordeur aan de kant van de stoep stond open. Hij zette een reiskrat op de voorstoel, dezelfde die ik hem nog geen drie maanden geleden zijn appartement binnen had zien dragen. Zelfs van een afstandje kon ik zien dat Pepto niet blij was. De doos ging heen en weer alsof er een paar kleine sumoworstelaars in aan het vechten waren. Voor een kleine kat is Pepto heel erg aanwezig.

Terwijl ik toekeek, deed Adam de passagiersdeur dicht, liep om de auto heen, sprong erin en reed weg. Deze keer, vermoedde ik, voor lange tijd.

Automatisch hief ik mijn hand en zwaaide ik hem zwakjes uit. Hij was niet de juiste man voor me, maar toch was het ontzettend moeilijk hem los te laten.

'Schizofreen', mompelde ik toen ik ging zitten. 'Neem toch een besluit.'

Adam was weg naar waar Adam ook heen ging. Zelfs de dreiging van Pepto was verdwenen.

'Nou, we zijn nu zo vrij als een vogeltje, jochie', zei ik tegen de enorme kop die op mijn knieën lag.

Zo vrij als een vogeltje. Als dat waar was, waarom voelde het dan alsof de vleugels zojuist van mijn lichaam en mijn hart afgescheurd waren? Er was maar één plek waar ik heen kon om te genezen.

'Lang niet gezien, Cassia! Welkom.' Mijn vriendin Greta Hanson begroette me met een knuffel terwijl de zes of zeven mensen die ook in de winkel in Simms stonden, instemmend knikten. 'We dachten dat je nooit meer thuis zou komen. Heb je ons niet gemist? Waar zijn Jane en haar man?'

'We' en 'ons'. Zoals gewoonlijk in Simms, voelt iedereen zich volkomen vrij om de gedachten van anderen onder woorden te brengen. Hoewel de inwoners zouden kunnen discussiëren over de vraag welke kerk de beste maaltijden had of over de vraag of Oscar en Minnie Johnson hun huis beter felgeel dan wel pastelgeel hadden kunnen schilderen, vormden ze meestal één front, wat belangrijke zaken betreft.

'Jane komt later, maar haar man moet werken.'

De hoofden knikten allemaal begrijpend.

'Heb je tijd om een kopje koffie te gaan drinken?', vroeg Greta. 'Het café heeft nog steeds pindarepen.'

Het water liep me automatisch in de mond. De repen zijn gewoon brokken zelfgemaakte cake met zoet wit glazuur en gehakte pinda's. Fannies café zou door iedere goede reisgids in Amerika aangeraden moeten worden vanwege haar pindarepen.

'Natuurlijk.' Ik wierp een blik op mijn horloge. Halfelf op zaterdagochtend. Ik was om acht uur van huis vertrokken, terwijl oma Mattie al een van haar oude vriendinnen aan de telefoon had en de staat van haar bloementuin besprak. De vijftienjarige jongen die we gevraagd hadden te sproeien en te maaien, had besloten dat dat alleen in noodgevallen gedaan hoefde te worden – zodra hij bemerkte dat er iets verdord was en dreigde dood te gaan.

Voor iets naar de stad 'rennen' is in Simms net zoiets als rennen in een of andere kleverige substantie, zoals gekoelde ahornstroop. Toen ik er eenmaal mee ingestemd had de stad in te gaan, wist ik dat ik me er maar beter op kon voorbereiden dat ik daar twee of drie uur aan kwijt zou zijn. Het was meer dan eens gebeurd dat ik de stad in ging voor een zak uien of een bus zout, maar daar belaagd werd en uiteindelijk pas uren later thuiskwam na bij een veiling te zijn geweest, de geboorte van een kalf of een zondagschooluitvoering of een theevisite.

'Ik ben blij dat je thuisgekomen bent', zei Greta met opluchting in haar stem. 'De mensen begonnen al te praten.'

We kwamen het café in, en ik haalde diep adem, genietend van de geur van verse, ouderwetse donuts, havermoutkoekjes met roze glazuur en dampende koffie. Uit de keuken kwam ook de vage geur van de rundvleesbouillon die omstreeks lunchtijd opgediend zou worden. Hoe vaak waren mijn opa en ik hier niet geweest, hadden we aan het tafeltje achterin gezeten en een broodje warm vlees met aardappelpuree en jus en een groot sinaasappeljisje besteld? Er kwamen fijne herinneringen bij me naar boven, en ik voelde dat ik me ontspande.

Tulip Torgerson, serveerster bij Frannie sinds de opening in het begin van de jaren zestig, kwam aanlopen met twee mokken en een dampende pot koffie. Tulip, die haar werk heel serieus nam, droeg nog steeds het uniform dat ze veertig jaar geleden had moeten dragen – een roze serveerstersuniform, een wit schort met ruches, een roze zoom en een roze zak in het midden, en een klein wit verpleegstersachtig mutsje, gemaakt van gesteven stof en kant, geplaatst op het zo rood mogelijk geverfde haar. Haar uniform is nog net zo schoon en glad als ooit. Haar verweerde en gerimpelde gezicht kan echter wel een strijkbeurt gebruiken.

Tulip heeft als roker dunne lijntjes rondom haar lippen gekregen, waardoor haar felroze lippenstift uitloopt over haar gezicht. De lippenstift die op haar tanden terechtgekomen is, blijft echter wel op zijn plaats.

'We hebben je gemist', zei ze plompverloren terwijl ze de twee grote mokken volschonk. 'Waarom ben je gevlucht?'

'Ik ben niet echt gevlucht', antwoordde ik voorzichtig.

'Neenee. Het leek er anders wel op.' Dat zette me op mijn plaats. 'Je wilt een halve biefstuk, aardappelpuree met extra jus, een sinaasappelijsje en een pindareep, toch?'

'Maar Tulip, het is pas halfelf 's morgens.'

'Het is nu kwart voor elf. Drink je koffie op. Dan kom ik het om elf uur brengen. Dat is het tijdstip waarop de lunch hier begint.'

Ik keek naar Greta, die grijnsde. 'Waarom ook niet? En doe maar hetzelfde voor mijn vriendin.'

Tulip knikte goedkeurend en beende weg, onderweg lege koffiekopjes vullend.

'Het is fijn terug te zijn.' Ik leunde achterover in de gescheurde bank en zuchtte. 'Het is hier allemaal veel eenvoudiger.'

'Dingen veranderen niet veel', stemde Greta in. 'Het beste én het ergste is dat er, wanneer je niet weet wat je doet of denkt, altijd wel iemand anders is die dat wel weet.' Op fluistertoon ging ze verder: 'Tulip is een giller, hè! Met al die rode verf die ze in de loop der jaren op haar hoofd gesmeerd heeft. Het verbaast me dat het niet naar binnen gelopen is en haar hersens niet heeft aangetast.'

'Doe eens aardig', merkte ik grinnikend op.

'Oké. Ik ben gek op Tulip. Dat weet je. Ik zal jou in plaats daarvan plagen. Wat is er eigenlijk gaande tussen jou en Ken?'

'Gaande?', vroeg ik argwanend.

'Je bent nooit meer thuisgekomen nadat je naar de stad verhuisd bent. Ken was humeuriger dan ik hem ooit gezien heb. Toen vertrok hij naar Minneapolis om jou op te zoeken, en sinds hij terug is, is hij aan het fluiten en zingen en belt hij om de dag de bloemist om jou iets te sturen.' Simms idee van een bloemist was een klein stalletje, achter in de wasserette, met een nationale bezorgdienst.

'Hij is erg lief.'

'Is het dat? Lief? Cassia, je hebt die vent helemaal om je vinger gewonden. Wat ben je van plan?'

'Van plan? Sinds wanneer ben jij Kens vader? Bescherm je zijn onschuld?'

Greta grijnsde. 'Sorry. Ik mag hem gewoon graag. En ik houd van jou. Zal hij je ooit naar Simms terug kunnen lokken om hier te komen wonen?'

Drie weken geleden zou ik 'nooit' gezegd hebben. Maar nu, wie weet? Ik in ieder geval niet. 'Dat weet ik niet. Ik voel me prettig waar ik nu woon. Dave en Jane zijn er, en de supermarkten zijn ongelooflijk. Ik leer mezelf Chinees klaarmaken. Het enige alarmerende daaraan is vissaus. Ik blijf maar denken aan wat er in aquariums gebeurt.'

'Oké, ik snap je. Je wilt het er niet over hebben. Vergeet alleen niet dat Ken je niet voor eeuwig die vrijheid blijft gunnen.'

Ik was blij dat ik een groep jagers door de deur van het café naar binnen zag komen. Nou ja, niet echt jagers. Er valt niet veel te jagen midden in de zomer, maar de mannen hier houden van drie dingen: klaar zijn om te jagen wanneer het seizoen aanbreekt, jagen als zodanig en jachtkleding dragen. Zelfs mijn opa besteedde er geen aandacht aan als er mannen de kerk binnenkwamen in camouflagebroeken, kaki T-shirts en fluorescerende oranje jachtvesten. Hij vond het al een vooruitgang dat ze er überhaupt waren.

Het was een verbazingwekkende mengelmoes van camouflagekleding en testosteron, die het kleine restaurant binnenkwam en aan een van de twee grote ronde tafels in het midden neerstreek. Alle twee de tafels boden plaats aan acht tot twaalf koffiedrinkers, die de wereldproblemen oplosten, politici kozen en afwezen en daar iedere dag opnieuw geschiedenis schreven. Eén tafel was van de oudjes, de mannen die tussen zes en negen uur 's morgens het café binnenkomen om koffie te drinken, over het weer te praten en te speculeren wie in de komende uren wat zou gaan doen. Ze keren tegen drieën terug voor een nieuwe ronde.

De andere tafel is van de 'jonge garde', iedereen onder de vijfenzestig die nog steeds op zijn werk moet verschijnen. Zij vullen de grote tafels omstreeks het middaguur. Wie denkt dat vrouwen kunnen roddelen, moet eens bij deze mannen plaatsnemen.

Om vier uur komen de dames voor koffie. Het is hun korte pauze, stilte voor de storm van de avondmaaltijd. Oma, die altijd allergisch is geweest voor geroddel, noemt dat het 'oestrogeen-uurtje'.

Ik liet me bijna een uur door Greta uithoren. Ze vroeg naar alles: van de loterij tot en met mijn liefdesleven. Ik heb geleerd voorzichtig te antwoorden, want praten met Greta is een beetje als privé-informatie door een luidspreker krijsen. Het is binnen de kortste keren overal in de stad bekend.

Onderweg naar huis kostte het al mijn wilskracht niet bij de Dairy Queen te stoppen voor een ijshoorntje. Ik ben gewend er iedere keer wanneer ik erlangs kom, een hoorntje te kopen en een wintervoorraad aan te leggen als een beer die zich klaarmaakt voor zijn winterslaap.

Oma, die Simms duidelijk meer gemist had dan ze had laten blijken, had alle ramen van het huis opengezet. De gordijnen wapperden in de wind. Ze had een stapel beddengoed en handdoeken gewassen en aan de lijn te drogen gehangen.

'Het voelt goed thuis te zijn, hè, Mattie?' Ik omhelsde haar en glimlachte. Ze had haar parfum gevonden en er iets van achter haar oren gedruppeld. Net als vroeger.

Ze legde haar handen op mijn schouders en duwde me van haar af om me te kunnen bestuderen. 'O ja?'

'Natuurlijk.'

'Zeg het nu alsof je het gelooft.'

'Ben ik zo doorzichtig?'

'Hij is weg, schat.'

'Wie?', vroeg ik alsof een van ons dat niet wist.

'Je moet eroverheen zien te komen en doorgaan.'

'Dat doe ik toch al?'

'Wat ga je met het geld doen?'

Ik ging aan de keukentafel zitten en dacht over die vraag na. Veel voorstellen en verzoeken die ik ontvangen had, bleken bij nader onderzoek in een bepaald opzicht twijfelachtig te zijn. 'Ik weet zeker dat ik het geld niet kan geven aan een stichting die zeventig of meer procent ervan aan administratie kosten uitgeeft', zei ik tegen Mattie. 'Ik wil dat het geld rechtstreeks gaat naar degenen die het nodig hebben. De zoektocht neemt een groot deel van mijn tijd in beslag, en ik zoek in richtingen die ik zelf nooit zou hebben gekozen.'

'Als God een deur sluit, opent Hij tegelijkertijd een raam.'

Ik kan niet meer bijhouden hoe vaak ik haar dat in de loop van de jaren heb horen zeggen.

'Dat is het dan. God heeft deuren gesloten en Hij heeft gewoon nog geen ramen opengezet.'

Terwijl ik het zei, voelde ik opluchting. Het klonk heel logisch. Mijn opties slonken, terwijl het geld groeide. Ik geloofde niet langer dat ik met een schoon geweten iemand anders het beheer over het geld kon geven. Bovendien had ik geen baan. Wie was er anders die het fulltime kon doen? Alle tekenen wijzen erop dat het mijn taak is. Bovendien is Adam niet langer in beeld. Ieder idee dat ik gehad heb over de mogelijkheid dat onze relatie tot iets meer dan vriendschap zou kunnen uitgroeien, is verdwenen. God lijkt de weg vrij te maken voor vertrek. Mijn vertrek.

Hoofdstuk

31

Ah, Simms, de plaats waar een file bestaat uit vijf auto's die vastzitten achter een tractor op een tweebaansweg. Wanneer het in
Simms zes uur 's morgens is, ben je zeker al op en klaar voor bezoek.

Daarom kwam Ken om zeven uur 's morgens, met een fris en
knap uiterlijk, klaar om me mee te nemen voor dat 'ritje' dat hij
me beloofd had. Winslow, die *inderdaad* al sinds zes uur wakker
was, was dolblij hem te zien. Ik had eerst een kopje koffie nodig.

'Je begint gemakzuchtig te worden, Cassia. Slechte invloeden
waar jij woont, merk ik. Hier zag ik je vaak om halfzeven langs
mijn huis joggen.' Hij liet zijn kauwgum knallen en grijnsde zijn
volmaakt witte tanden bloot.

Ik glimlachte onwillekeurig terug. Hij is echt een schatje. Ik
ben hem meer gaan waarderen sinds ik weg ben.

'Dat gebeurt er als ik geen werk heb. Ik word lui.' Ik hield een
bord omhoog. 'Karamelkoekje?'

'Eentje maar. Ik wil weg – er is veel te zien.'

'Waar gaan we precies naar kijken?'

'Wacht maar af, lieverd. Ik wil je verrassen.'

En ik werd inderdaad verrast. We reden Simms uit, naar het
volgende grotere stadje aan de weg. Winslow en Boosters zaten op

de achterbank van Kens verlengde bestelwagen en snuffelden blij aan elkaar. Het waren oude vrienden, en ze waren al bijna net zo vaak samen uit geweest als Ken en ik. De honden hadden er geen enkel probleem mee te wachten totdat wij gegeten hadden of een film hadden gezien, als ze maar samen waren. Soms verlangde ik naar zo'n relatie voor mezelf – tevreden met het moment, blij met mijn metgezel en zonder zorgen (behalve, voor Winslow en Boosters tenminste, de vraag wie het grootste deel van het hondenkoekje kreeg wanneer we bij de wagen terugkwamen).

We reden in de richting van Sioux Falls toen Ken rechts afsloeg en een brede steentjesweg volgde door een aantal glooiende heuvels. South Dakota heeft allerlei verschillende gebieden wanneer je naar het westen reist. Soms is er een verbazingwekkend kleine afwijking in de prairie, zoals die waar Ken heen reed.

'Een nieuwe ontwikkeling? Ik heb hier zo'n beetje mijn hele leven gewoond en wist niet eens dat dit prachtige plekje bestond – een vijver, bomen en vanaf de rand van de heuvel een onbelemmerd uitzicht over de prairie. Het is spectaculair.

'Mijn nieuwste project. Vind je het mooi?' Het viel me op dat hij nu eens niet met overdreven zelfvertrouwen sprak. Er waren bezorgde rimpels te zien in zijn meestal zo gladde voorhoofd. Ken geloofde normaal gesproken helemaal niet in zorgen. Hij geloofde in *doen*.

'Ik vind het prachtig! Hoeveel huizen komen hier te staan? Ik zie dat je al begonnen bent met het graven van een paar kelders.'

'Vijftien. Ik wil de kavels groot houden, zodat het niet zo overvol wordt.'

'Heb je er al veel verkocht? Ze zullen wel snel weg zijn.'

'Ik had ze allemaal al verkocht kunnen hebben. Ik heb een wachtlijst.'

'Waar wacht je op?'

Hij keek me zo indringend aan dat ik intuïtief aanvoelde dat er iets ging komen.

'Ik wilde dat jij thuis zou komen en eerst je lievelingsplek zou uitkiezen.'

Mijn maag voelde alsof ik in een achtbaan zat. 'Ken ...'

Hij stak een hand op. 'Zeg maar niets. Ik weet dat je zo schichtig bent als een hert in het jachtseizoen. Ik wil dat je *jouw* lievelingsplek uitkiest. Niet meer dan dat. Dan verkoop ik de rest. De meeste mensen die interesse hebben, zijn van onze leeftijd. Er zullen veel kleine kinderen in deze buurt komen wonen. Je mag me ook vertellen waar de speeltuin volgens jou moet komen.'

Mijn favoriete kavel uitkiezen. Mensen van mijn leeftijd. Kinderen. Speeltuinen. Het enige wat Ken niet gedaan had, was neuriën: 'Daar komt de bruid'.

Vreemd, maar als ik nog steeds in Simms gewoond had, zou ik teruggedeinsd zijn en gezegd hebben: 'Helemaal niet.' Vandaag bleef ik zwijgen. Alles is anders. Randy is lief, maar ik weet niet zeker of hij wel het soort man is dat ik als levenspartner wil. Adam, degene die misschien het potentieel gehad zou hebben, had het helemaal verpest. En Ken wordt steeds attenter en gevoeliger dan ik ooit voor mogelijk gehouden heb. We kennen elkaar al lang, en hij is niet op mijn geld uit. En dit gebaar van deze grond ...

Ik stak mijn hand naar hem uit. 'Kom mee, laten we die speeltuin gaan zoeken.'

Ken zal wel naar *Oprah* gekeken hebben. Of misschien heeft hij op internet informatie opgezocht over 'Hoe een vrouw voor je te winnen'.

We liepen over de meeste kavels, spraken over de ontwerpen van de huizen die erop moesten komen, en bepaalden twee plaatsen voor schommels en zandbakken. Toen kwamen we aan bij wat duidelijk het beste stukje grond van het gebied was.

Bomen beschermden de aarde tegen de zinderende zon. Van onder de vele bomen kon je zo ver zien als het oog reikte. De hitte van de dag trilde boven de aarde. De kleuren, zo sprekend toen we aankwamen, kwamen allemaal samen in een zacht palet toen onze ogen met zonlicht gevuld werden. Het was het hoogste punt van de wijk en de grootste kavel. Er zou een groot huis op gebouwd moeten worden om die tot zijn recht te laten komen.

'Hout, vind je niet?', vroeg Ken toen we op een uitstekende

rots plaatsnamen om van het uitzicht te genieten. 'Niet zo'n klein blokhutje, natuurlijk, maar iets majestueus. Met twee verdiepingen, gewelfde plafonds en uitzicht op de woonkamer. Misschien een of twee stenen open haarden.'

'Parketvloeren.'

'Natuurlijk. En veel ramen ... en een bubbelbad.'

'Professionele inbouwapparatuur.'

'Roestvrij staal.'

'Slaapkamers?'

'Vijf. Een grote, drie kinderkamers en eentje voor gasten.'

Ik besefte ineens waar we mee bezig waren en hield me in voordat ik eruit zou gooien: 'En een stapelbed voor de tweeling!' Ken en ik speelden in gedachten al vadertje en moedertje. Het is geen goed teken als de bruid gefixeerd is op roerende goederen, en niet op degene met wie ze van plan is te trouwen.

Ik sloeg mezelf op mijn dij en begon op te staan. 'Zo, dat was leuk. En nu ...'

'Nog even wachten. Ik heb iets voor je.' Ken sprong overeind en dook achter een rij struiken. Toen hij weer opstond, had hij een picknickmand in zijn handen.

'Speciaal voor ons klaargemaakt door Tulip. Trek?'

Hoewel het nog vroeg was, rammelde ik. Wat Ken ook allemaal voor me deed, hij gaf me in ieder geval mijn eetlust terug.

Tulip had zichzelf overtroffen met gefrituurde kip, hardgekookte eieren en tomaten met genoeg zout en aardappelsalade – zoals ik die lekker vind – zonder mosterd of augurken. Ze had er schijven watermeloen bij gedaan, Fannies beroemde havermoutkoekjes, flessen sap, thee en water en – zag ik dat goed? – pepermuntjes. Voor het geval er gezoend zou gaan worden? Wat een sluwe vos, die Tulip.

'Weet de hele stad dat we hier zijn?', wilde ik weten, me schamend bij alleen al de gedachte. Ik stelde me de speculaties in het café op ditzelfde moment voor.

'Welnee.' Ken keek me listig aan. 'Ik kan wel dis-creet zijn.' Hij rekte het woord. 'Ik ben geen boerenpummel, hoor.'

Ik barstte in lachen uit. 'Nee, dat ben je zeker niet. Je bent een van de liefste mannen op aarde.' En dat meende ik.

We zeiden niet veel op de weg terug naar de stad. Ken had twee grote kluiven voor de honden meegenomen, en we luisterden naar hun vrolijke gesmak en gekauw achter ons. Het was, alles bij elkaar, een ongewoon, maar toch erg huiselijk tafereel.

Ken parkeerde voor het huis achter de auto van Jane. 'Ik zie dat je zus ook aangekomen is.'

'Ik zou willen dat ze met ons mee had kunnen gaan, maar ze moest werken en wilde niet eerder bij Dave weg dan noodzakelijk was. Ze is in ieder geval nog een deel van het weekend gekomen.' Ik zuchtte bijna zonder het in de gaten te hebben.

Ken wel. 'Je voelt je hier nog steeds thuis, hè?'

'Tot op zekere hoogte zal dat altijd wel zo blijven.'

'*Kom* dan naar huis, Cassia.' Hij keek me aan. 'We missen je allemaal – en sommigen van ons nog meer dan anderen.'

Ik legde een vinger op zijn lippen. Ze waren warm en droog en ik voelde de vochtige hitte van zijn ademhaling op mijn vingertop. 'Zeg maar niets meer, oké? Ik vond het leuk vandaag. Dank je wel.'

Ken knikte en keek me aan met een blik die boter had kunnen smelten. 'Ik ook.' Toen, meer dis-creet dan ik hem ooit gezien had, sprong hij uit de bestelwagen, klapte de stoel naar voren en liet Winslow eruit. De hond huppelde over het grasveld en liet zich in de schaduw van een boom neervallen. Boosters jankte achterin, nu al eenzaam. Toen kuste Ken zijn vingertoppen en raakte mijn voorhoofd ermee aan. 'Tot gauw', mimede hij.

Ik gleed de auto uit en keek hem na toen hij wegreed. Wat is Ken toch een ruwe bolster met een blanke pit. En hij is bekend, iemand die V.L. al gevoelens voor me koesterde. *Vóór de loterij.*

Mijn hart en mijn hoofd zijn nu meer in de war dan ooit.

Hoofdstuk

32

'Het werd hoog tijd dat je terugkwam. We stonden al op het punt een zoektocht te organiseren.' Jane zat aan de keukentafel een broodje eiersalade te eten en van een berg chips te knabbelen.

'Hé, ook goeiendag.' Ik liep om de tafel heen om Mattie een knuffel te geven en ging zitten.

'En? Wat is er gebeurd? Oma zei dat Ken vaak langs geweest is sinds jij hier teruggekomen bent voor een bezoekje. *Heel vaak.*' Ze liet haar wenkbrauwen een paar keer op en neer gaan. Haar korte haar zwaaide om haar kaaklijn heen, en haar porseleinen huid glansde. Door ons lengteverschil, onze andere haarkleur en verschillende persoonlijkheden zou niemand geloven dat we zussen zijn.

'Ik dacht dat je Ken niet leuk vond.'

'Misschien is hij wel niet zo erg, alleen een beetje vervelend', zei Jane schouderophalend. 'Hij heeft je nooit aangedaan wat die halve gare in je gebouw gedaan heeft. Het bekende ziet er steeds beter uit.'

Laat ze nooit zeggen dat mijn zus niet praktisch is. Toen Jane met haar man ging trouwen, stelde ze een lijst met 'voors' en 'tegens' samen met de lengte van haar arm. Gelukkig voor Dave was de lijst met 'voors' aanzienlijk langer dan die met 'tegens'.

Dave is een heel relaxed iemand en wordt absoluut niet geïntimideerd door mijn berekenende, bemoeizuchtige, maar lieve zus.

Jane pakte een stuk van mijn oma's beroemde dood-door-chocolade-taart. 'Ik dacht dat je me vorige week door de telefoon vertelde dat je aan het lijnen was', zei ik.

'Dat is verleden tijd. Gelukkig is dit een nieuwe dag.'

Ik trok het bord bij haar vandaan. 'Je mag geen taart. Je zei dat je jezelf dik vond.'

'En wat heb jij daarmee te maken?'

'Je bemoeit je met mijn liefdesleven. Daarom mag ik me met jouw dieet bemoeien.'

Het was een moeilijke keuze tussen haar twee favoriete hobby's, snuffelen en eten. Jane keek naar het bord met de taart alsof het een dierbare vriend was. 'Ik denk dat er wel een paar pondjes af mogen.'

'Dus je geeft de voorkeur aan je met mij bemoeien boven eten!'

'Het is te sappig – jij en Ken, bedoel ik – om het nu los te laten. Ik hoop alleen dat ik de details uit je los kan krijgen voordat er niets meer van me over is.'

'Dat zie ik nog niet meteen gebeuren, zus.' Ik bekeek haar nauwsluitende spijkerbroek en T-shirt. 'Een beetje meer beweging zou ook geen kwaad kunnen.'

Ze keek me gekwetst aan. 'Hoe bedoel je, meer beweging? Ik winkel! Ik heb gisteren nog drie rondjes door het winkelcentrum gelopen.'

'Waren twee ervan op de afdeling etenswaren?'

Jane begon te blozen.

'Ik verklaar', onderbrak Mattie, 'dat jullie twee sinds de middelbare school niet veranderd zijn.' Ze stond op. 'Nu ga ik naar hiernaast om een kopje thee te drinken met mijn oude buren. Daarna overtreed ik om vier uur mijn eigen regel en ga ik naar het oestrogeenuurtje bij Frannie. En ik ga even langs de winkel om drie kant-en-klaarmaaltijden voor vanavond te kopen.'

'Ik denk dat ik u nog niet eerder plezier vóór werk heb zien stellen, oma', zei ik, Jane negerend. 'Wat is er aan de hand?'

Mattie grijnsde, en haar gezicht plooide tot duizenden prachtige rimpels. 'Ik word nog eens slim op mijn oude dag. Zelfs de Heer heeft de aarde niet op één dag geschapen. Waarom zou ik dat dan wel moeten doen?

Waarom gaan jullie de bloemperkjes niet bemesten en het gras maaien terwijl ik weg ben? Die jongen die zou helpen, weet niet eens hoe een grasmaaier werkt.'

We dronken ijsthee en bespraken hoe stijf we morgen zouden zijn toen Mattie met onze extravagante kant-en-klaarmaaltijden thuiskwam. Toen we nog kinderen waren, was alleen al het idee eten uit de vriezer van iemand anders te kopen een gruwel voor mijn grootouders, dus vanavond was echt een bijzondere avond.

Terwijl ons eten stond op te warmen, kwam Mattie bij ons op de veranda zitten. Ze ging naast Winslow zitten en keek me met medeleven en een alwetende glinstering in haar ogen aan. 'Is het denken hier makkelijker?'

'Een beetje. Toen we in de tuin aan het zwoegen waren, vergat ik even dat ik een miljonair ben die verkeerde mannen uitzoekt.'

We schommelden in onze stoelen terwijl de stilte van etenstijd over Simms neerdaalde.

'Is het zo duidelijk?'

'Misschien niet voor anderen, maar voor deze familie wel.' Oma aaide Winslow terwijl we praatten. Zijn grootste droom is iemand te hebben die dat voortdurend doet.

De volgende dag, zondag, besloot ik de kerk genoeg geld te geven om een secretaris te kunnen betalen die echt kan tikken.

Jane stootte me om de paar seconden aan om me op een nieuwe tikfout in het mededelingenblaadje te wijzen.

'Ze hebben twaalf verschillende lettertypen gebruikt', snoof Jane. 'Ik heb het gevoel dat ik iets in een lachspiegel van een pretpark probeer te lezen.'

De lettertypen waren verwarrend, maar nog niets vergeleken bij de informatie die erdoor overgebracht diende te worden. 'Ons jeugdbasketbalteam speelt woensdag. Kom kijken hoe onze jongens Onze Redder inmaken. Aansluitend lunch.'

Het mededelingenblaadje liet de alledaagse geluiden wel opwindender klinken dan normaal. 'Onze preek van vandaag, 'Hoe Jezus over het water liep', zal gevolgd worden door het prachtige 'Behoed me tegen zinken'.'

Ken zat aan het eind van de bank, naast oma. Ze mag Ken graag. Ze zag het beste in hem, al lang voordat ik hem een kans gaf. Wat miste ik nu? Wie of wat had ik nog meer genegeerd?

Heer, laat me, wanneer de tijd rijp is, precies zien wat ik doen moet. Zorg ervoor dat ik het niet kan negeren of rationaliseren. Maak het volkomen duidelijk en geef me geen ruimte om eromheen te draaien.

Ik wierp een blik op Ken, die verdiept was in een Bijbel.

En laat me naast het 'wat' ook het 'wie' weten.

'Waarover ben jij zo diep in gedachten verzonken?', vroeg Jane toen ze op de veranda kwam en me een kop dampende thee aanreikte. De hemel leek op zwart fluweel, en de sterren glinsterden als diamanten.

'Sterren. Ik was vergeten hoe mooi ze zijn. In de stad zie je de sterren niet goed.'

'Je ziet veel dingen niet goed in de stad', beaamde Jane.

'Sinds ik de loterij gewonnen heb, probeer ik weer een normaal leven te krijgen, maar ik weet niet eens meer wat normaal is. Mijn oude leven is voorbij. Ik ontdek iedere dag weer iets nieuws van mezelf. Er moet hier toch *iets* eenvoudigs aan zijn. Ik wil antwoorden die eenvoudig en ongecompliceerd zijn ...'

Voed mijn schapen.

'Wat zei je?' Ik wendde me tot Jane.

Ze keek verbaasd. 'Waarover?'

'Wat zei je net? Iets over schapen ...'

'Cassia, ik zei helemaal niets. Zeker niet iets over schapen.'

'*Dacht* ik het dan?'

'Is er iets aan de hand?'

'Nee, ik denk dat er eindelijk iets goed is. Er kwam ineens een idee in me op. Het was een gedachte die zo duidelijk was dat ik dacht dat jij iets zei.'

'Over schapen?' Jane keek me oprecht bezorgd aan – bezorgd om mijn geestelijk welzijn.

'Voed mijn schapen.' Ik gleed naar voren op mijn stoel en keek haar strak aan. 'Snap je het niet? 'Voed mijn schapen.' Dat is het!'

'Dat is wat?'

'Wat ik moet doen! Ik moet niets ingewikkelds met het geld doen – zijn schapen voeden! Zijn kinderen, de lammeren van de Herder. Snap je het niet?'

Blijkbaar niet. Ze trok haar wenkbrauwen op. 'Dat is het?'

'Is dat niet genoeg?'

'Nou ... je hebt de middelen om heel wat mensen te voeden, Cassia.'

'Ze zowel lichamelijk als geestelijk voeden, denk ik. Johannes 6:51.'

Ik zag besef op haar gezicht verschijnen. 'Natuurlijk, Johannes 6:51.' *Ik ben het levende brood dat uit de hemel is neergedaald; wanneer iemand dit brood eet, zal hij eeuwig leven. En het brood dat ik zal geven voor het leven van de wereld, is mijn lichaam.*

En ineens wist ik zeker dat ik, wat voor liefdadigheidsinstellingen of goede doelen er ook op mijn pad zouden komen, alleen oog moest hebben voor degene die zich echt wijden, zowel letterlijk als figuurlijk, aan het voeden van Gods kinderen. En ik wist ook nog iets anders: God wil meer dan mijn geld – Hij wil *mij*. Wat de reden ook is, zijn plan met mijn geld valt samen met zijn plan voor de rest van mijn leven.

Hoofdstuk

33

'Je blijft nu toch wel contact met me houden, hè?'

Kens gezicht bevond zich vlak bij het mijne toen hij door de autoruit keek. Ik rook zijn aftershave en de frisse geur van zeep. Zijn blik was ernstig.

Het was vrijdagochtend, en Mattie en ik zaten in een auto en Jane in een andere om gezamenlijk terug te rijden naar Minneapolis. Matties kofferbak zat vol ingeblikte etenswaren en dingen die de buren haar meegegeven hadden – Estelles brownies, Helens twaalfgranenbrood en drie potten van Tulips eigen watermeloenaugurken. Ze had nogal een buit verzameld na slechts een week in Simms te zijn geweest. Mattie had ook nog een deken en haar naaimachine ingepakt. En Winslow bezette natuurlijk de achterbank.

'Dat zal ik doen.' Ik tikte hem op zijn wang. 'Dat beloof ik.'

'En je denkt na over ons ritje?'

'Voortdurend.'

Ik voelde me verwarmd en bemoedigd door de verschuiving in onze relatie. Ken liet zich van een kant zien die ik erg leuk vond.

'Ik houd van je, schat.'

Ik hief mijn hand en legde die tegen zijn wang. 'Ik weet het. Ik voel het.'

Er verscheen een glimlach op zijn gezicht. 'En blijf het voelen wanneer je terug bent in die drukte waar je in woont. Er wacht hier een open prairie en een open hart op je.'

De tijd verstreek snel onderweg terug naar Minneapolis. Dat is altijd zo wanneer mijn oma naast me in de passagiersstoel zit. Haar favoriete tijdverdrijf is zingen, dus we zongen mee met alle gouwe ouwe – 'Aan een ruwhouten kruis', 'Wat bent U goed', 'Jezus houdt van me' en, gewoon voor de lol, een stel kerstliedjes.

We waren op een uur afstand van haar huis toen oma me ineens met argusogen aankeek. 'Wat ga je eigenlijk doen met die mannen in je leven? Ze cirkelen als aasgieren om je heen, lieverd.'

'Dat klinkt lekker. Wat ben ik, een beest dat doodgereden is?'

'Je weet best wat ik bedoel. Ken is stapelgek op je, en als ik me niet vergis, loop jij ook een beetje warmer voor hem. Randy lijkt me een aardige jongen – lief en verlegen.'

'Het is een vijfendertigjarige accountant', kaatste ik terug. 'Geen tiener.'

Ze schoof in haar stoel en verstelde haar gordel een beetje zodat ze me kon aankijken. 'En dan is er natuurlijk nog die ene op wie je verliefd bent.'

'U bedoelt dat onderkruipsel en die bedrieger in wie ik misschien een heel klein beetje geïnteresseerd was totdat hij me voorloog, gebruikte en dumpte voor een artikel in een tijdschrift?'

'Die, ja.'

'Die is niets voor mij, oma. Dat zou u heel goed kunnen weten.'

'Zeg het dan alsof je het meent, schat.'

Ik heb er een hekel aan als Mattie dat doet – mijn eigen woorden tegen me gebruiken en mij laten horen luisteren hoe ze klinken. Het was een zielig protest, in ieder geval. Ik voelde de tranen in mijn ogen prikken.

'Het gaat niet om Adam. Het gaat erom waarom iemand dat

iemand anders aandoet en denkt dat het doel de middelen heiligt. Het klopt niet! Als hij een christen was geweest, zou dit allemaal niet gebeurd zijn.' Ik voelde de woede in me opborrelen door er alleen maar aan te denken. Hij had tegen me gelogen en mij en mijn loterijvriendinnen gebruikt en gemanipuleerd. Ik heb er een hekel aan als ik misbruikt word en, nog erger, als mijn gevoelens vertrapt worden.

Waar ik me nu echter aan kon vasthouden, was het feit dat ik een doel begon te ontdekken. Mijn eigen plannen en ideeën begonnen te vervagen.

Voed mijn schapen.

Daaraan besteedde ik nu mijn aandacht. Al het andere, inclusief mannen – en vooral Adam –, zou moeten wachten.

Het was bijna negen uur toen ik Mattie bij haar appartement had afgeleverd en een pak melk gekocht had. Winslow keek uit het raam en jankte omdat hij zo graag naar wat hij nu als zijn 'thuis' beschouwde, wilde.

'Misschien moeten we wat dichter bij Mattie of Jane gaan wonen', zei ik tegen Winslow. Hij hield zijn kop schuin en keek me geïnteresseerd aan. 'En het wordt tijd om serieus op zoek te gaan naar een nieuwe baan.'

Ik heb overwogen in het najaar naar school te gaan en mijn studie af te ronden. Nu heb ik geen smoesjes meer – behalve natuurlijk dat ik geen geld wil uitgeven.

Dus hier ben ik, een werkloze studente pedagogiek, miljonair, die zichzelf uit haar vertrouwde omgeving heeft weggerukt en geen mens vertrouwt die ze ontmoet. Ik heb nooit gedacht dat ik mezelf ooit op deze manier zou omschrijven.

De mensen in Simms hebben gelijk. Naar de stad verhuizen brengt niet altijd wat je ervan verwacht.

Hoofdstuk
34

Ik schrok toen ik Adams deur wijd open zag staan toen ik erlangs liep.

Mijn hart maakte een verraderlijk sprongetje totdat ik een paar vrouwenschoenen vlak voor de deur zag staan.

Ik bleef staan en klopte aan.

'Cassia!' Whitney leek blij me te zien. Haar huid en ogen straalden, en ze zag er, zo mogelijk, nog mooier uit dan eerder. 'Ik was al bang dat we geen afscheid meer van je konden nemen voordat we weggingen. Ben je de stad uit geweest?'

'Ik ben een paar dagen in South Dakota geweest.'

'En hoe is het in Simms?' Chase kwam achter zijn vrouw staan en legde zijn handen op haar schouders. 'Heb je tijd om binnen te komen?'

Ik wierp een blik op Winslow, die aan zijn riem trok en met zijn neus op de grond onderzoek deed naar zijn afwezige katten-buur. Zijn hele achterwerk ging heen en weer van opwinding. Ik maakte zijn riem los en volgde hem het appartement in.

'Vinden jullie het niet erg?',vroeg ik. 'Hij is erg lief.'

'Dat is meer dan je van Pepto kunt zeggen. Dat dier heeft pro-blemen.' Whitney keek me aan. 'Ik denk dat hij je mist. Soms komt hij 's avonds bij me op schoot zitten spinnen.'

Voor een andere kat zou dat normaal zijn. Voor Pepto is dat abnormaal gedrag.

Luchtig zei ik: 'En hoe is het met jullie?'

'We zijn hier al sinds zes uur. We zitten te wachten op Frankie Watcher, die zou langskomen om wat foto's te halen. Zijn redacteur heeft erom gevraagd, en hij had ze aan Adam gegeven, met de negatieven erbij. Hij heeft ze meteen nodig. Whitney en ik zijn gekomen om hem erin te laten. Ik weet niet waar de foto's liggen, maar Frankie blijkbaar wel.'

Chase wierp een blik op zijn horloge en fronste. 'Ik hoop dat hij snel hier is. Ik had hem al een paar uur geleden verwacht.'

'Chase kan opgeroepen worden', legde Whitney uit. 'Hij heeft meestal niet zo veel uren rust achter elkaar.'

'Dat geloof ik meteen.' Ik keek de kamer rond, en mijn hoofd tolde. Hoe kon ik naar Adam vragen zonder al te nieuwsgierig te lijken? Als hij *gewild* had dat ik wist waar hij heen ging, zou hij het me toch wel gezegd hebben? Toch kon ik mijn nieuwsgierigheid niet bedwingen. 'Waar is Adam eigenlijk?'

Whitney haalde haar schouders op en hief haar handen om aan te geven dat ze geen flauw idee had. 'Hij heeft een route bij ons achtergelaten, maar die staat niet vast. Hij wilde blijkbaar niet dat we zijn plannen precies wisten.' Ze keek haar man aan. 'Weet jij nog wat hij ging doen?'

'Niet echt.'

Chase glimlachte om mijn verbaasde gezicht. 'Onze familie is gewend niet te weten waar Adam uithangt. Hij heeft een verschrikkelijk schema wanneer hij weg is.'

'Hoe lang is hij al journalist?', vroeg ik voorzichtig.

'Sinds zijn vijfde, toen hij een courgette uit de tuin gebruikte om interviews af te nemen in de achtertuin.' Chase grijnsde. 'We waren er allemaal van overtuigd dat hij voor de televisie zou gaan werken, maar toen werd hij verliefd op het geschreven woord. Hij was er helemaal wild van, begon te schrijven en is nooit meer opgehouden. Geloof het of niet, maar Adam heeft journalistiek en reclame gestudeerd. Hij heeft een aantal jaren reclameteksten geschreven. Toen werd hij het 'tandpasta verkopen' zat, werd journalist en heeft nooit meer omgekeken.'

'Hij heeft veel passie voor wat hij doet', zei Whitney, terugkomend op Cassia's vraag. 'Wanneer Adam denkt dat iets goed is, knokt hij er ook voor totdat hij erbij neervalt.'

Ik vraag me af hoe hij 'goed' zou omschrijven. Hij had bij deze mensen ten onrechte de indruk gewekt dat hij zo'n geweldige man was. Als ze zouden weten hoe hij mij behandeld heeft ...

Het geluid van een mobiele telefoon klonk door de kamer. Chase pakte hem toen hij voor de tweede keer overging.

'Met Chase. Hmm, oké, maak hem maar klaar voor de operatie. Ik kom eraan.'

Hij klapte de telefoon dicht en stond op. 'Sorry, maar ik moet ervandoor. De toestand van een patiënt van me is verslechterd. Whitney, schat, het spijt me dat ik je hier moet achterlaten, maar je kunt Frankie ook gewoon zelf laten zoeken naar wat hij wil wanneer hij hier is en een taxi nemen naar huis.'

'Als je wilt, kan ik wel op die Frankie wachten', bood ik aan. 'Of ik nu hier of in mijn eigen appartement de krant lees, maakt mij niet veel uit. Is dat misschien een beter idee?'

Een uitdrukking van opluchting verscheen op het gezicht van Chase. 'Nou, we wonen niet ver bij het ziekenhuis vandaan. Het zou wel een ritje schelen ...'

'Zeg maar niets meer. Winslow en ik blijven hier totdat hij komt.'

'Geweldig.' Chase duwde zijn vrouw al vriendelijk maar gehaast het appartement uit. 'Frankie is een lange, magere man met een stoppelbaard – maar misschien heeft hij zich inmiddels wel geschoren. Hij weet waar hij zoeken moet. Sluit maar gewoon af wanneer hij weg is. En hé ...' – Chase glimlachte op een manier die heel duidelijk de familiegelijkenis tussen hem en Adam liet zien – '... dank je.'

'Ga nu maar! Er wacht een patiënt op je.' Zelfs als het inhield dat ik in Adams appartement moest zitten terwijl de herinneringen me als een regenbui overspoelden, ik kon tenminste iets doen om iemand te helpen.

En dat, zo besefte ik, was een deel van wat er mis met me was. Ik was zo opgegaan in de kwestie met het geld dat ik mezelf niet meer nuttig had gemaakt.

De bel ging en ik sprong geschrokken op. Ik was ingedommeld in de stoel, met de krant op mijn schoot. Ik keek op de klok. Het was al over elven.

Ik drukte op de knop van de intercom. 'Wie is daar?'

'Hoi, Whitney. Ik ben het, Frankie. Kun je me binnenlaten? Het spijt me dat ik zo laat ben.'

Ik drukte zonder verdere uitleg op de knop om hem binnen te laten en wachtte bij de deur op hem.

'Hoi, Whit. Het was niet mijn bedoeling om je zo lang te laten wachten, maar er kwam iets tussen ...' Hij fronste. 'Jij bent Whitney niet.'

'Sorry. Chase moest naar het ziekenhuis en ik heb gezegd dat ik op je zou wachten zodat Whitney naar huis kon. Ik ben Cassia Carr. Ik woon in het appartement hierboven.'

Frankie is een lange, dunne man, het soort man dat waarschijnlijk gezegend is met een spijsvertering die gewoon nooit stopt, die zo veel en zo vaak kan eten als hij wil en nog steeds zijn broek niet om zijn heupen kan houden zonder die stevig met een riem om zijn middel aan te snoeren.

Hij droeg een gebleekte spijkerbroek met een scheur boven de knie, een lichtgrijze trui en een jas met zo veel zakken en vakjes erin dat hij er de boodschappen voor een week in zou kunnen bewaren. Ze puilden natuurlijk allemaal uit met dingen als lenzen, films en lichtmeters en wat fotografen nog meer allemaal bij de hand moeten hebben.

Hij had op dit moment geen baard, maar zijn haar was lang en onverzorgd, alsof hij het zelf met een keukenmes had afgesneden. Zijn ogen hadden dezelfde kleur grijs als zijn trui, en hij had een waakzame en onleesbare blik. Zijn huid, die een beetje pokdalig was, was nogal bleek. Al met al zag hij er ongezond en een beetje ruig uit.

Dit is een man met wie Adam heel wat tijd doorgebracht

heeft. Zou het ontrafelen van het mysterie van Frankie iets bij-dragen aan het oplossen van de puzzel over Adam?

'Kom binnen.' Ik stapte uit de deuropening vandaan. Winslows kop ging omhoog en hij keek geïnteresseerd naar de nieuwe bezoeker. 'Chase zei dat je wist waar je datgene wat je wilde hebben, moest zoeken.'

'Niet echt. Maar het zou niet moeilijk te vinden moeten zijn.' Hij liep naar Winslow toe, liet de hond aan de achterkant van zijn hand ruiken om zijn goedkeuring te krijgen en begon Winslow toen achter zijn oor te krabben. Ze waren meteen BVA. Boezemvrienden voor altijd. Daar is niet veel voor nodig bij Winslow.

'Het zou in een grote bubbeltjesenvelop van manillapapier moeten zitten. Die heb ik naar hem opgestuurd, dus mijn adres staat in de hoek. Ik zou in de slaapkamer kunnen kijken, als jij hier zou willen zoeken.'

Ik was degene die de envelop vond, weggestopt onder de bank, alsof Adam hem bewust uit het zicht had neergelegd.

'Ik denk dat dit 'm moet zijn.' Ik hield hem omhoog om hem aan Frankie te laten zien.

'Waarschijnlijk wel. Ik zal even kijken.' Frankie liet zijn vinger langs de al geopende sluiting glijden, stak zijn hand erin en haalde er een stapeltje zwartwitfoto's uit, allemaal met een plakkertje erop om het onderwerp aan te geven.

'Ah ...' zei hij tevreden. 'Bingo. Deze heb ik nodig.' Hij liep naar Adams keukentafel en spreidde ze uit om ze te kunnen bekijken.

Goede manieren en nieuwsgierigheid voerden een interne strijd in me. Nieuwsgierigheid won. Ik deed een paar passen in zijn richting en probeerde een blik te werpen op de foto's.

Frankie voelde, zonder zijn hoofd om te draaien, dat ik achter hem stond. 'Wil je ze zien? Dit zijn een paar van de beste foto's die ik ooit gemaakt heb – en de ergste.'

Ik keek omlaag naar het glanzende papier dat op tafel uitgespreid lag en slaakte een kreet van afschuw alvorens achteruit te deinzen.

Het waren vooral foto's van vrouwen en kinderen. Ik zag nergens een volwassen man, zelfs niet op de achtergrond. Dat kon natuurlijk een keuze zijn die Frankie gemaakt had. Het onderwerp dat hij met zijn camera had vastgelegd, sprak voor zichzelf.

Op de eerste foto stond een moeder die op de dorre, harde grond zat, met een levenloos kind in haar armen. Ze staarde naar de baby ... peuter ... kleuter – het was moeilijk de leeftijd te schatten. Haar gezicht was leeg, afgezien van een traan die over haar wang biggelde. Het lichaam van de moeder, waarvan de handen en polsen uit haar kleding staken, was broodmager en broos. De traan leek haar gezicht te overweldigen, de emoties van een rouwende moeder, allemaal gevangen in een enkele traan.

Er stond een tweede kind op de foto, een levend kind, op de achtergrond. Zijn ogen waren rond en zo donker als zwarte opalen, en zijn buik puilde over zijn benige heupen en potlooddunne beentjes. De jongen was duidelijk uitgemergeld, en het was duidelijk dat de moeder binnenkort nog meer tranen zou moeten vergieten.

Ik wilde me afwenden van zulk intiem verdriet, maar ik kon me niet bewegen.

De foto's waren gemaakt in een landschap dat zo droog en dor was als de kraters van de maan. Er lag een omgevallen kookpot, leeg, afgezien van een beetje zand dat erin gewaaid was. Hij was al lang niet gebruikt.

Er was ook een foto van, verrassend genoeg, spelende kinderen. Kleine jongens met steentjes en takjes, die ermee prikten in een zelfbedacht spelletje. Ieder kind had dezelfde opgeblazen buik, dezelfde dunne beentjes en hetzelfde berustende gezicht. Als de foto ergens in een galerie gehangen had, zou hij de titel 'Spelen tijdens het wachten op de dood' gehad kunnen hebben.

Er waren er tientallen van. Een kleine jongen die een kom vasthield en opkeek naar een volwassene die niet op de foto stond, met vastberadenheid en hoop op zijn gezicht. Weeshuizen met hun kleine inwoners die ervoor in de rij stonden, zonder dat er een glimlach te bekennen was. Hulpverleners die een vrachtwagen uitlaadden terwijl overal om hen heen kinderen stonden.

'Waar is dit?' Mijn stem klonk gespannen, zelfs in mijn eigen oren.

'Burundi', zei Frankie afwezig, terwijl hij nog steeds de foto's bestudeerde. 'De Afrikaanse Grote Merenregio. Er woedde daar in de jaren negentig een burgeroorlog. Meer dan een miljoen mensen hebben gedwongen hun huizen verlaten. De helft van de mannen is vermoord of bij hun gezinnen weggerukt. Duizenden zijn gestoreven.' Hij duwde de foto's rond met zijn vinger. 'Gelukkig probeert de overheid nu in ieder geval samen te werken, maar er zijn nog steeds een heleboel afschuwelijke uitbarstingen en mensenrechtenkwesties die aangepakt moeten worden. Daarom waren Adam en ik daar.'

'Adam en jij?'

'Heeft hij nooit iets over Burundi verteld?' Frankie fronste en kreeg toen een begrijpende uitdrukking op zijn gezicht. 'O, dat klopt. Het appartement hierboven stond leeg toen we weggingen. Jij woonde er nog niet.'

Hij ging rechtop staan en draaide zich bij de tafel vandaan. 'Dit was *heavy*. Hij en ik hebben samen al veel verhalen over mensenrechten gedaan – dat is zijn gebied, zijn sterke punt, zou je kunnen zeggen. Als Adam zo'n verhaal doet, besteden de mensen er aandacht aan. Hij is niet het soort man dat zich van zijn verhalen distantieert, in ieder geval.'

Ik herinnerde me wat ik over hem op internet gelezen had.

Er verscheen een bezorgde uitdrukking op zijn gezicht. 'Ik zou willen dat hij hierbij wel iets meer afstand had gehouden.' Hij zweeg even. 'Ik zou willen dat ik dat zelf ook gedaan had, maar het is moeilijk er los van te blijven.'

'Hoe bedoel je?' Tussen deze foto's en wat Frankie zei, bonsde mijn hart als een bezetene in mijn borst.

'Vluchtelingen uit Congo dwalen nog steeds door naburige landen. Voeg daar de al eerder gevluchte mensen in Burundi aan toe en je hebt massa's mensen die hulp nodig hebben. Er zijn oorlogvoerende groeperingen die nog steeds de mensenrechten negeren. In delen van het land woedt nog steeds oorlog, terwijl de leiders een einde proberen te maken aan de corruptie en een poging doen om de fundamentele problemen die de regio teisteren, aan te pakken. Breng dat allemaal samen en je kunt je de logistieke nachtmerrie indenken om de kinderen te helpen. Zij zijn het slachtoffer van de fouten van anderen, en ze zijn absoluut niet in staat voor zichzelf te zorgen. Het is verschrikkelijk hen te zien lijden en te weten dat ze geen flauw idee hebben waarom dit hun overkomt. Een kind zou ondervoeding niet moeten accepteren als een manier van leven.' Frankie liet zijn vinger glijden over een kind dat vel over been was.

'Nee', beaamde ik.

'Dat is de reden waarom Adam en ik dit niet uit ons hoofd kunnen zetten. Daarom ga ik terug. Iedere foto die ik genomen heb, staat voor duizend hongerige kinderen. Ik moet een manier vinden om het vollediger te documenteren, om de mensen duidelijk te maken wat daar gaande is. We kunnen niet vrolijk blijven doorgaan met het weggooien van tonnen voedsel en ons afwenden van de foto's die onze rust verstoren.'

Ik hoorde de trilling in Frankies stem en wilde in tranen uitbarsten. Het was zo oneerlijk. *En zo ver weg.*

En ineens drong het als een donderklap tot me door. Met mijn verstand wist ik wel iets over de problemen van dit land en de bevolking ervan, maar emotioneel gezien niet. Echte pijn en echt lijden stonden zo ver van mij af als menselijk gezien maar mogelijk was. Ik had nog geen dag van mijn leven zonder voedsel of liefde hoeven te leven, en het was voor mij niet alleen moeilijk me voor te stellen wat die kinderen doormaakten, het was ondenkbaar.

En als iets ver weg is ... uit het zicht, uit de gedachten, zogezegd ... is het makkelijker te negeren.

De schellen vielen van mijn ogen.

Ik deinsde achteruit, naar de tafel starend, en struikelde bijna over een van Adams exotische handgemaakte tapijten.

'Is alles in orde?' Frankie leek geschrokken.

Voed mijn schapen.

Dit was de richting die God me al die tijd heen gewezen had. Ik had gebeden om een plan, en toen de tijd rijp was, had Hij me dat gegeven. Het verband tussen weten dat ik zijn schapen moest voeden en wat Frankies foto's onthulden, overdonderde me.

Ik had gevraagd. Hij had geantwoord. Zomaar ineens. Ik had het licht gezien en ik wist zeker dat dit het pad was dat ik moest volgen.

Ik was al net zo verbaasd als Frankie toen ik mezelf hoorde zeggen: 'Ik wil met je mee naar Burundi. Hoeveel tijd heb ik om me klaar te maken?'

Hoofdstuk
35

'Wáár ga je heen? Wanneer?'

Jane stond niet te juichen over het nieuws dat ik zo snel mogelijk naar Burundi zou vertrekken zodra ik gepakt had, mijn inentingen had gehaald en al het andere wat nodig was om een derdewereldland binnen te komen. Frankie was gelukkig bereid de zaken te bespoedigen. Het is Janes eigen schuld dat ik een geldig paspoort heb. Ze dacht dat ik het zou gebruiken om binnenkort een keer met haar naar Ierland en Schotland te gaan.

Heb ik haar even gefopt.

Ze zat op mijn bank met een blik alsof ze op augurken had zitten zuigen. Gefrustreerd en niet begrijpend waarom ik zonder enige waarschuwing een sprong in het diepe nam, kwam mijn zus me met tegenzin verdedigen. Dat was grotendeels te danken aan onze oma.

Mattie zat naast Jane en keek net zo lief als Jane zuur keek.

'Weet je zeker dat Cricket en jij geen problemen hebben met Winslow?' Winslow was al van slag vanaf het moment dat ik mijn kleine koffer had opengedaan en begon te pakken. Hij is geen hond om zomaar achter te laten, en ik weet dat mijn vertrek trauma's zal opleveren voor ons allebei. Alsof hij wist wat ik gezegd had, jankte hij, en hij legde triest zijn kop op zijn poten.

'Dat komt wel goed. Dave is gek op hem. Ze gaan samen ritjes maken in Daves cabrio. Winslow houdt van de wind in zijn gezicht en flapperende oren.'

'En Cricket?'

'Je hebt die enorme hondenren gezien die ze in haar huis heeft laten plaatsen omdat ze dacht dat ze ooit een collie zou nemen. Winslow kan hem voor haar inwijden.' Jane kneep haar ogen halfdicht. 'Je maakt me bang, Cassia. Hoe lang denk je weg te zullen zijn?'

'Ik heb geen idee.'

We hadden *voed mijn schapen, verspreid de liefde, de schellen die van mijn ogen zijn gevallen* en *Burundi* keer op keer besproken. Het was belangrijk dat ik niet alleen vertegenwoordigers stuur om het werk voor me te doen. God heeft me geroepen om dit te doen. Ik wil er niet makkelijk van afkomen. Behoedzame Jane vond echter dat niemand, en zeker ik niet, naar Congo moest vliegen met een man die ik net ontmoet had, in een poging de wereld te redden.

Maar Frankie gaat niet alleen. Zijn vrouw, een vriendelijke moederkloek die op sandalen loopt en broeken van postorderbedrijven draagt, gaat met hem mee. Elise is er al net zo op gebrand iets in Burundi te kunnen doen als Frankie en vindt het geweldig dat er iemand met hem meegaat die miljoenen dollars heeft om mee te werken. Elise heeft economie gestudeerd en is al begonnen met het onderzoek naar de meest efficiënte en effectieve manieren om het geld voor ons te laten werken. Binnen ongeveer twaalf seconden waren we dikke vriendinnen. Ik voelde me veiliger om aan dit avontuur te beginnen met Frankie, de wereldreiziger, en Elise, de gehaaide zakenvrouw, dan met enig ander echtpaar dat ik kon bedenken.

God zorgt echt voor me. En nu Hij begonnen is, word ik stil van zijn bezorgdheid.

Later, toen ik kleren stond op te vouwen, bleef ik staan en keek naar mijn oma. 'Je wist dat deze 'zalving' zou plaatsvinden, hè Mattie?'

'Het is zijn normale manier van werken', zei ze rustig. 'Dat is tenminste mijn ervaring.'

'Dus als je Gods zegen hebt bij wat je doet, lijkt het allemaal beter te gaan?'

'Hij weet in ieder geval hoe Hij een pad moet effenen als Hij dat wil. Mijn hele bijbelstudiegroep zal voor je bidden, Cassia.'

Weg op vleugels en op gebed. Ik ben meestal niet het impulsieve type, en toch ga ik naar Afrika met mensen die ik nog maar net ken en met geld dat me in de schoot geworpen is, in een poging kinderen van de hongerdood te redden.

Het is een druk weekje geweest.

Er is niemand behalve God op wie ik kan vertrouwen om me hier doorheen te helpen.

En het draaien van mijn maag is nu niet meer van angst, maar van opwinding.

Hoofdstuk
36

Zonder Winslow is mijn appartement net een mortuarium. Soms vergeet ik hoezeer ik op dat grote beest gesteld ben. Ik ben al bezig zijn bak met water te vullen wanneer ik me ineens herinner dat hij bij Jane en Dave is. Ik twijfel er niet aan dat hij in goede handen is – het zijn alleen niet de mijne.

Angst en vragen begonnen op te borrelen toen de ochtend aanbrak. Morgen om deze tijd vlieg ik de wereld over om – dat weet ik zeker – Gods wil met mijn leven te gaan doen.

Als iemand net als Jesaja in hoofdstuk 6, vers 8, bidt: 'Hier ben ik, stuur mij', dan opent dat, zoals Mattie zegt, een schat aan nieuwe mogelijkheden. Er schuilt wijsheid in het oude cliché 'Wees voorzichtig met waar je om bidt – misschien wordt je gebed wel verhoord'. Ik heb gebeden dat ik God kon dienen met mijn onverwachte prijs. Wist ik veel dat ik te maken zou krijgen met inentingen, wandelschoenen en medicijnen tegen diarree. Bah!

Ik ben hier in geestelijk opzicht door gegroeid, dat is zeker, uitgerekt als een stuk stijf plastic. Hoe meer ik zocht en probeerde, des te minder antwoorden kreeg ik. Maar nu zijn mijn koffers gepakt, is mijn appartement schoongemaakt, de koelkast geleegd, de krant opgezegd, zijn de rekeningen betaald en heb ik afscheid genomen. Er valt niets meer te doen dan wachten.

Afscheid nemen van Ken was niet makkelijk.

'Ben je gek geworden, Cassia? Burundi? Dat is op het randje van de aarde! Als je daarheen gaat, val je eraf.'

'De aarde is rond, Ken. Heb je dat nog niet gehoord?'

'Loop niet met me te dollen, Cassia. Hoe weet ik zeker dat alles daar goed met je gaat?' Er klonk echte bezorgdheid door in zijn stem.

'God is mijn reisleider. Het komt wel goed. Ik reis met een echtpaar dat al vaker in Afrika geweest is. Zij weten van wanten.'

'Cassia, als er daar iets met je gebeurt ...'

'Ken ...'

'Cassia, ik houd van je. Ik zou het niet aankunnen als jou iets overkwam. De wereld is beter met jou erbij.' Hij haalde diep adem. 'Maar ik ben ook trots op je, omdat je het goede doet. En soms is het goede het moeilijkste.' Ken heeft een hart van goud.

Randy was niet veel makkelijker. 'Dat kun je niet maken. Je hebt het geld – huur iemand in om het voor je te onderzoeken. Laat een voorstel schrijven voor je. Filantropen doen het niet allemaal zelf, Cassia!'

'Sommige wel.'

Randy's kreun door de telefoon klonk alsof hij gefileerd werd terwijl we met elkaar spraken.

Maar onmiddellijk gaf ook hij zijn zegen.

'Ik zal op je wachten wanneer je terugkomt.'

'Randy ...'

'Als vriend. Het is niet aan mij God in de weg te staan.'

Ik ben vrij. Alleen dat overweldigt me al. En het jaagt me tegelijkertijd de stuipen op het lijf.

Ik was dankbaar toen de bel ging. Er was iemand gekomen om me van mijn eigen verwarrende gedachten te bevrijden.

De man die aan de deur stond, stelde zich voor als Terrance Becker, Adams agent. Hij stond op mijn mat en schoof ongemakkelijk heen en weer, gekleed in zijn donkere pantalon, stralend wit overhemd en gestreepte das. Ik vermoedde dat hij zijn net zo perfecte colbert in de auto had laten liggen.

'Waar kan ik je mee helpen?'

Hij leek zich slecht op zijn gemak te voelen. 'Eigenlijk weet ik het niet zeker. Ik kan zelfs niet eens goed uitleggen waarom ik gekomen ben, afgezien van ... een gevoel.'

Tegenwoordig verbaast niets me meer. Ik heb tenslotte de loterij gewonnen en sta klaar om morgenochtend naar Afrika te vliegen. Een literair agent die ik nog nooit ontmoet heb en die ineens voor mijn deur staat, stelt weinig voor.

'Ik denk dat er iets is wat je zou moeten weten.'

Ik liet hem binnen, boog toen mijn hoofd en wachtte totdat hij verder ging.

'Ik ben deels verantwoordelijk voor het verhaal over de loterij dat Adam aan het schrijven is.' Er verscheen een blos op zijn wangen. 'Hij kwam volledig uitgeput terug van een reis naar Afrika. Hij heeft me maar een fractie verteld van wat hij daar gezien en gedaan heeft, en zelfs dat was al moeilijk om aan te horen. Ik kan me maar nauwelijks voorstellen waarmee hij en zijn fotograaf allemaal oog in oog hebben gestaan.'

Ik knikte. Dat kon ik me ook niet voorstellen.

'Hij wilde helemaal stoppen met schrijven. Ik heb voorgesteld dat hij, in plaats van het ene na het andere zware verhaal te schrijven, eens iets luchtigs zou zoeken om over te schrijven. Ik dacht dat hij, als hij iets zou doen wat niet zo veel van hem vroeg, zich zou herinneren hoeveel hij van zijn werk houdt. Als Adam Cavanaugh ermee stopt, zou dat een enorme klap zijn voor de mensenrechtengroeperingen, die erop rekenen dat hij de mensen erop bedacht maakt wat er gaande is in de vergeten delen van de wereld.' Terrance liet zijn hoofd zakken en zijn schouders hangen. 'Ik had er geen idee van dat dit hem nog harder zou aanpakken.'

'Ik begrijp het niet.'

'Hij had zich vastgelegd – nou ja, eigenlijk had ik dat voor hem gedaan – tegenover mensen die het verhaal wilden kopen. Adam is een man van zijn woord, maar hij vond het vreselijk dat hij je niet verteld had dat hij je 'bespioneerde'. Hij wilde je laten weten wat er aan de hand was, maar we gingen er allebei van uit dat je nee zou zeggen als hij het je voorlegde.' Terrance keek me smekend aan. 'Je hebt er geen idee van hoe uniek je bent – een christenvrouw die de loterij wint en erop gebrand is alles weg te geven. Cassia, ik geloof niet dat ik ooit eerder zo'n verhaal gehoord heb.'

'Waarschijnlijk niet,' beaamde ik, 'maar dat maakt wat Adam gedaan heeft, nog niet goed ...'

'Dat wist hij. Hij had besloten je te vertellen waarmee hij bezig was. Als hij het geld alleen voor zichzelf verdiend had, zou hij ermee gestopt zijn en de voorschotten hebben teruggegeven.'

'Hoe bedoel je 'als hij het geld alleen voor zichzelf verdiend had'?'

'Hij geeft wat hij met jouw verhaal verdient, aan hulporganisaties die in Burundi werkzaam zijn. Zijn inkomsten gaan naar een fonds voor de kinderen daar. Ik wist dat het niet hielp toen ik hem vertelde dat ik een contract kon krijgen voor een boek ...'

'Een *boek* over mij?', piepte ik, meer verbaasd dan boos. 'Dat geld kan opleveren?' *O, alsjeblieeeft!*

Terrance noemde een bedrag dat ik, vóór dat fiasco met de loterij, behoorlijk groot had gevonden.

'En daarom hield hij het geheim?'

'Eerst dacht hij dat hij het je makkelijk kon vertellen. Toen, naarmate hij je beter leerde kennen, had hij het gevoel dat hij, wat hij ook deed, iemand zou verraden. Hij besefte dat je niet zou tolereren dat hij met je leven speelde.'

'Dat zie je heel goed.'

En hij verried mij liever dan de kinderen. Ik keurde zijn bedrog niet goed, maar Adams strijd werd me wel duidelijker. Goede intenties en slechte daden.

'Als hij het me gewoon verteld had ...' Ik kon mijn zin niet afmaken. Ik weet niet wat ik zou hebben gedaan of gezegd. We hadden elkaar nog maar net ontmoet. Ik was geschokt. Terrance had gelijk. Toen ik eenmaal ging beseffen hoeveel bedriegers er zijn, had ik hem misschien afgewezen of hem op dezelfde manier afgewimpeld als die valse tante Naomi.

Terrance hield de map omhoog die hij in zijn handen geklemd had. 'Iets heeft ervoor gezorgd dat ik dit gekopieerd heb en hierheen gekomen ben. Het spijt me als ik je lastiggevallen heb.'

Iets heeft ervoor gezorgd, hè? Ik bedacht dat als dit op vingerafdrukken onderzocht zou worden, die van God overal zouden zitten. Ik pakte de map aan.

Terrance, die duidelijk een beleefde en slimme man was, leek helemaal van zijn stuk gebracht. 'Ik wilde je alleen laten weten hoezeer Adam ermee worstelde dat hij jou bedroog. Het spijt me.'

'Waar is hij? Waarom biedt hij zelf zijn verontschuldigingen niet aan?'

Nu zag de agent er nog ellendiger uit. 'Dat weet ik niet. Adam was alles zat toen hij wegging. Hij zei dat hij er even tussenuit moest.' Terrance schoof met zijn voeten over mijn vloer. 'Niemand ter wereld kan beter voor zichzelf zorgen dan Adam. Maar ik heb nog nooit eerder zo lang niets van hem gehoord.' Hij toonde een scheef glimlachje. 'Van de andere kant neemt hij na een zware opdracht wel vaker de tijd om tot rust te komen. De Griekse eilanden zijn favoriet bij hem.'

Ik werd overspoeld door bezorgdheid, en dat deed mijn toch al verwarde staat geen goed. 'Je maakt je zorgen, hè?'

'Ik kan er niets aan doen. Ik ken hem al lang en heb hem nog nooit zo gezien.' Hij keek me veelzeggend aan. 'Je hebt hem diep geraakt, weet je dat?'

'Is het nu *mijn* schuld?'

Terrance glimlachte. 'Zo bedoel ik het niet. Adam is lastig te analyseren, maar hij stelt jouw vriendschap op prijs ... heel erg. Hij was er kapot van die kwijt te zijn.'

Voor één keer zou ik willen dat mensen mij zelf lieten bepalen wat ik denk en wie ik in mijn leven wil. *Voor één keer!*

Terwijl ik de map tegen mijn borst geklemd hield, liep ik achter Terrance aan naar de deur en liet hem uit.

Adam is een volwassen man die voor zichzelf kan zorgen. Het is niet mijn taak over hem in te zitten. Wat er tussen ons geweest is, is voorbij. Eigenlijk zou ik hem dankbaar moeten zijn. Door Frankie is hij degene die me in de richting van Burundi gewezen heeft. Maar het is een feit dat Adam van de aardbodem verdwenen lijkt te zijn, en dat bevalt me geenszins.

Hoofdstuk
37

Adam was weggelopen, en hij wist het.

'Wat is het toch een verwarrend web dat we spinnen, als we beginnen met dingen te verzinnen.' Hij had het geweldig gedaan. Er verscheen een troosteloze glimlach op zijn gezicht. Hij was een expert in het spinnen van een web en hij voelde zich zo laag als een regenworm. Hij had niet alleen de bodem van het vat geraakt, hij had de onderkant ervan bestudeerd.

Maar hij moest ophouden zichzelf ervan langs te geven, wees hij zichzelf terecht. Weggaan uit de stad – en bij Cassia – was laf, maar ook noodzakelijk geweest.

Hij had niet alleen zijn journalistieke doel bedrogen, hij was ook verliefd op haar geworden. Eerst was ze alleen maar een middel geweest om zijn doel te bereiken – zij het heel waardevol –, maar het had maar enkele uren geduurd totdat ze het ijs begon te ontdooien waarvan hij dacht dat het voor eeuwig om zijn hart gevroren zat.

Hij zat meer dan twee uur in een restaurant op een vliegveld en keek naar de mensen die langsliepen voordat hij naar zijn vliegtuig ging. Nu bestudeerde hij de zakenmannen en -vrouwen die koffertjes droegen of op hun laptops tikten. Ze leken allemaal een doel te hebben en te weten waar ze heen gingen en waar ze mee bezig waren. Het waren gezinnen die op vakantie gingen, studenten met rugzakken die via oordopjes naar radio's of cd-spelers luisterden en zich niet bewust waren van de stemmen om hen heen.

Voor het eerst in zijn leven had Adam geen plannen. Nee, het was eigenlijk de tweede keer. Hij was ook niet van plan geweest verliefd te worden op Cassia of verstrikt te raken in de ethische warboel die hij veroorzaakt had. Hij had gedacht dat hij slimmer was. Helaas bleek Cassia over het vermogen te beschikken hem met een blik of een glimlach week te maken. Een man wiens vrienden hem plaagden omdat hij 'een man van staal' was, wat helder nadenken en logica betrof, was het niet gewend als was in iemands handen te zijn.

Maar het had geen zin na te denken over 'wat als'. Hij had iedere kans die hij misschien bij haar had gehad, verspeeld door niet eerlijk tegenover haar te zijn. Er bleef nu niets anders over dan een nieuwe weg in zijn leven te vinden.

Misschien zou hij een reeks artikelen over 'extreme reizen' moeten doen, over bergbeklimmen in Nepal of kamperen in de sneeuw van Siberië. En hij was altijd al geïnteresseerd geweest in China. Misschien kon hij wel over de Chinese Muur lopen.

Had hij haar maar nooit ontmoet, dan zou hij nu niet zo'n pijn in zijn hart hebben ... Maar hij *had* haar ontmoet. En dat, zei Adam streng tegen zichzelf, was toen. Dit is nu.

'Kom op, ouwe jongen', mompelde hij tegen zichzelf.

Toen werd zijn rij omgeroepen. Hij hees zijn rugzak op zijn schouder en liep in de richting waar hij heen moest.

Hoewel ik vandaag vlieg, kom ik nog niet helemaal tot rust.

Frankie en Elise, ervaren reizigers als ze zijn, maakten zich, zodra we in de lucht waren, klaar voor een dutje. Ik had mezelf gek gemaakt door de veiligheidsvoorschriften voor een lange overzeese vlucht te lezen en was druk bezig met het in de gaten houden van uitgangen, het bekijken van informatiefolders en het bestuderen van mensen in de rijen voor de nooduitgangen om te zien of ze me fit genoeg leken om de deuren in noodgevallen open te krijgen. Vol ijver wandelde ik of deed ik oefeningen in mijn stoel om bloedproppen te voorkomen, en ik was natuurlijk voortdurend in gebed. Ik had het gevoel dat het mijn taak als christen was God eraan te herinneren dat we daarboven waren, bijna in de ruimte, en dat we op Hem vertrouwden om de piloot wakker en bij de les te houden.

Ik heb wel eens uren lang sneeuw geruimd, en dat vond ik makkelijker dan dit.

De uren na de landing waren zo verwarrend dat ik, hoe hard ik ook mijn best doe, niet zeker weet of ik me kan herinneren wat ik zag of waar ik was. Het was een caleidoscoop van kleuren, geluiden en geuren. Hete, droge lucht, vreemde talen en uitputting overspoelden mijn zintuigen. Afgepeigerd gaf ik me over aan de competente zorg van Frankie en Elise, die precies leken te weten wat ze deden en hoe we in ons hotel moesten komen. Ik herinner me nauwelijks dat ik in mijn kamer aankwam of in slaap viel.

'Hoi, daarbinnen, ben je wakker?' Elises opgewekte stemgeluid op vrijdagochtend stond in scherpe tegenstelling tot mijn halfbewuste toestand.

'Binnen', mompelde ik terwijl ik mijn deur opendeed. 'En doe niet al te vrolijk. Ik ben kapot.'

'Jetlag. Het duurt een tijdje voordat je daaroverheen bent.' Ze ging op het voeteneinde van mijn bed zitten en grijnsde naar me. 'Maar terwijl jij in bed lag te luieren, ben ik al bezig geweest met het maken van afspraken met mensen die ons hiermee kunnen helpen. De hulporganisaties en christelijke goede doelen waarmee ik in Amerika contact heb gezocht, hebben me namen en locaties gegeven. We zouden al heel snel moeten kunnen beginnen met het uitgeven van je geld. En ik heb gehoord', ging ze verder, 'dat een groep landen, waaronder Burundi, Sudan en Rwanda een systeem aan het opzetten zijn voor het toezicht op wezen en kwetsbare kinderen. Er zijn zo veel kinderen die als gevolg van AIDS ziek of wees geworden zijn, dat ze de noodzaak inzien van een gezamenlijk antwoord op de problemen. Misschien kunnen we een deel van dat onderzoek gebruiken om sneller de meest behoeftigen te vinden.'

Eindelijk doe ik iets. God heeft alle puzzelstukjes op hun plaats gelegd, en het hele plaatje begint op te doemen.

'Ik heb ook contact gehad met een weeshuis en een school die ons misschien kunnen helpen er meer van op te zetten op het platteland. Dit zijn lokale kerken die bereid zijn op alle mogelijke manieren te helpen.'

'Dat heb je allemaal gedaan in de paar uur dat we hier zijn?'

'De meeste informatie kwam uit bronnen in de Verenigde Staten. Ik ben geen wonderdoener, maar ik heb thuis als fondsenwerver gewerkt. Het staat of valt allemaal met wie je kent.'

'God is aan het werk', zei ik tegen haar. 'Hij brengt niet alleen mensen op mijn pad die me naar Burundi kunnen brengen, Hij voegt er ook nog een professionele zakenvrouw en fondsenwerver aan toe die in enkele weken kan bewerkstelligen wat mij misschien jaren zou hebben gekost.'

'Maar jij bent degene met geld. We hebben je nodig en we moeten snel werken. We kunnen hier niet lang blijven.'

Ik voelde een zweempje ongerustheid in mijn maag. We waren niet op de veiligste plaats op aarde, dat is een ding dat zeker is. Bujumbura, de hoofdstad, waar ons vliegtuig geland was, blijft een avondklok hanteren. Rellen in omliggende gebieden zijn heel normaal. Het verbaast me hoe rustig ik me voel onder deze omstandigheden waarin ik voor niets op mezelf kan vertrouwen. God moet me hierdoorheen helpen.

'Trouwens, Frankie gaat naar het dorp waar hij de foto's genomen heeft', vertelde Elise me. 'Ik blijf hier om zo veel mogelijk te weten te komen over de plaatselijke voedingscentra. Ze gebruiken blijkbaar een drankje met een hoog voedingsgehalte om uitgehongerde kinderen weer op de been te helpen. Daarna geven ze hun hetzelfde in vaste vorm. Dit is misschien een goede en ook snelle plaats om te beginnen. We hebben tenslotte geen scholen en weeshuizen nodig als we niet eerst de kinderen redden. Wil je met mij mee of wil je met Frankie meerijden?'

Het was verleidelijk bij Elise te blijven. Vergaderingen houden en plannen maken klonk veilig. Naar het platteland van Burundi trekken klonk me minder aantrekkelijk in de oren.

'Ik ga met Frankie mee.'

'Vertrouw je mij om beslissingen voor je te nemen als dat zo uitkomt? Ik wil niets doen zonder jouw goedkeuring.'

'Jij bent degene met ervaring, Elise. Bovendien heb ik geen idee wat we allemaal voor elkaar kunnen krijgen totdat ik de dorpen bezoek, denk ik.'

Ze stond op en omhelsde me stevig. 'Je bent de dapperste, gulste persoon die ik ooit ben tegengekomen.'

Ik knuffelde haar terug. 'Ik heb mezelf eigenlijk altijd laf en gierig gevonden, maar misschien heb ik wel mogelijkheden op die gebieden.' Ik keek omhoog. 'Hoewel dat niet uit mezelf komt.'

Ze liep naar de deur. 'Vergeet niet je zonnebril, een grote hoed en extra water. En zeg tegen mijn man dat hij niet als een maniak moet rijden.'

Ik gaf de boodschap aan Frankie door, maar ofwel hij hoorde me niet, ofwel hij negeerde me gewoon. We hotsten over het ruige pad in een gestripte jeep die mijn oude auto op een gloednieuwe Porsche liet lijken. Frankie reed in volle vaart totdat mijn ontbijt in een milkshake veranderd was.

'Waarom heb je zo'n haast?', gilde ik boven het lawaai van de motor uit. Ik zat op mijn zonnehoed om te voorkomen dat die wegwaaide en klampte me vast voor mijn leven. Frankie, die bekend was met zijn eigen rijstijl, had zijn camera en spullen achterin gelegd zodat ze niet uit de wagen gegooid zouden worden.

'Ik wil zo veel mogelijk foto's van dit dorp nemen. Elise is van plan portfolio's samen te stellen voor nog meer fondsenwerving, en Adams agent vroeg me om meer foto's mee te brengen.'

'Nog meer fondsenwerving?', piepte ik terwijl mijn tanden als een kunstgebit klapperden. 'Heb ik niet genoeg geld?'

Frankie keek me verbaasd aan. 'Elise heeft je zeker nog niet over haar laatste idee verteld. Ze denkt dat als je scholen, weeshuizen en voedselcentra bouwt, kerken en andere liefdadigheidsorganisaties er misschien mee zullen instemmen die met financiële middelen draaiende te houden. Het kost in feite niet eens zo veel in dollars. En als dat lukt, kun jij je op de infrastructuur blijven richten ... putten, ziekenhuizen, kerken ...'

En ik dacht nog wel dat *ik* een grootse droom had.

'Er zijn een heleboel plaatsen die je hulp kunnen gebruiken, Cassia. Als het goed gepland wordt, kunnen we je geld over een langere periode uitsmeren en veel meer goed doen.'

'O.' We kwamen in een geul terecht die ons dreigde te verzwelgen.

Wat een omschakeling. Nu maakte ik me zorgen dat ik niet *genoeg* geld zou hebben. Ik leunde achterover, ontspande me in mijn stoel en besloot mee te hobbelen. Geen slecht besluit voor mijn leven, ook.

Ik verwachtte dat Afrika uit allemaal dorre woestijnen zou bestaan. Dit heuvelachtige, zelf bergachtige land was een leuke verrassing. Frankie, mijn reisgids, zei dat er een plateau in het oostelijk deel van het land was. Het Tanganyikameer ligt in het westen. Tan-ga-nyi-ka. Ik vind het leuk hoe dat van mijn tong rolt. Ik had echter nooit verwacht het met eigen ogen te zien.

'Het is niet ver meer', meldde Frankie.

Ik genoot van het uitzicht en vond het bijna jammer dat onze bestemming nu aan de horizon verscheen.

Er kwam een klein dorpje in beeld, in ieder geval heel anders dan de buurten waaraan ik thuis gewend ben. Frankie reed naar de rand van het dorp en parkeerde naast een klein gebouw waar kinderen buiten speelden. Twee of drie volwassen vrouwen leken de leiding te hebben.

'Hier is het', zei Frankie alsof dat alles verklaarde.

'Oké, maar wat *is* het?'

'Dit is de plek waar Adam en ik een groot deel van onze tijd doorgebracht hebben. De meeste foto's die ik genomen heb, komen uit de gebieden rondom dit dorp. Dit gebouw is gedeeltelijk een weeshuis, gedeeltelijk een ziekenhuis en gedeeltelijk een kerk.'

Een kleine jongen rende naar Frankies kant van de wagen om naar ons te staren, en anderen volgden al snel. Ik had er geen idee van dat ik zo interessant kon zijn.

Ik zette mijn geplette hoed op mijn hoofd, en een aantal kinderen giechelden.

Ik draaide me om om aan Frankie te vragen of hij de namen van mijn kleine fans wist, en ik was diep geschokt door wat ik zag.

Hoofdstuk
39

Op dat ene moment ging mijn hele liefdesleven aan mijn ogen voorbij.

Adam kwam de hoek van het gebouw om en liep naar Frankie toe. De uitdrukking op zijn gezicht maakte duidelijk dat ik wel de laatste was die hij verwacht had te zien. Ik voelde de wereld vertragen tot alles zich in slow motion afspeelde. De tijd stond stil, en ik genoot van zijn aanblik – slanker, langer haar, een baard en vermoeidheidsrimpels die zo diep in zijn gebruinde gezicht gekerfd waren dat ik ze met mijn vingers wilde aanraken om ze glad te strijken. Somberheid hing als een zware mantel om hem heen.

Twee kinderen die zich er niet van bewust waren dat de tijd stilstond voor de rest van ons, renden naar Adam toe. Een van de kleine jongens klampte zich aan Adams been vast en wierp zich bijna in Adams armen. Zonder naar het kind te kijken bukte hij zich automatisch om hem op te pakken.

Toen begon de wereld weer te draaien.

'Frankie? Wat is er aan de hand? Cassia? Wat doe jij hier?'

'Werken?' Ik wist zelf niet eens precies waaraan.

Hij schudde zijn hoofd alsof hij zijn gedachten op een rijtje probeerde te zetten. 'Niemand heeft me verteld ...' Hij wendde zich tot Frankie. 'Jij ...'

'Cassia is met mij meegekomen, Adam. Elise en zij zijn met iets bezig.'

'Is Elise hier ook?'

'Die is nog in Bujumbura. Ze heeft de hele middag afspraken.'

'Wat voor afspraken heeft Elise in Bujumbura?'

Het jongetje in Adams armen drukte zich tegen hem aan. Hij legde zijn hoofdje tegen Adams schouder, stak zijn vinger in Adams haar en begon het tussen duim en wijsvinger te rollen zoals de meeste kinderen met de zachte rand van een deken doen. Terwijl we daar stonden te praten, zag ik hoe het lichaampje van de jongen zich ontspande en hij in de veiligheid van Adams armen in slaap viel.

'Zoals ik al zei, Cassia en ik zijn hier samen voor zaken', zei Frankie raadselachtig. 'Luister, ik zou graag blijven kletsen, maar ik heb werk te doen. Jullie kunnen elkaar wel vermaken.' En Frankie en zijn camera verdwenen als een rookwolk.

De stilte tussen ons werd doorbroken door de stemmen van kinderen en af en toe de aanwijzingen van de volwassenen. Ten slotte, omdat ik me niet op mijn gemak voelde in de stilte, zei ik: 'Dus je bent hierheen gegaan.'

Er verscheen een frons die de rimpels op zijn voorhoofd nog dieper maakte. Zijn armen en gezicht waren bruin van de zon, en er was een groot contrast tussen zijn lichte shirt en zijn donkere huid. 'Er zijn hier dingen die ik moet afronden.'

'Wat voor dingen?'

Adam keek naar het kind in zijn armen alsof hij hem nu pas opmerkte. 'Putten graven, met de kinderen spelen, werken in het voedselcentrum, van alles wat. Samen met een andere man, een zendeling uit Oregon, hebben we een rioleringssysteem voor deze plaats ontworpen. Binnenkort gaan we beginnen aan de betonnen fundering voor een nieuw ziekenhuis. Het zal niet veel voorstellen, maar het zal ervoor zorgen dat er in dit gebouw ruimte voor meer kinderen komt.'

Hoe langer hij over zijn project praatte, des te enthousiaster werd hij. 'Een paar bedden, wat dekens en kussens, en het ziet eruit als het Hilton.'

'Ik snap het.'

Hij keek me met een vreemde uitdrukking aan. 'O ja?'

Die vraag stak me recht in mijn hart. Dacht hij dat ik de armoede en de nood vlak voor me kon negeren? Dacht hij dat ik geen mens was?

'Je zult je misschien verbazen over hoeveel ik zie en weet', snauwde ik.

Dat liet hij langzaam tot zich doordringen.

Boosheid en verlangen voerden een strijd in me. Instinctief wist ik dat hij een onzichtbare muur om zich heen gebouwd had om mij buiten te sluiten. Alleen al mijn aanwezigheid vormde een bron van pijnlijke herinneringen voor hem. Het was duidelijk dat het niet uitmaakte of ik hem vergaf als hij zichzelf niet vergaf.

'Terrance heeft me verteld waarom je het gedaan hebt.'

Hij keek verbijsterd. 'Terry? Wat heeft hij je verteld?'

'Hoe het plan om een verhaal over mij te schrijven eigenlijk ontstaan was. Dat je ermee instemde het te doen om het geld dat je ermee verdiende, voor dit soort projecten te gebruiken. Dat je, wat ik ook dacht of wat mijn ervaring met jou ook was, integer was.' Ik bestudeerde zijn stille, passieve gezicht. 'Hij is bang dat je het schrijven misschien helemaal opgeeft.'

Adam sprak me niet tegen.

'Hij zei ook tegen me dat mijn verhaal je weer van schrijven moest gaan laten genieten.'

'En je ziet hoe dat heeft uitgepakt.' Hij knikte naar een grote, oude boom. Ik volgde hem erheen. Op een of andere manier wist hij met zijn jonge lading in zijn armen op de grond te gaan zitten zonder hem wakker te maken. Adam ging tegen de boomstam zitten, en de jongen lag in diepe slaap tegen zijn borst.

Ik ging naast hen zitten. 'Jullie zijn blijkbaar goede vrienden.'

Adam keek liefdevol naar het kind. 'We zijn maatjes, James en ik.' Hij bemerkte mijn verbazing en voegde eraan toe: 'Zo wordt hij hier genoemd. Zijn beide ouders zijn een paar maanden geleden aan AIDS overleden. Hij was behoorlijk ziek toen ik hem voor het eerst ontmoette. Ik begon hem 's nachts te voeden toen Frankie en ik in het dorp waren. Eerst had ik bijna een druppelaar nodig, maar toen hij eenmaal weer aan voedsel in zijn maag gewend was, werd hij een echte schrokop. Hij was zo wanhopig op zoek naar liefde dat ik hem soms bij me liet blijven terwijl ik schreef. Ik was bang dat hij, toen ik weg was, achteruit zou gaan, maar het gaat redelijk goed met hem. Hij is me niet vergeten.'

Hij is niet de enige.

'Het verbaast me dat je hier teruggekomen bent. Ik dacht dat je terugging om te schrijven, te rusten en 'jezelf terug te vinden'. Hier is alleen maar werk te doen.'

Hij glimlachte scheef, wat hem er vrolijk uit liet zien. 'Mezelf terugvinden is geen slecht idee. Ik ben een deel van mezelf kwijtgeraakt toen ik achter je rug om over je schreef. Ik heb gemerkt dat ik nooit voor een roddelblad zou kunnen schrijven.' Er verscheen een schaduw op zijn gezicht. 'Ik schaam me voor mezelf, maar ik dacht dat je me het verhaal nooit zou laten doen als ik je zou vertellen wat ik wilde doen. Daar was je duidelijk over.' Hij glimlachte meelijwekkend. 'Het goede nieuws is dat ik toch nog morele principes moet hebben.'

'Ik zou willen dat je iets gezegd had.'

'Dat had ik misschien ook wel gedaan, als ik had kunnen bedenken wat dat zou moeten zijn. 'Hoi, Cassia. Ik wil je gebruiken om geld te verdienen voor kinderen in een vergeten bergland in Afrika. Maak je geen zorgen, ik zal het met beleid uitgeven.''

Ik kromp in elkaar. Hij had gelijk. Ik zou gezegd hebben dat hij van een klif in Burundi af kon springen, wat mij betrof.

'Terry heeft ook tegen me gezegd dat ik je gewoon om geld moest vragen voor mijn doel. Maar ik heb je gezien. Ik weet wat voor effect dat zou hebben gehad.'

Dat klopte. Ik had meer dan eens geklaagd over mensen die met uitgestoken handen naar me toe kwamen om ze te vullen. Ik weet nu dat dat niet was omdat het slechte doelen waren. Wat me ervan weerhield, was dat ik diep vanbinnen wist dat God andere plannen had met het geld. *Voed mijn schapen.* En dat waren niet zijn gezonde, ietwat te dikke schapen. Hij had me naar de meest behoeftigen op aarde geleid.

'Hoelang blijf je hier?'

Adam bekeek zijn omgeving bedachtzaam. Hij was afgevallen door zware lichamelijke arbeid. 'Dat weet ik niet. Ik werk achttien uur per dag en ik ben nog maar net begonnen. Ik ben als het kleine Hollandse jongetje met zijn vinger in de dijk, en de rest van de dijk brokkelt in rap tempo af.'

'Wat zou het meest helpen?'

Er kwam een vrouw met uitgestrekte armen op Adam af, waarmee ze aangaf dat ze het slapende kind van hem moest overnemen. Ergens in de verte klonk de kreet van een vogel of een kip. Het was een vreemde doorbreking van de stilte om ons heen.

'Waar zou ik moeten beginnen? Goede bronnen en riolen, een fatsoenlijk gebouw om het ziekenhuis in te huisvesten en voorzieningen voor deze kinderen. Voedselcentra, scholen, vaccins ... Als ik de lijst eenmaal ga opsommen, komt er geen einde meer aan.'

'Als de dorpen allemaal een ziekenhuis en een voedselcentrum hadden, een school en mensen en voorraden om die draaiende te houden, zou dat helpen?'

'Het zou te mooi zijn om waar te zijn.'

'Dan is dit je geluksdag.'

Hij keek me aan met dezelfde afwezige tolerantie die hij getoond had toen de kleine jongen op hem af kwam rennen. Hij wilde hem best vasthouden, maar hij had belangrijkere dingen aan zijn hoofd.

'Daarom zijn we hier. Elise heeft een visie hoe mijn geld het best gebruikt kan worden om te doen waar we het net over hadden. Frankie kan je er meer over vertellen dan ik, maar zij denkt dat als we alles neerzetten in een dorp, andere hulporganisaties en kerkelijke groeperingen dan in staat zullen zijn ze over te nemen en draaiende te houden. In het meest ideale geval leiden ze de inwoners op om hun eigen scholen en ziekenhuizen te beheren en gaan ze dan verder.'

'Wat?' Zijn stem klonk gespannen.

'Precies wat ik zei, gekkie.' Ik zag dat hij rechtop ging zetten en zich naar me toe boog.

'Dit is toch geen grapje, hè?'

'Natuurlijk niet. Au! Je knijpt me!' Ik wreef over de plek op mijn arm waar hij mijn huid verdraaid had.

'Ik wil er alleen achter komen of je echt bent. Ik wil niet dat dit een droom is en dat ik straks wakker word.'

Ik glimlachte en kneep hem terug. 'Zo. Echt genoeg voor je?'

'Voor een mager, klein ding heb je sterke vingers.'

Welkom terug, Adam.

Tegen de tijd dat we met Adam op sleeptouw terugkwamen bij het hotel, was Elise klaar met haar eigen afspraken en deed ze net een dansje in haar en Frankies kamer.

'Ik dacht dat jullie nooit meer zouden terugkomen!', riep ze toen we binnenkwamen. 'Ik heb zo veel te vertellen ... *Adam?* Wat doe *jij* nou hier?'

Adam streek met zijn hand door zijn donkere haar en grijnsde schaapachtig. 'Waarom vraagt iedereen dat die me ziet?'

Elise sloeg haar armen om hem heen en knuffelde hem. 'Omdat we ons zorgen om je maken als je zomaar verdwijnt. Omdat we van je houden. Ik kan geen enkele andere reden bedenken.'

Ze begon te kakelen als een moederkip. 'En schaam je dat je niemand verteld hebt waar je was.'

Ze wendde zich tot Frankie, die een onschuldig gezicht opzette. 'Wist je hier al die tijd al van?'

'Niet helemaal ...'

'Wat betekent 'niet helemaal'?'

'Hij heeft nooit gezegd dat hij hierheen ging. Ik ging er alleen van uit dat hij waarschijnlijk hierheen gegaan was', zei Frankie. 'Ik weet dat *ik* deze plaats niet uit mijn hoofd kan zetten.'

Adams ogen werden glazig en hij wendde zich van me af.

Iets in mijn hart werd zacht, smolt als sneeuw in de eerste warme lenteregen. Ik begreep nu hoeveel Adam om deze mensen en deze plaats gaf. Deze grote, sterke, stoïcijnse man werd tot tranen toe bewogen door de stervende kinderen die hij niet kon redden.

Op dat moment wist ik dat Adam hemel en aarde bewogen zou hebben om iets te doen om te kunnen helpen. Waarom zou ik verbaasd moeten zijn dat hij een verhaal over mij schreef – zelfs zonder mijn toestemming – als hij dacht dat dat hier iets goeds zou kunnen doen?

Ik was zo diep in slaap tijdens de vlucht naar huis dat ik op mijn vliegtuigkussentje kwijlde.

De rest van mijn gezelschap was al niet veel beter. Een week in Burundi was als een jaar thuis. Gelukkig waren er een heleboel lege stoelen tijdens de vlucht terug, en kon iedereen dus languit liggen.

Frankie en Elise lagen in elkaars armen op drie stoelen te slapen. Die goeie Frankie snurkte als een stoommachine. Elise, slim als ze is, had oordopjes in. Adam, die impulsief besloten had met ons mee terug te gaan, zag er zelfs in zijn slaap knap uit.

Frankie snurkte, terwijl Adam dat niet deed. Frankies mond viel open en verschafte iedereen een aanblik op zijn amandelen, maar die van Adam bleef gesloten. Frankies haar stond alle kanten op, waardoor hij eruitzag alsof hij geëlektrocuteerd was, maar dat van Adam viel zachtjes over zijn voorhoofd, en het liefst wilde ik het uit zijn gebruinde gezicht strijken. En terwijl Frankie me het verlangen gaf een deken over zijn gezicht neer te leggen, zodat ik niet naar hem hoefde te kijken, kon ik mijn ogen niet van Adam afhouden.

Hij had me op veilige afstand gehouden sinds we elkaar in het dorp ontmoet hadden. Hij is behoedzaam en voorzichtig, als een ijsvisser die dun ijs test – weliswaar verlangend te gaan vissen, maar doodsbang te verdrinken.

Hij glimlachte nu echter meer. Elises werk was productief, en de dingen beginnen op hun plaats te vallen. Ze heeft contact gelegd met een organisatie die ziekenhuizen en scholen bouwt op het oostelijke plateau van het land, en ze waren opgetogen geld te ontvangen om mee te kunnen werken, in plaats van kleine donaties en hun huidige bid-en-helpbeleid. Ze nemen plaatselijke bewoners in dienst, wat geld in de gemeenschap brengt. Ze betalen ook met geiten, eenden, koeien en andere voedsel leverende dieren, zodat er tegen de tijd dat ze hun project afgerond hebben en het dorp verlaten, ook een voortdurende voorraad melk en eieren is.

Elise heeft kladblokken vol met ideeën, namen, adressen en informatie om mee terug naar de Verenigde Staten te nemen en uit te werken. Haar zakelijke opleiding komt nu goed van pas, en ze laat steeds minder van haar sandalenstijl en steeds meer van haar elegantie zien.

En ik heb rust. Er is geen enkele knagende gedachte dat ik nog meer zou moeten doen of zeggen. Het geld gaat naar de juiste plaatsen. Ik vecht niet langer tegen het feit dat ik rijk ben en begin het geld juist te vermeerderen, zodat er geen cent verspild wordt die naar iemand in nood zou kunnen gaan. En door Elises overtuigingskracht berust ik in het feit dat ik mezelf een salaris mag geven voor het werk dat ik doe voor de stichting 'Voed mijn kinderen' die we opzetten. Ik zal er niet rijk van worden, maar wel de elektriciteitsrekening en hondenvoer van kunnen betalen. Het is geen slecht compromis.

Maar er is nog steeds een groot, gapend gat in mijn leven, en dat zal op me wachten wanneer ik terug ben. Ken, Randy en Adam. Adam loopt om me heen alsof ik van prikkeldraad ben en hem ieder moment kan elektrocuteren. Ken zal bloemen bij me laten bezorgen zodra hij er lucht van krijgt dat ik thuis ben. En Randy zal zijn mobiele telefoon paraat houden voor regelmatige onderzoekjes naar mijn gevoelstemperatuur.

Heer, U hebt al het andere ook voor me opgelost. Ik geef dus mijn ge-

voelens voor Adam ook aan U. Ik vraag U om bevrijding. Hij gelooft niet zoals ik, Heer, en ik weiger U naar een hoekje van mijn leven te verbannen. Houd van mij, houd van mijn God. Wij horen bij elkaar, U en ik. Ik vraag U me te beschermen tegen de pijn van het houden van iemand als Adam.

Misschien verstop ik me wel een paar dagen in mijn appartement om de zaken voor mezelf op een rijtje te zetten.

'Cassia!', riep Jane zo hard dat de vrouw die naast haar bij de bagageband stond haar hand op haar oor legde. 'Je bent thuis!' Lees: 'Ik was ervan overtuigd dat ik je nooit meer zou terugzien. Ik was doodsbang.'

'Ben je moe van je reis?' Lees: 'Doe zoiets nooit meer. Je ziet er verschrikkelijk uit.'

'We hebben je zo gemist.' Lees: ze hebben me gemist.

'Het gaat goed met me, Jane. Geweldig, eigenlijk. Het was een fantastische reis. God heeft voor alles gezorgd wat we nodig hadden.' *En meer.*

'Dave staat buiten met Winslow, en oma zit in de auto.'

Nu alles in orde is, voel ik de tranen in mijn ogen prikken.

'Even wachten. Ik wil de anderen gedag zeggen.' Ik draaide me om en zwaaide naar Elise, die haar spullen net van de lopende band pakte.

'Bedankt voor alles', fluisterde ik in haar oor terwijl ik haar omhelsde. 'Je was geweldig.'

'*Jij* bedankt dat we deel mogen uitmaken van de fantastische zaak waaraan we werken.'

Frankie sloeg zijn arm om het middel van Elise heen. Grappig, toen ik hem voor het eerst ontmoette, vond ik hem er wild en rebels uitzien. Nu zag hij eruit als een zachte teddybeer en een zachte plek om te vallen. 'Wanneer spreken we elkaar weer?'

'Ik wil een paar dagen om bij te komen voordat ik iets doe. Ik heb zo'n vermoeden dat Elise tegen die tijd wel een lijst met klussen voor me heeft die zo lang is als mijn arm.'

Ik keek om me heen. 'Mijn familie staat klaar om te gaan, maar ik wilde nog even afscheid nemen van jullie en Adam.'

'Hij is al weg', zei Frankie. 'Hij vroeg me jullie allebei de groeten te doen.'

'Zonder iets tegen ons te zeggen?' Elise keek verontwaardigd.

Hij ontloopt me; dat weet ik. Ik begrijp nu waarom Adam deed wat hij gedaan heeft. Hoewel ik hem vergeven heb, vergeeft hij zichzelf niet, dus wat het geld betreft, is nog niet *alles* goed gekomen.

Als Adams onverschillige behandeling op het vliegveld me gekwetst had, maakte Winslows verrukking over mijn terugkeer dat weer bijna goed. Toen hij me in het oog kreeg, slaakte hij een kreet van plezier en begon zo hard te kwispelen dat hij een zakenman in pak en stropdas bijna omver sloeg. Terwijl de zakenman wegstrompelde zonder te weten wat hem geraakt had, rukte Winslow zo aan zijn riem dat ik dacht dat hij zichzelf zou wurgen.

Ik kon niet eens bij Dave komen om hem te knuffelen. Winslow ging pontificaal tussen ons in staan, en toen ik me bukte om hem te aaien, maakte hij met zijn tong mijn gezicht schoon van het kleinste restantje make-up.

'Rustig, jochie. Ik ga niet meer weg.'

Jankend gaf hij aan dat hij me niet echt geloofde.

Adam is bang dat hij mijn vertrouwen niet kan terugwinnen. En ik? Ik probeer dat van mijn eigen hond terug te krijgen.

'Wil je naar ons huis of naar je eigen huis?', vroeg Jane toen we in de auto zaten. Mattie had me bijna net zo enthousiast als Winslow begroet, alleen zonder haar tong te gebruiken.

'Mijn huis, als je het niet erg vindt. Ik heb het gevoel dat ik geen minuut langer weg wil zijn.'

'Dat dachten we al. Dave en ik hebben boodschappen voor je gedaan, en Mattie heeft een ovenschotel en een taart gemaakt. Dan eten we daar wel.'

Gaaf.

Eten, mijn lievelingsmensen en mijn hond. Het viel me nauwelijks op dat Adams appartement donker was toen we aankwamen.

Nou, misschien een beetje dan.

Oké, oké, ik zag het meteen. En nog erger, ik was teleurgesteld. Op een of andere manier koesterde ik nog steeds de illusie dat we gewoon verder konden gaan waar we gebleven waren na dat geld-Burundi-loterij-verhaal-fiasco. Dat toont maar weer aan dat ik een optimist ben, denk ik, maar deze keer liet mijn optimisme me in de steek. Ik heb het nare gevoel dat Adam helemaal niet meer terugkomt.

'Cassia, waar ben je? Je ziet eruit alsof je ver weg bent met je gedachten.' Jane zwaaide met een lepel voor mijn gezicht om mijn aandacht te trekken.

'Sorry, ik was ook heel ver weg.'

'Je hebt nog niet veel over je reis verteld', merkte Mattie op. 'We willen alles dolgraag horen.'

'Oké', zei ik, terwijl ik naar de energie zocht om mijn ervaringen met mijn familie te delen. 'Maar houd je vast – deze reis was net een ritje in de achtbaan.'

Hoofdstuk
41

'Hoi, Chase, met Adam. Ik ben net terug. Kan ik een paar daagjes bij jullie logeren?'

'Hé, jongen. Natuurlijk, kom maar hierheen. Whitney en Pepto zullen het geweldig vinden je te zien.'

'Whitney misschien wel. Maar Pepto? Dat denk ik niet.'

'Je weet maar nooit. Al die vrouwen in zijn leven hebben hem zachter gemaakt.'

'Vrouwen?'

'Whitney en Cassia. We hebben je buurvrouw ontmoet en ontdekt dat die misantroop in kattenkleding stapelgek op haar is. Het is een fantastische meid, hè?'

'Ja, echt geweldig.' *En de reden waarom ik bij jullie moet blijven totdat ik alles op een rijtje heb.*

Cassia dook overal op, als een strandbal in een zwembad, dacht Adam. Hij kon haar op de ene plaats uit zijn gezichtsveld duwen, maar dan dook ze ergens anders weer op.

'Is alles goed met je? Je klinkt vreemd.'

'Gewoon moe. En mijn taxi rijdt trouwens inmiddels vlak bij je huis.'

'Je weet in ieder geval dat je altijd welkom bent. Ik zal tegen

Whitney zeggen dat je onderweg bent. Ze zal je wel te eten willen geven.'

Adam voelde iedere bot, iedere spier en iedere pees in zijn lichaam toen hij zijn koffer naar de voordeur van Chase sleepte. Er was geen plek die niet zeer deed, tot en met zijn hersencellen.

'Kijk eens aan!' Chase stond in de deuropening en begroette zijn neef. 'Is die baard de nieuwe mode?'

'Alleen maar zolang ik nog geen scheermes heb gevonden.' Adam zette zijn koffers neer, en de twee omhelsden elkaar.

'Kom binnen. Whitney is een omelet en verse koffie aan het klaarmaken. Ik denk dat je ons een heleboel te vertellen hebt.'

Na vier of vijf koppen koffie, de omelet, bacon, een stapeltje toast, twee stukken taart met ijs en een half dozijn zelfgebakken koekjes had Adam eindelijk zin om te praten.

Pepto, die hem geen blik waardig gunde als straf omdat hij hem verlaten had, vergaf hem in ruil voor een stuk bacon en zette toen als welkom zijn nagels in Adams broek.

Whitney en Chase kozen ervoor Adam alles te vertellen over de manier waarop ze bevriend geraakt waren met Cassia.

Hier duikt ze weer op. Ik kan niet weg, zelfs hier niet.

'Je bent nogal stil', merkte Whitney op. 'Je vindt je buurvrouw toch wel net zo aardig als wij?'

'Ja hoor, ik mag haar graag.' Adam schoof op zijn stoel en zuchtte. 'Ik durf haar alleen niet onder ogen te komen.' Toen hij de blik in de ogen van zijn gastheer en -vrouw zag, vertelde hij het hele verhaal.

Whitney en Chase zwegen toen hij uitgesproken was.

Ten slotte floot Chase. 'Een ethische puinhoop, hè? Een morele misstap?'

'Je pakt in ieder geval de koe meteen bij de hoorns', gromde Adam. Hij streek met zijn vingers door zijn haar. 'En ik weet niet eens waarom het zo erg is. Ik ben niet de eerste journalist die met zijn ellebogen werkt voor een verhaal, en ik zal ook niet de laatste zijn. Het is niet dat ik iets slechts over haar gezegd heb. Ze komt geweldig voor de dag – als een heldin eigenlijk.'

'Je hebt gelijk. Helemaal niet erg', stemde Chase vrolijk in.

'Ik bedoel, ik heb dit echt enorm opgeblazen allemaal.'

'Absoluut. Het stelt niets voor als je het grote geheel bekijkt. Wat maakt het uit of er één vrouw boos is als je een heleboel kinderen kunt helpen? Ze komt er wel weer overheen. Wil je nog een kopje koffie?'

'Ja, ik ...' Adam keek met een scherpe blik op. 'Wat ben je aan het doen?'

De ogen van Chase twinkelden. 'Niks. Ik geef je alleen gelijk dat de meeste mensen er niet van wakker zouden liggen, Adam.' Hij pakte de koffiepot en schonk Adam nog een kopje in.

'Ik dacht dat ik dat nooit te horen zou krijgen van jou, deugdzame, rechtvaardige, godvrezende burger.'

'*Ik* zou het natuurlijk nooit gedaan hebben, niet zonder haar toestemming. Maar dat zal wel de reden zijn waarom ik dokter ben. Mijn verantwoordelijkheid is altijd duidelijk – de patiënt.'

'Nou, zo erg is het helemaal niet, Chase!'

'Pardon? Wie maakt zich nu zo druk over de keuze die hij gemaakt heeft? Adam, als het zo erg is, zeg dan dat het je spijt!'

'Dat heb ik gedaan.'

'Heeft ze je vergeven?'

'Dat denk ik wel.'

'Heb je jezelf vergeven?'

Adam trok een grimas. 'Blijkbaar niet.'

'Heeft God je vergeven?'

'Wat heeft dat ermee te maken?'

'Het had er altijd alles mee te maken.' Chase ging achteroverzitten in de stoel, sloeg zijn armen voor zijn borst over elkaar en grijnsde. 'Die God in wie jij besloot niet te geloven, die je in Burundi kwijtgeraakt bent, zal nog steeds wel belangrijk zijn. Anders zou het je niet kunnen schelen of Cassia boos was of niet.'

'Ik kan wel ethisch zijn en niet geloven!'

'Natuurlijk kan dat. Maar er schuilt meer in jou dan ethiek, Adam. Dat is geweten. En dan heb je ook nog die irritante, maar effectieve vriend van ons, de heilige Geest.'

'Laat dat erbuiten, Chase. Maak niet overal een preek van.'

'Oké, oké', stemde Chase in, nog steeds overdreven vrolijk. 'Ontdek het zelf maar. Maar ik durf te wedden dat de heilige Geest op alle mogelijke manieren probeert tot je door te dringen. Hij is niet zo gek op verharde harten, weet je.'

'Je zou met me durven te *wedden*? Chase, gokken is de primaire oorzaak van al deze ellende!'

Adam stond onder de douche en liet het hete water over zijn huid stromen. Hij draaide aan de douchekop totdat het water eruit kwam als pijnlijke kleine hagelkorrels. Terwijl hij daar stond, schrobde hij zich met een stuk zeep en een washandje alsof hij probeerde zijn frustratie weg te wassen.

Chase had gelijk. Dit was niet erg. Cassia nam het hem niet meer kwalijk. Zoiets had ze gezegd. Tijdens de vlucht naar huis had ze tegen hem gezegd dat het goed was de artikelen te publiceren, aangezien ze gebruikt werden ten behoeve van 'ons doel'. Ze had zelfs gezegd dat hij, als hij dacht dat er iemand dom genoeg zou zijn om een boek over haar, de loterij en Burundi te kopen, dat zou moeten schrijven – met haar goedkeuring, natuurlijk. Het enige waar ze op stond, was dat de rol die haar geloof in dit alles speelde, er duidelijk in vermeld moest worden, en ook dat God haar geleid had naar de plaats waar ze zijn moest.

Adam zette de douche uit en schudde zijn hoofd als een grote, natte hond, waardoor de druppels door de badkamer vlogen. Hij gaf Chase niet graag gelijk. God *was* belangrijker voor hem dan hij wilde laten blijken.

God was degene die Adams geweten deed spreken. En Adam kwam erachter dat God, als Hij iemands aandacht wil, zichzelf erg gezaghebbend en opvallend kon maken.

Hoofdstuk
42

Nog steeds niet thuis?

Ik begin me een beetje dom te voelen dat ik een paar keer per dag de trap af sluip om te zien of Adam en Pepto al aangekomen zijn.

Die man blijkt uit het niets te kunnen opdoemen en ook weer te verdwijnen!

Dat is nog een reden waarom Adam en ik het nooit gered zouden hebben in een relatie. Ik houd van zaken als stabiliteit en standvastigheid en bijvoeglijke naamwoorden als 'onveranderlijk', 'geworteld', 'toegewijd' en 'betrouwbaar'. Ik houd van, zoals mam zegt, 'iemand die zijn voeten iedere avond onder zijn eigen eettafel steekt'. Adams voeten zouden zich op ieder moment onder iedere eettafel ter wereld kunnen bevinden. Hij zou de boot zijn, en ik het anker. Hij zou de zeilen willen hijsen, en ik zou hem terugslepen naar de warmte en veiligheid van thuis.

Ken en Randy. Dat zijn tenminste stabiele mannen. Ik zou me geen zorgen hoeven te maken dat ik een van hen zou verliezen aan Rwanda, Calcutta of Timboektoe.

Mijn telefoon rinkelde en ik schrok op uit mijn misnoegde overpeinzingen. Het was Whitney.

'Hoi, Cassia, heb jij Adam gezien?'

'Nee. Had ik hem dan moeten zien?'

'Niet noodzakelijkerwijs. Hij logeert bij ons, maar ik dacht dat hij vandaag langs zijn huis zou gaan. Ik wilde hem vragen Pepto's speeltjes mee te nemen hierheen. Als die kat hier blijft, moet hij wel iets te doen hebben. Hij heeft al een half dozijn speelgoedmuizen kapotgemaakt.'

Je meent het. Pepto zou een begraafplaats moeten beginnen voor die enge dingetjes.

Toen drong wat ze zei, tot me door. 'Pepto blijft bij jullie?'

'Het staat nog niet helemaal vast, maar Adam kennende is hij over een paar dagen weer weg.'

'O.' Mijn stem klonk mezelf hol en zwak in de oren.

'Die vent heeft gewoon geen rust in zijn lijf. Hij kan niet lang op dezelfde plaats blijven.'

En zeker niet aan de eettafel van slechts één iemand.

'Maar goed, wil je hem de boodschap doorgeven als je hem ziet? Hij heeft Pepto meegenomen. Zijn tanden worden schoongemaakt bij de dierenarts.' Whitneys gegrinnik klonk door de lijn. 'Morgen zal ik bij de rouwadvertenties kijken naar voormalige dierenartsen en hun assistenten.'

Toen ik opgehangen had, liep ik te ijsberen totdat Winslow besloot dat ik er nodig uit moest voor een wandeling. Hij pakte zijn riem, die op een stoel lag, en bracht die naar de deur, waar hij rustig bleef staan wachten totdat ik hem opmerkte.

Ik besloot dat zijn idee nog niet eens zo slecht was. Lichaamsbeweging is een uitstekende manier om je frustraties kwijt te raken, en ik ben ontzettend gefrustreerd. Hoe boos ik ook geweest ben op Adam, en hoe teleurgesteld ook dat hij én geen christen én geen huiselijk type (lees: het huwbare soort) is, geef ik nog steeds om hem. Zou hij mijn gevoelens gewoon één keer kunnen beantwoorden door met me te praten? Is dat te veel gevraagd?

Ik versnelde mijn pas en rende met Winslow over de wandelpaden rondom het Harrietmeer.

Uiteindelijk werd Winslow moe en gaf hij de brui aan het rennen. Ik had gehoopt Adam uit mijn systeem te zweten, maar het had maar gedeeltelijk succes gehad. Toch voelde ik me beter toen we naar huis liepen.

De bloemenman wilde net bij me aanbellen toen ik binnenkwam. Er verscheen een blik van opluchting op zijn gezicht toen hij me zag. 'O, goed. Ik ben blij dat je thuis bent. Nu hoef ik hier niet mee terug te komen.'

Hij droeg twee boeketten. Het ene bestond uit vierentwintig gele rozen die verrukkelijk roken. Het andere was een samengesteld boeket met allerlei felle kleuren – rood, geel, roze, paars en lavendel. Het eerste zou van Ken zijn, het tweede van Randy.

'Heb je een goede reis gehad?', vroeg meneer Boeket. 'Je bent een tijdje weggeweest.'

'Hoe weet je dat?'

'Het was een slappe tijd in de bloemenhandel. Ik hoefde hier niet iedere dag te bezorgen.'

'Het is een gênante overvloed.' Ik pakte de boeketten aan, één in iedere hand, en draaide Winslows riem om mijn wijsvinger. 'Maar ze zijn er allebei net achter gekomen dat ik terug ben, en zijn opgelucht dat ik levend teruggekomen ben. Ik kan het hun in feite niet kwalijk nemen.'

Mijn bloemenvriend schudde zijn hoofd. 'Je zult wel een heel interessant leven leiden.'

Ik rook aan de rozen. 'Niet bewust.'

Ik zag Adam bijna niet door al die bloemen heen, maar ik bleef wel staan toen ik zijn stem hoorde.

'Kan ik je daarmee helpen?'

Ik keek hem door het struikgewas aan. 'Graag.'

Hij pakte de rozen van me aan en deed een stap opzij zodat ik de trap op kon lopen.

'Dus je bent nog steeds hier.'

Hij keek me verbaasd aan.

'Whitney belde en vroeg of ik tegen je wilde zeggen dat je, als je Pepto nog langer bij hen laat, meer muizen moet meenemen.' Ik keek hem behoedzaam aan. '*Ga* je binnenkort weer weg?'

Hij volgde me mijn appartement in, en we legden de boeket-

ten naast elkaar op tafel. Om iets te doen te hebben tijdens de ongemakkelijke stilte maakte ik de kaartjes open die eraan hingen.
Na een korte blik legde ik ze op tafel. Ik had gelijk. De rozen waren van Ken.

'Hoezo?'

'Gewoon nieuwsgierigheid, meer niet.'

'Ik zit erover te denken.'

'Waar ga je heen?'

'Burundi, denk ik. Ik kan daar ook schrijven als dat nodig is.'

'Waarom kun je dat hier niet doen?'

Hij leek zich niet op zijn gemak te voelen. Om zichzelf af te
leiden pakte hij afwezig de kaartjes van tafel.

'O, om een heleboel redenen ...' Zijn stem stierf weg, en hij
trok een wenkbrauw op.

Ik las de volledige boodschap op het kaartje.

Nu ik je levend terug heb, trouw met me!
Ken

Voordat ik het kon wegpakken, keek hij ook naar Randy's kaartje.

Welkom thuis!
We moeten gauw afspreken om over onze toekomst te praten.
Met liefde — Randy

'Het ziet er toch niet naar uit dat je tijd zult hebben voor buren-
bezoekjes.' Toen voegde hij er bot aan toe: 'Wat maakt het jou uit
of ik ga?'

Mijn haren gaan niet vaak overeind staan, maar dit kon ik niet
waarderen. Ik voelde mezelf veranderen in de spreekwoordelijke
rode furie.

'Waarom het mij iets uitmaakt? O, dat weet ik niet. Misschien
omdat ik dacht dat we vrienden waren. Misschien omdat ik dacht
dat we allebei genoten hebben van de tijd die we samen hebben
doorgebracht toen ik hier net was komen wonen. Zou het wel-

licht kunnen zijn omdat ik me voor je openstelde en hoopte dat je daar vertrouwelijk mee zou omgaan? Of zou het zijn omdat we samen een paar avonden per week films keken, popcorn maakten en met de dieren speelden? Dat we ons eten met elkaar deelden?'

Ik haalde diep adem en raasde verder. 'Dat ik dacht dat je echt om me *gaf*? Wat was ik voor idioot om dat te denken? Het is een schande, Cavanaugh. Wie ben je eigenlijk? De beroemde menslievende journalist? Een verslaggever die alles voor geld doet? Oprechte vriend? Verrader? Het maakt me niet echt iets uit, maar ik zou het graag willen weten. Neem een beslissing, Adam. Je moet iets zijn!'

Hoofdstuk

43

Een vuurpijl met een kort lontje.

Hij had hem per ongeluk aangestoken, maar hij had geen idee hoe hij het vuur moest blussen. Adam staarde geschrokken naar de ziedende schoonheid. Haar ogen gloeiden, ze beefde van verontwaardiging en liet een heel nieuwe kant van Cassia zien, eentje waarvan hij het bestaan niet gekend had. Het was de kant die in staat was tot rechtvaardige woede, die in opstand kwam tegen onrechtvaardigheid en zelfzuchtige mannen.

'Je hebt gelijk. Het was gemeen dat te zeggen. Ik heb de laatste tijd te veel medelijden met mezelf. Misschien moet ik ook eens een Ben & Jerry's proberen. Ik ben te ver gegaan ...'

Humor werkte niet.

'Je gaat inderdaad te ver. Je gaat zo veel te ver dat je ... dat je ...' Ze zweeg abrupt. Maar toen ze weer nieuwe stoom verzameld had, ging ze verder: 'En hoe kom je er eigenlijk bij dat je je eigen grenzen kunt trekken?'

Hoe moet ik daarop antwoorden, vroeg Adam zich af. Maar de vreemde vraag wekte zijn interesse. Terwijl Cassia mopperend naar de wasbak liep en water op de bloemen liet stromen, begon Adams hoofd te tollen.

Wie trekt de grenzen in mijn leven? Wie bepaalt de regels? Ik? Nou, dat heb ik de laatste tijd niet zo geweldig gedaan.

Om eerlijk te zijn, het leven was makkelijker geweest toen hij God de regels had laten bepalen. Maar God was verdwenen in Burundi. Alles wat Adam daar gevonden had, waren pijn en verdriet ...

Hij keek naar Cassia als van een afstand. Hij zag de kleur op haar wangen, de ronding van haar nek, de gracieuze manier waarop ze zichzelf staande hield, zelfs terwijl ze woedend met pannen kletterde en de vaatwasser uitruimde.

Terwijl hij naar haar keek, vroeg hij zich af: had de ervaring in Burundi alleen maar problemen veroorzaakt of had hij iets gemist?

Als zijn ervaringen alleen maar slecht geweest waren, wat hadden Cassia en haar miljoenen dollars daar dan gebracht? Hoe was ze zijn leven eigenlijk binnengekomen? Ze had zelfs een band gekregen met Frankie en Elise, met hun combinatie van compassie, professionaliteit en bekendheid met de problemen. Het waren de twee mensen die de grootste kans hadden om dingen in dat land voor elkaar te krijgen. Wat had Cassia gedreven naar een land waar ze tot voor kort zelfs nog nauwelijks van gehoord had?

Iedereen hield van haar – Chase, Whitney en zelfs Pepto. Ze leek een spoor van zegeningen achter te laten, waar ze ook kwam.

Misschien *was* God toch in Burundi geweest, bedacht Adam. Misschien had hij Hem alleen niet op de juiste plaatsen gezocht.

Heer, het spijt me. Ik ben stom geweest. Het is beter als U de leiding neemt. Vergeef me. Adam hief zijn handen in een gebaar dat, als iemand het gezien had, vergeleken zou kunnen worden met dat van een ruiter die de teugels aan iemand anders overgeeft. De teugels van zijn leven.

Toen besefte hij dat Cassia nog steeds grommend door haar appartement stampte. 'Was een christen, maar gaf het op om een hufter te worden. Bof ik even ...'Je zult een heleboel interessante mensen ontmoeten in de stad, Cassia.'Wat weet Jane er nou van? Interessante mensen zijn niet altijd goed voor je. Dat bewijst

Adam wel. Wat heeft het kennen van hem ooit meer opgeleverd dan irritatie ...'

Ze keek op en zag dat hij naar haar stond te kijken. 'Nou, dat ben je ook! Irritant, bedoel ik.' Ze ging met gevouwen armen tegenover hem staan, hem uitdagend haar tegen te spreken.

'Je hebt volkomen gelijk. Dat ben ik ook. Ik irriteer zelfs mezelf. Maar dat gaat veranderen. Je hebt me eens verteld dat God je door je oma geraakt heeft. Nou, ik denk dat Hij me net door mijzelf geraakt heeft.'

Cassia zette grote ogen op en haar mond viel open.

'Nou, het is wel belangrijk, maar je hoeft niet zo verbijsterd te kijken.'

'Winslow. Hij is weg.' Haar handen vlogen naar haar wangen. 'Ik heb de riem losgelaten toen ik binnenkwam, maar ik heb de deur niet dichtgedaan.'

'Er is heus niets aan de hand', zei Adam. 'Hij kan niet naar buiten. Hij loopt gewoon door de gangen.' Toen sperde hij zijn ogen open. 'En ik heb de voordeur niet dichtgedaan. Pepto ...'

'Winslow!'

En ze renden naar beneden, doodsbang voor wat ze misschien zouden aantreffen.

Hoofdstuk
44

'Geen bloed', was Adams eerste opmerking toen we zijn deuropening bereikten. 'Dat is een goed teken. En we hebben geen gejank gehoord.'

Ik sloot mijn ogen en dwong mezelf diep adem te halen. In gedachten zag ik Winslow al janken en jammeren, met Pepto's klauwen vast in de grote zwarte dropneus van mijn hond. Ik wist dat Pepto, als hij echt schade wilde aanrichten, voor die kwetsbare neus zou gaan, zijn klauwen erin zou zetten en niet meer zou loslaten. Winslow zou in kringetjes rond kunnen rennen, zijn kop kunnen schudden, de kat over de grond kunnen meeslepen en zichzelf nog steeds niet kunnen losrukken.

'Ik had de deur niet open moeten laten, Cassia. Het spijt me ...'

Adam bleef zo abrupt staan dat ik tegen zijn brede, warme rug botste. Hij draaide zich om en pakte mijn schouders beet. 'Het spijt me van alles – vooral dat ik zo'n hufter was. Ik zal God vragen me te helpen, oké? Als Hij het me vergeven heeft, en jij vergeeft het me, dan kan ik mezelf vergeven – voor de artikelen, de uitvluchten, de hufterigheid.'

Ik werd overspoeld door vreugde. 'Ik ben dolblij dat jullie weer met elkaar praten.'

'Ik ben opgehouden met Hem te praten. Hij is nooit opge-

houden tegen mij te praten. En ...' – Adam haalde diep adem – '...
ik denk dat Hij jou gebruikt heeft om mijn aandacht te trekken.'

'Adam,' bracht ik hem in herinnering, 'Pepto heeft Winslow te
pakken. We kunnen verderpraten als we hem gered hebben.'

'Goed.' Hij grijnsde naar me, en even vergat ik bijna waar we
mee bezig waren.

'Niet in de slaapkamer', meldde Adam.

'Niets in de badkamer.'

'Ze zullen toch niet op een of andere manier samen buiten terechtgekomen zijn?'

'Geen van de mensen die in dit gebouw wonen, zou ze eruit
gelaten hebben.'

Plotseling begon Adam te grinniken. 'We kijken er straal overheen.'

Ik draaide me met een ruk om om te zien waar hij naar keek.
Daar lag Winslow, die Adams hele bank in beslag nam, en ... Mijn
tanden vielen bijna uit mijn mond. Nou ja, dat zou gebeurd zijn
als ik een kunstgebit had gehad.

Pepto lag tussen Winslows grote poten, spinnend, terwijl Winslow de vacht van de kat geduldig waste met die tong met het formaat van Adams schoenen. Terwijl we keken, draaiden Winslow
en Pepto de rollen om. Winslow kwijlde blij, en Pepto begon hem
te fatsoeneren. Om misselijk van te worden. Ze waren net een
verliefd stelletje dat hun handen niet van elkaar af kon houden.

'Over Jesaja 65:25 gesproken!'

Adam keek me afwachtend aan, wachtend op de vertaling.
*'Wolf en lam zullen samen weiden, een leeuw en een rund eten beide stro,
en een slang zal zich voeden met stof ...'*

We barstten in lachen uit.

Later, na het avondeten, dat we samen klaarmaakten in Adams
keuken terwijl hij me vertelde over zijn eigen rotsachtige weg
terug naar God, zaten we op de bank naar ons verliefde stelletje
te kijken. Pepto was vergeten hoe gek hij op me was, en Winslow
leek niet eens meer te weten dat Adam bestond. Ze hadden alleen
maar oog voor elkaar.

'BVA', mompelde ik. 'Boezemvrienden voor altijd.'

'Over wie heb je het? Over hen of over ons?'

'Ik hoop allebei, maar jij bent aan zet.'

Adam keek naar onze dieren die op de grond lagen te slapen. Deze keer lag Winslow op zijn zij en had Pepto zich op zijn voorpoten genesteld. Eén van hen snurkte.

'Moet je nagaan hoe lang we ze uit elkaar gehouden hebben omdat we dachten dat ze elkaar niet aardig zouden – kunnen – vinden.'

'Ik denk dat ze ons terechtgewezen hebben.'

Adam veegde een verdwaalde krul uit mijn gezicht. 'We hebben veel tijd verloren met te denken dat ze samen niet gelukkig zouden zijn.'

'Hmm.'

'Ik denk dat we zelf ook veel tijd verspild hebben.'

Ik voelde zijn warme adem in mijn oor.

'Denk je dat?'

'Zeker.'

Toen draaide hij zich om zodat hij mijn gezicht in zijn handen kon nemen en me in de ogen kon kijken. 'Wat zou je ervan denken de verloren tijd in te halen?'

'Hoe bedoel je?'

'Met een heel korte verloving bijvoorbeeld.'

Ik werd overspoeld door een gevoel van geluk. 'Hoe kort?'

'Heel kort. Heb je al plannen voor volgende maand?'

'Dan heb ik het heel druk. Ik moet naar een trouwerij. De mijne.'

'Cassia, kun je me even helpen met de rits van mijn jurk? Ik krijg hem niet over mijn middel heen. Hij lijkt wel een beetje krap.' Jane schuifelde door de slaapkamer die we tijdens onze jeugd in Simms gedeeld hadden.

'Je bent toch niet aangekomen sinds we de maat genomen hebben voor je jurk?'

'Het geeft niet. Als deze jurk niet past, heb ik voor de zekerheid nog een andere meegenomen. Je hebt maar één bruidsmeisje. Niemand zal het merken.'

'Ik wist wel dat ik plan A had moeten volgen.' Ik rukte aan de rits van de nauwsluitende jurk die Jane voor de bruiloft gekozen had.

'Een hond als bruidsmeisje? Ik dacht het niet!'

'Hij komt niet van de ene op de andere dag aan – en hij is goedkoop aan te kleden.' Ik wierp haar een strenge blik toe. 'En hij spreekt niet tegen.'

Janes jurk is gemaakt van een elegant aquamarijn dat me herinnert aan de zeeën van het Caribisch gebied. Ik vind hem mooi omdat de kleur de perfecte achtergrond vormt voor de bloemen die we voor de bruiloft op hebben.

Zoals gewoonlijk kon ik niet beslissen. Dus ben ik naar de

bloemist gegaan en heb ik van bijna alles wat ze hadden, er eentje genomen – behalve anjers natuurlijk. De overvloed aan kleuren zorgt voor een bloemrijke festiviteit.

Ik stelde het menu voor het diner op ongeveer dezelfde manier samen. De eentje-van-alles-winkel wist grote, witte tenten te vinden, zodat we onze receptie in de achtertuin van oma's huis konden houden, die spectaculair is eind augustus en begin september, en ik heb een lijst gemaakt van alles wat Adam en ik lekker vinden, en daaruit hebben we een keus gemaakt.

Frannie zorgt voor hun geweldige geroosterde biefstuk, aardappelpuree en jus en die geweldige havermoutkoekjes die op geen feestje zouden mogen ontbreken – in het klein natuurlijk, en allemaal versierd met een kleine roze roos. Adam wilde per se maïskolven, omdat het daar het seizoen voor is, en zelfgemaakt ijs voor bij de taart. Aangezien zijn hele familie komt, net als iedereen in Simms, hebben we genoeg eten besteld om alle aanwezigen bij de Super Bowl te eten te kunnen geven.

Ik verbaas me ook over het aantal collega's van Adam, uitgevers en VIP's die komen. We moesten zelfs een plek zien te vinden om de limousines te parkeren tijdens de festiviteiten. De directeur van de basisschool bood de parkeerplaats en de speelplaats bij de school aan. Als de chauffeurs zich vervelen, kunnen ze op het klimrek spelen.

Ik fronste terwijl ik aan Janes jurk trok. Ze zag mijn blik in de spiegel.

'Hij past toch wel, hè?'

'Uiteindelijk wel. Als je belooft niet te bukken of adem te halen.'

'O, mooi.' Jane slaakte een zucht van verlichting, waardoor haar buik uitzette, en haar rits teruggleed. 'Waar stond je eigenlijk aan te denken?'

'De taart.'

'O, die.' Ze keek me opgetogen aan. 'Ik vind je erg dapper, hoor.'

'Dapper is niet echt wat een bruid zou moeten zijn als het om haar bruidstaart gaat.'

'Dapper is wat je moet zijn om Tulip die naar eigen idee te laten versieren.'

'Ik ben een beetje te welwillend geweest tegenover de gemeenschap van Simms toen ik dat goedvond.' Ik dacht dat iedereen het leuk zou vinden een van Tulips taarten te hebben, maar ik was even een aantal van Tulips vroegere ontwerpen vergeten.

De vrouw is een kunstenaar, ongetwijfeld. Misschien zou ik *kunstenares* moeten zeggen – wispelturig en pietluttig, wat haar creatieve kant betreft. Soms lijdt Tulip aan grootheidswaan. We hadden die rugbytaart op het formaat van een Volkswagen gehad, die ze maakte toen Simms een succesvol sportjaar had gehad. Nou, misschien was het geen Volkswagen, maar hij was in ieder geval minstens zo groot als dat kleine rode autootje waarin ze hem moest vervoeren. Haar taarten waren versierd met alles van sterretjes en feestartikelen tot complete historische afbeeldingen van de eerste pioniers die zich in Simms vestigden.

'Ik heb geprobeerd me er een voorstelling van te maken wat ze zou doen, maar ik kan het niet bedenken.'

'Wie weet hoe Tulips geest werkt? Ze bedenkt wel iets.'

'Daar ben ik juist bang voor.' Ik had de rits dicht gekregen en draaide Jane aan haar schouders om. 'Kijk eens aan, je ziet er geweldig uit!'

'Heb je daar ook maar een seconde aan getwijfeld?' Haar hele gezicht straalde opluchting uit. 'Nu is het jouw beurt.'

Ik wierp een blik op de klok, en de zenuwen begonnen door mijn maag te gieren.

'Doe ik er goed aan, Jane? Adam en ik zijn zo verschillend.'

'Ben je gelukkig?' Jane deed de kastdeur open en haalde mijn jurk eruit.

'In de zevende hemel.'

'Houd je van hem?' Ze spreidde de elegante satijnen creatie uit op het bed.

'Met heel mijn hart.'

'Houdt hij van jou?' Jane maakte de rits open.

'Met iedere vezel van zijn wezen.'

'En hij is een christen. Wat is het probleem dan?'

'Onze levens zijn zo anders. Een journalist die de hele wereld over reist en een vrouw die een thuis wil scheppen en met kinderen wil werken.'

'Maar jullie passies zijn hetzelfde.' Ze pakte de jurk op. 'Doe je armen omhoog.'

Ik wurmde me in de jurk en dacht diep na. 'We geven wel om dezelfde dingen – God, familie, Burundi, goed doen in de wereld, huisdieren ...'

De jurk viel gracieus om me heen.

'Zoals ik al zei, wat is het probleem dan?'

Ik hield mijn adem in toen ze de jurk dichtritste, maar dat was niet nodig. Hij gleed met gemak op zijn plaats.

'Er is geen probleem. *Ik* doe alleen maar moeilijk.'

'Houd daar dan mee op.' Ze nam mijn wangen in haar handpalmen. 'Schat, iedereen is blij voor je. Iedereen weet dat het goed is. Al je vrienden van de loterij zijn er – Stella, Cricket, zelfs die vrouw die haar tas altijd tegen haar borst klemt – en dat vreemde stelletje. Ze zeiden dat ze mevrouw Carver en George heetten. Weet jij wie dat zouden kunnen zijn?'

'Buren.' Ik wilde glimlachen. 'Oplettende buren.'

'Zelfs Ken en Randy hebben je hun zegen gegeven.'

Jane heeft gelijk. Ik had me geen betere reacties kunnen wensen op het nieuws over Adam en mij. Randy zegt dat hij nog steeds boos is op zichzelf dat hij niet eerder over zijn gevoelens gesproken heeft. 'Ik had een kansje kunnen maken, Cassia. Ik heb het verknald.'

Het goede nieuws is dat Randy iets geleerd heeft van onze noodlottige relatie. Er is kortgeleden een nieuwe accountant bij Parker Bennett komen werken, een knappe blondine met blauwe ogen. Randy vond haar meteen leuk en heeft dat onmiddellijk tegen haar gezegd. Ze hebben beloofd hier te zijn voor de bruiloft.

Ken had er meer moeite mee. Eerst was hij boos, toen gekwetst en uiteindelijk, na uren met elkaar gepraat te hebben, was hij blij voor me. Niet blij op een lichtzinnige manier, maar blij dat ik iemand als Adam gevonden heb.

'Weet je, Cassia, ik heb er nooit aan willen denken, maar ik denk dat ik al heel lang bang ben geweest dat dit een keer zou gebeuren. Ik ben altijd een beetje bot geweest, en soms vergeet ik dat het niet altijd goed opgevat wordt.' Er blonken tranen in zijn ogen toen hij eraan toevoegde: 'Ik heb altijd van je gehouden, en hoe ik me ook voel, ik wil dat jij gelukkig bent.'

Ik denk niet dat ik ooit meer van Ken gehouden heb. Hij deed het goede, ook al was het moeilijk.

'Komt Ken ook op de bruiloft?', vroeg Jane.

'Nee. Hij zei dat hij dat te moeilijk vond.' Ik hoorde dat mijn eigen stem trilde. 'Maar hij heeft ons wel een cadeau gestuurd.'

'Meen je dat?'

'Kijk.' Ik wees naar een enorme geschenkenmand op de grond bij de kaptafel.

'Dat ding heeft het formaat van een tweepersoonsbed!' Jane schuifelde naar de mand toe, maar paste wel op niet te bukken. 'Wat is het?'

'Kens welkomsmand op megaformaat: pakken koffie, chocola, toiletpapier, bonnen voor melk, alles wat hij in de nieuwe huizen van zijn klanten neerzet.'

'Oké ...' Jane liep met een verbaasde blik bij de mand vandaan.

'En onderin ligt een cadeaubon voor alle materialen die nodig zijn om een huis te bouwen – tegen kostprijs. Hij zei dat hij ze overal tussen Rapid City en Minneapolis kon laten bezorgen. Als we buiten dat gebied willen gaan bouwen, moeten we bezorgkosten betalen. Altijd praktisch, die Ken.'

Janes mond viel open. 'Nou, dat is het mooiste cadeau dat je zult krijgen!'

'Nee, het mooiste cadeau is dat we als vrienden uit elkaar zijn gegaan.'

Er werd op de deur geklopt. 'Lieverd, mag ik binnenkomen?'

'Natuurlijk, mam. We zijn bijna klaar.'

Mijn moeder lijkt erg op Jane – donker haar, vriendelijk gezicht – en ze vecht tegen hetzelfde molligheidsgen dat mijn zus geërfd heeft. Ze pakte mijn hand.

'Je bent beeldschoon, Cassia. Heb je jezelf al gezien?'

Ik draaide me om naar de spiegel en hapte naar adem. Op verzoek van Adam had ik mijn haar min of meer in natuurlijke staat gelaten, een rode, krullende wolk. Mijn huid, die echt niet bruin wordt, maar meteen zo rood als een kreeft, en mijn maagdelijk witte jurk gaven me een teder en hemels uiterlijk. Ik ben geen van beide, maar het is een uitstraling waar ik wel van houd.

'We zijn zo blij voor je, lieverd.' De uitdrukking op mams gezicht versomberde. 'Ik zou willen dat pap en ik meer hadden kunnen meemaken van deze romance van je.'

'Geloof me, mam, jullie zouden het niet zo leuk hebben gevonden. Ik vond het meeste zelf niet eens leuk.'

Mijn arme moeder, die geen idee heeft van alle verwarring en misverstanden die hieraan voorafgegaan zijn, glimlachte zwakjes. Soms is onwetendheid een zegen, en dat wilde ik vandaag voor haar – zegen. Adam en ik zullen later nog tijd genoeg hebben om het hele verhaal van onze ontmoeting en het begin van onze relatie te vertellen.

'Is pappa klaar?'

'Hij is al twee uur in de kerk. Het is een grote dag wanneer hij naast zijn dochter door het gangpad mag lopen om haar weg te geven aan haar man.'

'En Mattie?'

'Die houdt ontvangst bij de kerkdeur met je vriendin Whitney. Ze is helemaal in haar element.'

'Nou,' zei ik, 'dan denk ik dat het tijd is.'

Mijn hart bonsde zo luid toen ik achter in de kerk stond dat ik bang was dat het uit mijn borst zou barsten en ontsnappen. Zelfs dat vooruitzicht kon echter niet verhinderen dat ik mijn ogen niet af kon houden van de knapste man ter wereld, die op me stond te wachten aan het einde van het lange, met wit tapijt beklede gangpad.

Adams witte tanden staken fel af tegen zijn gebruinde gezicht toen hij glimlachte. Chase en hij zijn een adembenemend duo. De vrouwen in Simms zullen veel te bespreken hebben tijdens het oestrogeenuurtje op maandag. Mijn vingers jeukten om Adams haar, dat precies de lengte heeft die ik mooi vindt, te mogen aanraken. Ik had hem nog nooit eerder in smoking gezien, maar die staat hem zelfs nog beter dan die goed passende spijkerbroeken en zachte shirts die hij draagt.

Pap gedroeg zich als een nerveuze bruidegom, terwijl Adam er kalm en beheerst uitzag, alsof hij dit iedere dag deed. Toen de muziek begon te spelen, deed ik een stap naar voren, de eerste stap van de reis naar mijn nieuwe leven.

'Waag het niet Winslow nog een stuk taart te geven!', vermaande ik Adam. 'Straks wordt hij nog misselijk.'

Adam had met een vooruitziende blik een kleine gaastent met een rits geregeld van waaruit Winslow en Pepto naar de festiviteiten konden kijken. Winslow zag er blij uit met zijn enorme vlinderdas. Pepto tolereerde de witte, fluwelen strik om zijn nek alleen maar, maar hij had hem nog niet aan flarden gescheurd. Ik vatte het feit dat hij zijn bruiloftsuitmonstering nog niet verwoest had, op als teken dat hij zich uitstekend vermaakte op het feestje.

'Waarom niet? Er is meer dan genoeg.'

We draaiden ons om en keken naar het opmerkelijke meesterwerk dat Tulip gemaakt had. De taart bestond uit een reeks lagen, met bruggen en watervallen, geregen aan bewerkelijke traliewerken van glazuur en kant. Er waren plastic zwanen die zwommen in de spiegelende glazen vijver onder aan de taart. Zelfs zij wist dat ze zichzelf overtroffen had en reikte trots visitekaartjes uit met de woorden 'Tulips taartenmakerij'.

De kinderen van Simms speelden voetbal op een veld dat vanuit de achtertuin zichtbaar was, terwijl buren en vrienden zowel hun ogen als tongen te goed deden, terwijl ze over de interessante groep mensen spraken die Adams kant van de uitnodigingslijst opgeleverd had. Adams familie, die gigantisch is, waar hij me al voor gewaarschuwd had, legden gemakkelijk contact met iedereen. Pap en Adams vader, van wie ik pas net ontdekt heb dat hij hoogleraar in de godsdienstgeschiedenis is, voerden een geanimeerde conversatie met elkaar. Mam en zijn moeder vermaakten elkaar met verhalen over 'toen Cassia klein was' en 'voordat Adam zindelijk was'.

Iedereen was zo druk bezig dat het niemand leek op te vallen toen Adam mijn hand pakte en me meenam naar een afgelegen hoekje van de tuin.

'Wel, mevrouw Cavanaugh, wat vindt u van dit feestje en van uw nieuwe levensstaat?'

'Ik ben nog nooit zo gelukkig geweest, en zo dankbaar. God is goed, Adam.'

'Psalm 119:65', zei hij. *U bent goed geweest voor uw dienaar, Heer, zoals U hebt beloofd.*

Amen!